楽園 上

宮部みゆき

文藝春秋

楽園　上 目次

私は生前の彼女を知らない。

――ジェイムズ・エルロイ
『ブラック・ダリア』

楽園

上

第一章　亡き子を偲《しの》ぶ歌

二〇〇五年五月の中旬、昼下がりのことである。ＪＲ浅草橋駅近くの路上を、小柄な女性が歩いていた。

節句人形の老舗《しにせ》店舗があることで有名な町であり、衣類や雑貨の問屋も多いこのあたりには、日中、そこで働く人びとが大勢いる。若い女性も目立つ。が、一人歩きのその女性は、明らかにその種の人ではなかった。どこか他所《よそ》の土地から、おそらくは初めてここを訪れ、不慣れな道筋に戸惑いながら、目的の場所を探している。

年齢は五十代半ばだろう。「彼女」という呼称より、「婦人」と呼んだ方がふさわしい。たっぷりした長袖のブラウスを着て、胸のボタンは襟元まできっちり留めてある。灰色のスラックスと、古風というよりはいささか野暮ったいデザインの黒いベルト。ふっくらした体型なので、ベルトにはあまり余裕がない。足元は履き古した運動靴で、靴紐《ひも》はよれよれだ。

左肩に、がま口を大きくしたような形の黒い鞄《かばん》を提げている。右手には紙袋を持ち、白い紙切れを握っている。目的地への地図か、道順のメモのようなものらしい。ときどきちらちらと目を落としては、ぐるりと景色を確かめ、ビルの看板を見上げ、住居表示を探している。

ガード沿いの道をとぼとぼ歩く彼女の後ろから、空車のランプを灯《とも》したタクシーが来た。道の真ん中で、手元の紙切れに見入っていた婦人は、小さくクラクションを鳴らされて、あわてて端へと避けた。ゆっくり通り過ぎるタクシーの運転手は、サングラスをかけている。今日は、五月に入ってからもう何度目の夏日だろう。

小柄な婦人はがま口型のバッグをぱちりと開け、ハンカチを取り出して、額と鼻筋を拭《ぬぐ》った。眩《まぶ》しそうにまばたきをする小さな目は、象のように温和で優しげだ。

——象ってね、野生のときでも、人間に飼い馴らされてからも、目つきが変わらないんだよ。ずっとああいう、穏やかな目をしてるんだよ。それは知性があるからなんだ。そんな動物、ほかにはいないんだって。

何年か前、婦人の一人息子がそんなふうに言ったことがある。息子の友達が、「おまえの母ちゃん、象みたいだな」とからかったのを受けての言葉だ。その友達は、婦人の目の優しさを褒《ほ》めたわけではなかった。象みたいに太っていて鈍重だという意味で、意地悪くからかったのだ。それでも婦人の息子は、笑顔で、いっそ誇るようにそう切り返したのだった。

自信なさげな足取りで歩き出す婦人の姿は、確かにもっそりとしていて、丸っこくて、おとなしい子象のようだった。すれ違う人びとに、この女性はどんな人だと思いますかと質問を投げたなら、誰もがちょっと考えて、「とにかく、どこかの誰かのお母さん」と答えることだろう。それ以外の職種や立場や肩書きを、思い浮かべることは難しい。

その答えは正しい。ただ、この婦人の一人息子はすでに世を去っている。

駅の改札を出てから三十分以上かかって、小柄な婦人はようやく目的の場所を見つけた。手元のメモをもう一度見る。「ミモザビル」間違いない。ここの三階だ。

こぢんまりした五階建てのビルだった。テナントビルだが、出入り口の脇に掲げられた案内板には、五つのスペースがあるにもかかわらず、三つしか表示が出ていない。薄汚れた扉のエレベーターは、外来者の目につきにくい奥まった位置にあり、気づかなかった婦人は外階段を登った。膝の関節痛が、この人の持病だ。壁に手をつき身体を支えながら、一歩一歩膝《ひざ》を持ち上げる歩き方に、健康状態が表れていた。

三階の狭い踊り場で、婦人は呼吸を整え汗を拭《ふ》いた。紙袋をいったん足元に置き、身なりをざっと点検する。髪を撫《な》でつける。そして灰色のペンキがまだらに剝《は》げたスチールドアを見上げ、インターフォンを押した。

ここのドアの脇にも、社名か表札を掲げるための枠が設けてある。「有限会社ノアエディション」とある。ドアの開閉の邪魔にならないところに、蓋《ふた》のついた大きなゴミ箱が据えてあって、このゴミ箱の横腹にも、手書きの注意書きが貼り付けてあった。

〈ポストに入らない郵便物はここに入れてください〉

訪ねてきた婦人は、インターフォンに応答がくるまでのあいだ、その表示とゴミ箱を興味深く眺めた。

はい、と応じる声がして、ドアがゆっくり開いた。訪ねて来た婦人は、丸い背中をいっそう丸くして、丁寧に頭を下げる。

「萩谷《はぎたに》さんでしょうか」

ドアを開け、声をかけたのは、四十歳前後の女性である。女性にしては長身、半袖シャツにジーンズ、長い髪をくしゃくしゃにまとめて頭の後ろで留めている。化粧っけもなく、足元はスリッパ履きだ。

「はい、萩谷でございます。お約束の時間に遅れまして、すみません」

いえお気になさらずと呟《つぶや》いて、長身の女性はさらにドアを開き、子象のような婦人を招き入れた。土足のままでどうぞと言われても、婦人は思わず爪先立ちになった。床の掃除が行き届いていたからである。

室内には書架と書籍と新聞と雑誌、さらに、知識のない婦人にはわからなかったが、書籍や雑誌の製造過程にあるものが溢《あふ》れていた。大きな机が五つ見えたが、そのうちの二つばかりはただ物を載せる台として使われているようだった。室内は外から想像するよりも広く、窓が大きくて明るい。パソコンのモニターが光っている。応対に出てきた女性以外のここの居住者もしくは使用者は、今は出かけているのか姿が見えない。

部屋の一角の簡素な応接セットに、二人は向き合って腰をおろした。婦人は持参した紙袋から菓子折を取り出すと、礼と詫《わ》びを繰り返した。

頭を下げながら、象のような目をちまちまとまばたく。汗がしみるからではなく、瞳が潤んでいるのだった。

話は一週間前に遡《さかのぼ》る。

ここ「有限会社ノアエディション」で働く前畑滋子《まえはたしげこ》のもとに、ある雑誌社から電話がかかってきた。田口という、滋子よりやや年下の編集者だ。昔の知り合いで、滋子が仕事を再開したことで付き合いが戻り、挨拶《あいさつ》程度の間柄にはなったけれど、それでどうということもない。互いの連絡先を知ってはいるが用はないというくらいの、この業界にはありふれた関係だった。

「ちょっとお願いがあるんですよ。うちの仕事じゃないんだけど、う～ん、でもうちの仕事なのか」

人に会って話を聞いてあげてほしい、というのだった。

彼の作っている雑誌は女性誌でも男性誌でもなく、総合誌でもない。コンセプトは「二十代から三十代の、東京人のための情報誌」だ。女性誌ではないからファッション情報は扱わず、男性誌ではないからエロティックな要素は抜き。それ以外のものなら何でも来い。ただし論壇誌みたいな硬いことは言わないよ、だ。

創刊の際には、読者の性別を選ばない日本で唯一の雑誌と謳《うた》ったが、その程度の斬新《ざんしん》さでは、巷《ちまた》に溢《あふ》れる雑誌やフリーペーパーのなかから抜きん出ることは難しい。部数はジリ貧で、正直いって、電話をもらったとき、滋子は、ああまだ出てたんだと思った。

「それってつまり、インタビューですか?」

「説明が難しいんだけど」

田口は笑ったような声を出す。

「強《し》いていうならそうなのかなあ。とにかく、うちじゃ何ともしようがないんだけど、ひょっとして前畑さんならこの人の力になってあげられるかもしれないって思ったんですよ」

事件ものなんです、という。

滋子のライター歴は長い。その大半を、女性ライターらしい家庭もの、教育もの、ファッション、旅行などを素材とした記事を書くことで過ごしてきた。得意としてきたのは職業もので、全国の伝統工芸の職人たちを訪ね歩いたシリーズは、自分でも満足する出来の仕事になった。単行本化を薦《すす》められたほどだ。

そのまま進めば、今ごろ滋子は、その単行本だけでなく、他にもいくつか、ささやかながらまとまった著作を持っていたかもしれない。ノンフィクション作家と呼ばれることはなくとも、本が売れる見込みもなくとも、業界では「安定した仕事をするライター」として実績を積み、信用を勝ち得ていたことだろう。

その流れが、九年前、たったひとつの事件に関わったことで、変わった。

そう、「たったひとつ」だ。だが、この主に女性を標的とした連続誘拐殺人事件に、犠牲者は両手の指に余るほどいた。あまりにも多くの命が奪われ、生き残った者たちも深く傷ついた。滋子はこの事件に、一時は被害者の側に、また一時は殺人者の側に、最後には告発者の側に立って深く関わり、事件の終熄に立ち会うことができたのだが、それと引き換えに、容易に立ち直ることのできないダメージを負ってしまったのだった。

そうなったのは、誰のせいでもない。自分の軽率さ、不勉強、不用意なアプローチが原因だ。よくわかっていた。誰に責められなくても、滋子は自分で自分を責めた。

書き続けるように、励ましてくれる人びともいた。そのなかの一人で、もっとも強力な応援者が、滋子の夫の前畑昭二《しょうじ》である。夫との絆も、連続殺人事件の渦中にあるとき、一度は断たれかけた。かろうじて繋《つな》ぎとめたとき、その絆は以前より強くなっていた。が、そんな夫の声でさえ、滋子を奮い立たせることはできなかったのだ。

事件もの、犯罪ものにさえ手を出さなければいいんじゃないか、もっと気楽に考えろと、忠告してくれる人もいた。一度の手痛い失敗で、すべてを捨てることはないという助言もあった。逆に、書くことをやめてしまうのは敵前逃亡だという厳しい叱責《しっせき》も受けた。連続殺人犯は司法の手に引き渡され、公判が始まっている。それを追いかけ、つぶさに見て、聞いて、書き残してゆくことこそが、あなたのできる最善の謝罪だ。責任の取り方だと。

どちらの意見にも、滋子は従うことができなかった。

試みはした。何度もしたのだ。が、事件ものであれ何であれ、あるいは「本丸」の公判傍聴記であれ、そもそも書くことができなくなっていた。滋子は怖気《おじけ》づいていた。自分で意識している以上に、深いところから臆病風《おくびょうかぜ》に吹かれていた。

公判には、証人として出廷を求められたとき以外、足を運んでいない。幸か不幸か、滋子が出廷した日の公判では、被告人は開廷早々に不規則発言を繰り返し、判事に退廷を命じられていた。それでも、空っぽの被告人席に気配を感じ、滋子は証言の途中、何度か吐きそうになった。足が震えて、立っているのさえやっとだった。

負けた。もう回復はない。叱られても励まされても、もう駄目だ。自分の仕事《キャリア》は終わった。あとは良き妻良き嫁、そして良き母になって生きていこう。無責任かもしれない。いくじなしだ。それでいい。甘んじてすべての批判を受けよう。あたしはもう終わってしまったのだ。どうしようもない——。

しかし、自分の人生であっても、決心さえすれば全部そのとおりになるわけではない。夫婦仲は円満に安定しているのに、子供には恵まれなかった。不妊治療にも通ったが、結果が出ない。そのうち、高齢の夫の両親があいついで死病に倒れ、わずかな要介護の時期を経ただけで亡くなり、家業を継いでいる夫は社長の責務を負って、忙しくなった。それまで夫の会社を手伝ったことのなかった滋子は、今さら一緒に働こうかと思っても、アルバイトの事務員より役に立たない。ぽつねんと、夫の帰りを待って家事をするだけの毎日になった。

時間が余り、無為を持て余すようになると、少しずつ少しずつ、（また仕事をしたい）という気持ちが湧き上がってきた。何とムシのいい話だ。さんざん責任を回避して逃げ回ってきたのに、今さら何だ。時間が経《た》ってほとぼりが冷めたら、もういいかと思い始めたって？　冗談じゃない。

甘ったれるな。

怒鳴られ嗤《わら》われるに決まってる。またライターに戻りたいなんて言い出したって、誰が仕事なんかくれるもんか。半ば自棄《やけ》のようになって、どうせ断られるんだからいいじゃないかといくつかあたってみると、驚いたことに、歓迎された。

「長くかかったね。でも、よかった。お帰り」

そんな言葉も贈ってもらった。

「これからだって、ずっと苦しいだろうと思うよ。シゲちゃん、あの事件のことは一生抱えていかなくちゃならない。それは誰も代わってあげられないしね。でも、何か書くって仕事は、そういう業《ごう》を背負うものだからさ。シゲちゃんほど派手で目立ちはしなくても、みんな同じだからね」

ライター仕事を再開したいと思う——と言い出すと、夫も喜んでくれた。それでいいんだ、滋子はそれでいい、と。

「俺はおまえほど頭よくねえから、上手く言えないけど」

両親を失い、めっきり白髪が目立つようになった五分刈り頭をごりごりかきながら、彼は言った。

「滋子はさ、いつかきっと、もういっぺんあの事件と向き合わなくちゃならないんだろうと思うよ。でも、それは期限があるもんじゃないって気がする。滋子がずっとライターやりながら生きてって、そンで寿命が尽きる迄《まで》には、あの事件を書けないかもしれない。だけどさ、書いてりゃ、そこに向かってることにはなるじゃんか。それでいいんだよ。それなら、逃げてることにはならないんじゃねえかと、俺は思うんだ」

そしてあわてて、顔を赤くして付け足した。

「だからって、あの事件のこと忘れるなってるなっていうわけじゃないんだ。忘れたっていいんだ。こだわれって言ってるわけじゃないんだ。ライターって仕事は滋子が好きな仕事なんだから、またやればいい。何も考えなくていいって。な？」

事件の渦中の壮絶な夫婦喧嘩《げんか》のときとも、その和解のときとも、思いがけず早く舅《しゅうと》と姑《しゅうとめ》を見送ったときとも違う種類の涙を、滋子はちょっぴり流した。

そういえばこの人は、あの事件の直後もこう言ってくれたっけ。滋子には滋子にやれることがある。やるべきことがあってやれるなら、やれよ。やらなきゃ女がすたるだろう。

最初のうちは仕事量もたかが知れていたので、家で書いていた。昨今急速に伸びている広告系フリーペーパーの仕事で、気も楽だった。さすがに大手の雑誌から声はかからなかったし、滋子の方でも行く気はなかった。

そのうちに、フリペ専門の編集プロダクションをやっている友人から、うちと専属契約してくれないかと誘われた。滋子はふたつ返事で承諾し、「有限会社ノアエディション」に机を持つ身になった。それが三年前のことだ。

フリペといっても、バカにしたものではない。新製品のパブリシティもやれば、人物インタビューもやる。広告系だから、滋子がかつて得意としていた職業ものの蓄積が役に立ち、今では名指しで依頼が来ることもある。

名刺を出した際、「ひょっとしてあの前畑さんですか」と問われることは、今ではほとんどない。流れの速い現代社会のことだから、そもそもあれだけの大事件の記憶さえ薄れている。滋子は主役ではなく脇役で、しかもとんだ道化モノだった。こちらで意識するほどには、世間はもう滋子を見ていない。とっくの昔に目を切っていたのだった。

あの事件の公判の、一審は六年がかりで結審した。死刑判決だった。もちろんそれで終わるわけはない。被告人が控訴し、現在は高裁での審理が続いている。めったに報道されなくなったけれど、一審判決の後、被告人の拘禁反応が重くなり、医療的な対処が検討されている旨の記事が、スクープ扱いで出たことがあった。

初公判当時の騒乱は別として、その後滋子が主婦業に専念している時期でも、ライターとして始動したころにも、時折思い出したように記者やルポライターが接触してきて、「書け」というのではなく、滋子を取材したがることがあった。どんなケースでも丁寧に断ってきたのだが、ノアエディションに落ち着いてから、ひとつ変化があった。

それまで滋子は、「もうわたしがお話しすることはありませんから」と答えてきた。相手がどんなに食い下がっても、それで受話器を置いてきた。が、今は違う。

「もし許されるなら、いつかわたし自身で書きたいと思いますから」

そう答えるのだ。ノアエディションの社長であり、滋子の永年のライター仲間でもある野崎英治《のざきえいじ》は、初めてそれを耳にしたとき、「ああ、こいつ完全にトンネルを抜けたなと思った」と言った。

とはいえ、もう目を背けないという覚悟は、積極的に立ち向かうという宣言とは違う。滋子の仕事の日常は、ノアエディションの業務内で静かに安定していた。

だから、突然の電話の依頼に当惑した。事件ものだっていうのに、あたしなら力になれるって、どういうこと？

「萩谷敏子《としこ》さんていう、五十三歳のお母さんなんですけどね」

滋子の不安をよそに、田口の電話の声は軽い。

「突然うちを訪ねてきて、ご自分の息子さんのことを記事にしてくれないかっていうんです。ま、いろいろヘンな人が押しかけてくるのは珍しいことじゃないし、このお母さんはとっても丁寧で真面目な感じの人なんで、僕もひととおり話は聞いたんです。けど……」

扱いかねる、というわけだ。

「うちが初めてじゃないんです。あっちこっち行って、みんな門前払いだったらしい」

「その方の息子さんて――」

「もう死んでるんです。この三月に、交通事故で」

滋子はちょっと眉を寄せた。

「その事故に事件性があったっていうことですか」

「いえ、そっちは純然たる事故。不可解な部分は何もないんですよ」

では、萩谷敏子という女性は、亡き息子の思い出話を記事にしてほしがっているのか。それがどうして「事件もの」になるのだろう。

「よくわからないなあ」

「う〜ん、言いにくいんですよ」

自分は笑いながら、滋子には「前畑さん、笑いませんよね？」と問いかける。

「笑うも何も、話が見えないわ」

「すみません。ひと言で説明するとですね、萩谷さんは、亡くなった息子さんが超能力者だったって信じてるんです」

「――超能力者」

「そう、エスパーですね。いや、この場合は〝サイコメトラー〟と表現するべきかなあ」

どっちであろうと、滋子には同じだ。

「それ何？」

「あ、知りません？　サイコメトラー」

特殊な能力を使って失踪《しっそう》者を捜したり、殺人事件を解決したりするのだ、という。

「たいていの場合、失踪者や被害者の身の回りのものに手を触れて、そこから情報を引き出すんです。現場を訪ねて透視することもあるけど」

「千里眼てこと？」

「うん、まあそうですかね。でもその言葉はもう古いですよ」

「そんなこと、どうして知ってるんですか」

「前畑さんが何も知らないことの方が驚きですよ。テレビ、観ないんですか？　昨今、海外の有名なサイコメトラーが来日して、いろんな事件を解決してるんですよ」

バラエティーや情報番組の類《たぐい》だろう。滋子は、あの連続殺人事件以来、よほど必要に迫られたとき以外はテレビを観ない。裏も表も、もう一生分のテレビを観た気がしているからだ。

「だったらいっそ、そういうテレビ番組に話を持ち込んでみたらいいのに」

「ですから、そっちはもうあたってみたらしいんです。相手にしてもらえなかったんでしょう。肝心の息子さんが死んでるんじゃね」

滋子は受話器をいったん耳元からおろし、ため息をついた。それから言った。

「わたしもお役に立てないと思うけど」

「何も真面目に取り組む必要なんかないんですよ。ただ萩谷さんの話を聞いてあげればいいんです」

「それじゃ先方は満足しないでしょう」

「満足しますよ。大喜びでしたから」

「もうわたしの名前を伝えちゃったの？」

「いけませんでしたか？」

まったく悪びれていない。

「僕が勝手に持ち出したわけじゃないんです。萩谷さんの方から前畑さんの名前を出してきたんですよ。ああいう有名なジャーナリストの人に会えたらいいんだけどって。だから、前畑さんだったら紹介してあげられますよって言っちゃったんだけど」

腹立たしいというより、苦々しい。

「わたしじゃ無理よ。ごめんなさい」

早口にそう言って、滋子は受話器を置きかけた。それを察したのか、受話器から大きな呼びかけが洩れてくる。

「気の毒じゃありませんか。たった一人の息子さんを亡くして、独りぼっちのお母さんなんですよ。ちょっとぐらい話を聞いてあげたってバチはあたらないでしょう。萩谷さん、こういう取材とかのことを、何か探偵の調査みたいに誤解してるらしくて、お金を払うって言ってるし。前畑さんも小遣い稼ぎになりますよ」

バチはあたらないでしょう、だと？　自分の方こそバチあたりじゃないか。萩谷という淋しい母親に本気で同情しているわけでもないくせに。

それでも、滋子は受話器を持った手を宙で止めてしまった。

萩谷敏子は、話を聞いてくれるならお金を払うと言っているという。それはただの単純な誤解なのかもしれないが、誰かに――彼女がこれまでこの話を持ち込んだ先で、そういう考えを吹き込まれた可能性もある。

このまま放っておけば、どこかでもっと腹黒い人間にぶつかって、いいように毟《むし》られてしまうかもしれない。

それを見過ごすには忍びない。

有名なジャーナリスト、か。滋子はジャーナリストであったことは一度もないが、確かに一時期有名ではあった。もうみんな忘れていると思ったころに、それが蒸し返される。ツケだ。だとすれば、少しぐらいの時間と手間を割《さ》いて、清算する責任があるだろう。

とはいえ、そんな気持ちを説明したところで、この電話の相手には通じまい。それが癪《しゃく》に障《さわ》るので、口元をすぼめてしばらく思案した。何て言ってやろうか。

結局、「わかりました。萩谷さんの連絡先を教えてください」と言うしかなかった。

「このことに関しては、完全にわたしに任せてくださいよ」と、念を押す。

「任せるも何も、大助かりですよ。あれ？　でもそれってどういう意味ですか？　もしも面白い展開があっても、僕には報《しら》せないってことですか。そりゃないですよ、前畑さん」

「面白い展開なんかあるわけないでしょう」

今度こそ、ガチャンと音をたてて電話を切った。

教えてもらった連絡先は、携帯電話だった。気億劫《おっくう》にならないうちにと、すぐかけてみると、応答サービスが出た。滋子は名乗り、またかけ直しますと吹き込んだ。せめて一度でも話をしてからでないと、迂闊《うかつ》にこちらの連絡先を教えるわけにはいかない。

その日の夕方、もう一度かけた。また留守録だ。昼間は働いているのかもしれないと思って、夜八時過ぎにかけると、ようやく相手が出た。

「萩谷でございます」

「萩谷敏子さんでいらっしゃいますか」

「はい、左様《さよう》でございますが」

「わたくしは前畑と申しますが」

とたんに、電話の向こうの声がぱあっと明るくなった。

「ああ、ああ、まあまあ！」

前畑先生ですね、ありがとうございます、という。飛び跳ねているのだろう。そんな様子が目に浮かぶような、はずんだ口調だ。

「あの、どうぞ前畑とお呼びください。わたくしは先生ではありませんので」

「まあ、そうなんですか。失礼いたしました。でも本当に、お電話ありがとうございます。こちらからお願いしましたのに、なかなかつながらなくて、ご迷惑をおかけいたしました。わたしスーパーで働いてるもので、勤務時間中はケータイに出られないんです」

電話の声と口調を聞いている限りでは、どこにでもいる近所のおばさんという印象だった。一人息子を亡くし、独りぼっちということだけど、夫はいないのだろうか。スーパーで働くことで、生計を立てているのか。

もっと詳しい話を聞いておけばよかったのだが、後の祭りだ。滋子は、例の編集者から紹介を受けたことを説明し、噛《か》んで含めるように言い聞かせた。

「わたくしが萩谷さんのお役に立てるかどうかはわかりません。実は、萩谷さんがどのようなご希望をお持ちなのか、わたくしはあまりよく知らないのです」

「はい、はい。お忙しいのに、本当に申し訳ありません」

　騒がしいほど熱心な応答だ。

「とりあえず、一度お目にかかってお話を伺わせていただきますが、わたくしが何かできるかどうかは、まったくお約束できません。それでよろしいですか」

「はい、もちろんでございます。ご無理を申し上げていることは、わたしも重々わかっております。先生にお時間を割いていただけるだけで嬉しいです」

　声が震えている。滋子は引き受けたことを後悔し始めた。やっぱり、こういうのは苦手だ。あたしもよくよくのお人好しじゃないか。

　どこで会おうかというと、萩谷敏子は、先生のご都合のよろしいところへ伺いますという。いえ、わたくしがお訪ねしますと言っても、いいえいいえ、そんなお手間はかけさせられません、わたしが参上しますと言い張って、どうしても聞かない。

　仕方なく、翌日早々に、滋子は野崎に相談した。ノアエディションには、いろいろと雑多なものに埋もれかけてはいるけれど、一応、応接スペースがある。

「ここで会えばいいじゃないか」と言った。彼はあっけらかんと、

「そんな遠慮しなくたっていいのに」

「うちの仕事じゃないのに悪いわ」

　井川恵《いがわけい》が笑い出す。ノアエディションのもう一人の社員で、野崎にとっては生徒か弟子のようなライターだ。滋子より十五歳下だから、例の連続殺人事件が起こった当時、彼女はまだ花の女子高生だった。一連の事件の被害者のなかには女子高生もいたので、事件には興味津々で、報道

を逐一《ちくいち》追いかけていたという。

野崎に紹介され、初めて彼女に会ったとき、あまりにもしげしげと観察されるので、滋子はいたたまれなくなった。と、恵は大いにうろたえて、すみませんすみませんと謝った。

「でもあたし、前畑さんのこと尊敬してます」

皮肉ではなさそうだった。恵の目は澄んでいた。

「野崎さんから、いろいろ聞きました。大変でしたねなんて言葉じゃ足りないくらい、大変な経験だったと思います。あたしじゃ想像しきれません。でも前畑さんは、あの状況で、前畑さんができる精一杯のことをしたと思います。あたし、それを尊敬してるんです」

もう一度すみませんと謝ってから、

「いっぺんだけ、それを言いたかったです。二度と言いません。これからよろしくお願いします」

手を差し出した。握手しようというのだ。滋子は素直に従った。以来、一緒に働いている。ライターとしては後輩だが、ノアエディションの社員としては、恵の方が先輩だ。滋子にはブランクもあったし、彼女に教わることは少なくない。

「ここへ呼んじゃっていいかしら」

「危険人物じゃないんだろ？　いきなり刃物振り回すようなさ」

「でも、変わった人だとは思うわよ」

サイコメトラー云々《うんぬん》の話をすると、野崎は苦笑し、恵は手を叩いて喜んだ。

「いいなあ、そういうの。ちょっと面白そう」

「ケイちゃん、代わってくれない？」

「代われないけど、手伝いますよ」

「安請け合いするなあ。本気ぃ？」

「自分だって安請け合いじゃねえか」

ちくりと、野崎に叱られた。

萩谷敏子の都合を聞き、野崎と恵のスケジュールにも合わせて、日時を決めた。予定どおりに進めば、最初の一時間ほどは、野崎と恵はそれぞれ仕事で出かけており、滋子が一人で萩谷敏子に会う。そのうちに野崎たちが帰ってきて、滋子が手こずっているようなら加勢する、という段取りだ。

こうして、今日の会見となった。

萩谷敏子は、滋子が漠然と想像していたよりも、さらに「おばさん」風だった。今時の五十三歳は、滋子よりも若々しくお洒落《しゃれ》な女性であっても不思議がない。が、敏子はそういう女性ではなかった。むしろ時代に逆行しているような五十三歳だった。化粧っけさえない。

敏子が遠慮がちに差し出した菓子折も、そんな彼女の風采《ふうさい》と、ぴったり釣り合っていた。ありふれたチェーン店の、どこででも手に入れることのできるクッキーの詰め合わせだった。何のてらいも見栄もない。ただ、誰かを訪ねるときにはけっして手ぶらで行ってはいけないという、愚直な誠意がそこには見えた。

「ありがとうございます。皆でいただきます」

今さらのようだが、ここでは滋子一人ではないということを匂わせておいた。

道に迷い、焦《あせ》ったのか、敏子は汗をかいていた。滋子がペットボトルから注いだ冷茶を、ありがたそうに押し頂いてから飲んだ。グラスをつかむ指は荒れていた。節々が太い。きちんと切りそろえた四角い爪。働く女の手だ。それも、キャリアなどという言葉には置き換えられない労働をしている手だった。

「今日は、お仕事を休んでいただいたんですよね」

滋子の問いかけに、敏子はグラスを両手で頂いたまま、こくりこくりと上半身全体でうなずいた。口のなかの冷茶を大急ぎで飲み込む。

「は、はい」

「すみませんでした」

「いえいえ、とんでもないです先生、わたしこそご無理を申しまして」

滋子は微笑して、先生はやめてくださいと言った。

「ああ、そうですね、すみません先生」

無駄のようである。

「お住まいは船山でしたよね？」

「はい」

「お仕事先のスーパーも？」

「はい、うちから自転車で通ってます。パートですから、時間は自由になるんです。シフトを決めて、ですから今日の休みも休みじゃないんです。夕方から出ますから」

「ああ、そうですか。近頃は遅くまで開いてるスーパーが多いですものね。わたしなんかとても助かります」

「うちも夜十二時までやってるんですよ。けど、九時より遅い時間帯は派遣会社から人が来てるので、わたしらみたいな直契約のパートは入れないんです。時給がいいから移りたかったんですけども、派遣会社は歳に限りがあるんです」

　年齢制限があるという意味だろう。

「それに、もうわたし一人になってしまったから、一人だけ暮らしていかれればよくなっちゃったもんで、時給もそんなもう、高くなくていいんですよねえ」

　ふっくらと丸い頬をかすかに震わせて、敏子の方に、軽く身を乗り出した。

　本題にかかるタイミングだ。滋子は敏子の方に、軽く身を乗り出した。

「息子さんのこと、お悔やみ申し上げます」

　敏子はグラスをテーブルに置くと、両手を膝の上にきちんと揃《そろ》え、ありがとうございますと、身体を二つに折ってお辞儀をした。滋子が困るほどに、長々と頭を下げていた。ようやく顔を上げる。目尻が濡れている。

「すみません」

　がま口型のバッグからハンカチを出して、目元を拭《ふ》く。衣服と同じくらい地味で、ずいぶんと使い古しているらしい色褪《あ》せたハンカチは、しかし、きれいにアイロンがかけられていた。

「四十九日も過ぎたんですけども、等《ひとし》のことを考えると、すぐ涙が出てきてしまいまして」

　泣き笑いしながらハンカチを使う。

「でもねえ、嬉しいんです。これは嬉し涙です。出がけにね、等に声かけてきました。前畑先生がお母ちゃんと会《お》うてくださるよ、あんたの話を、先生が聞いてくださるからねって。等も喜んでました。写真がね、いつもの顔よりも、もっと笑ってましたから」

　滋子は口元で少しだけ微笑《ほほえ》んだ。この人の息子なら、もういい大人だろうに。お母ちゃん、か。

「交通事故だったそうですね」

「はい。トラックに撥《は》ねられましたんです。ほとんど、あの、何というんでしょう」

目尻からまた涙が溢《あふ》れる。

「すぐ亡くなったようなんです。一応、救急車で病院に運んでもらったんですけども、もうどうしようもなかったようでした」

「――お気の毒です」

ありがとうございます、ありがとうございますと頭をぺこぺこさせて、涙を拭き洟《はな》をすする。

「卒業式も入学式も、どっちも楽しみにしてたんですよ。制服は、今でもあの子の机の脇に吊るしてあります。袖丈と裾《すそ》を上げるとき手を通したきりになってしまって。お棺に入れるときに着せますかって、葬儀屋さんは言ってくださったんですけど、あの子の気に入ってたシャツとズボンがありましたんで、そっちを着せました。制服は、ずっととっておこうと思ってます」

滋子は当惑した。制服？　入学式？　この人の息子の話だろう？　孫じゃなくて。

「ちょっとねえ、落ち着きのない子だったんです。道を渡るときはよく気をつけなさいよって、わたし、いつも言ってましたし、先生も注意してくだすってました。でも仕方なかったんでしょう。等はいつもこう、わたしには思いもつかないようなことで頭がいっぱいでしたから。事故のときも、赤信号を見てなかったんですね。何か別のことを考えてたんでしょうねえ。それで、ふらふらっと飛び出してしまったんだと思います」

まるっきり子供の話ではないか。

「あの、息子さんはその、お一人だったんですよね」

本当に孫の話ではないのか確認するつもりで、遠まわしにそう尋ねてみた。

「はい、トラックに撥ねられたときは、あの子一人でした。お友達は一緒にいなかったんです」

ティッシュを取り出して洟をかみ始める。滋子は、自分の誤解の原因に思い当たった。

「息子さん――等君は、亡くなったときおいくつだったんですか」

「十二歳でした」

答えて、ようやく敏子も滋子の困惑を悟ったらしい。あら、すみませんすみませんと、またにぎやかに謝った。

「わたし、四十を過ぎてから等を産んだんです。うんと遅い子供です。それご存知なかったら、わたしの歳が歳ですもの、先生ヘンに思われますよねえ」

「ごめんなさい。田口さんから、もっとよく話を聞いておけばよかった」

「いえいえ、とんでもないです」

丸めたティッシュを、敏子はがま口型のバッグのなかにしまいこんだ。

「等君にご兄弟は？」

「おりません。わたしら二人だけでした」

「ご主人は――」

「おりませんのです」

あっさり答えてから、バツが悪そうに下を向く。

「いろいろ面倒くさいことがありまして。でも先生にお聞かせするようなことじゃ……。わたしなんぞのつまらない身の上話になりますから」

そうですねとも言えなかったから、滋子は曖昧《あいまい》にうなずいた。

「お二人きりだったのじゃ、なおのことお辛《つら》いですね」

等を失い、萩谷敏子は、掛け値なしの独りぼっちになってしまったのだ。確かに、もう時給の多寡《たか》にこだわる必要も感じないだろう。

「にぎやかで面白い子でした」

敏子は小さく呟いた。充血し、しょぼしょぼした目が、思い出に明るくなっている。

「ちょっと変わってましたもんで、学校じゃずいぶんご迷惑かけて、先生にもご苦労が多くって。でも、優しい子でしたんです。わたし、楽しかったですよ」

そう、変わっていたという話だ。なにしろ超能力者だったというのだから。それについてどう切り出そうかと滋子が思案しているうちに、

「先生はご結婚なすっていらっしゃるんですよね。お子さんは」

「いいえ、いないんです。恵まれませんで」

案の定、また大騒ぎの謝罪が始まった。とうとう滋子は笑ってしまった。

「もう、謝ったりするのやめましょう。こうして初めてお目にかかってるんですから、お互いに知らないことが多いのは当たり前ですもの。ね?」

敏子も照れたように笑った。冷茶のグラスに手を伸ばしたが、空になっている。滋子は身軽に立ち上がり、ペットボトルを持って戻った。

「萩谷さんは、どうしてわたしのことご存知だったんでしょうか。やっぱりあの、昔の連続殺人事件の関連で?」

敏子はこっくりとうなずいた。「先生、テレビに出ておられましたね。先生がお書きになった記事とかも、わたし、読ませていただきました」

「ありがとうございます」

「辛い事件でございましたね」

「大勢犠牲者が出ましたからね」

「先生も大変な思いをなすったんでしょう」

「わたしはまあ、自業自得です」はっきり言って、滋子は敏子の目を見た。「ですが、いろいろ痛い勉強をしましたので、あれ以来、事件ものの取材はしていないんです。本も出していないし、その手の文章は一切書いていません。田口さんはそれをご存知のはずなんですが、萩谷さんにはそういうご説明がありましたか」

ごく正直に、敏子の顔には失望の色が浮かんだ。ただそれは、自分の期待が裏切られたという意味の失望ではなさそうだ。すぐにこう続けたから。

「先生のような方が書くことをやめてしまわれるなんて、もったいないと思います」

「そんなことないですよ。わたしはそれほどのもんじゃありません。そもそもジャーナリストじゃないですし。ですからそういう意味でも、萩谷さんのご期待に応《こた》えられるかどうか、心もとないんです」

はぁ……と、敏子はうなだれた。

「田口さんから聞いた限りでは、等君にはちょっと特殊な能力があった――萩谷さんは、そうお考えだそうですね」

滋子は慎重な表現を使った。敏子がまたぞろ騒いで、そうなんですそうなんですと飛びついてくるだろうと予想したからだが、それはあっさり裏切られた。敏子は身体を小さく丸めて、萎《しお》れたようになり、膝の上でもじもじと指を組んでいる。

「はあ、まあ、そういうことで」

「等君のことを取り上げてほしいと、テレビ局とか雑誌の編集部とか、いくつか回ってこられたとも聞いているんですが」

「いえ、それは……そうなんですけれども」

ますます困っている。

「実は、わたしには、よくわかりませんのです」

「わからない」

「はい。最初にそのことを言ったのは、秋吉《あきよし》さんで。あ、わたしと一緒にパートしてる奥さんなんです。等のことを話したら、萩谷さんそれは超能力よって」

よく調べてもらった方がいい、テレビ局に頼め、新聞社に電話しろと勧められたのだという。

その奥さんはテレビの観すぎだと、滋子は内心で思った。

「で、実際にいくつかあたってみられた？」

「はい」

「でも良い返事はなかったんですね」

「はい。それより先生、まずなかなか会っていただけませんで。番組あてにお手紙も書いてみましたが」

「返事がない？」

「はい。皆さんお忙しいんでしょうから、仕方がないと思いますけれども」

ぽっちゃりとした手を口元にあて、考え考え、敏子は話す。ここにはいない秋吉というパート仲間の気分を害しないよう、一生懸命に言葉を選んでいるという感じがする。

「わたしは秋吉さんの言うように、等が超能力者に間違いないとは、ちょっと思えませんのです。そんなこと、ねえ先生、そこらにごろごろ転がってることじゃありませんでしょう」

「そうですね」

「でも、不思議なことは不思議なんです。等のこと、ホントに不思議なんですよ。ですから、番組なんかで取り上げてもらいたいというよりは、本当のところどうなのか、どなたかこういうことに詳しい方に、よく教えていただけないかと、わたし思ったんですねえ」

けっして売り込んだわけではないのだ。滋子はほっとし、納得もいった。教えていただきたいという表現は、目の前にいるこの地味で淋しい母親に、とてもしっくりくると思った。

「そんな形で萩谷さんを――まあ、言っちゃなんですが焚《た》きつけた秋吉さんは、手伝ってくれないんですか」

敏子は小さな目を丸くした。「まあ、そんなのはもう、あの人には関係のないことです。秋吉さんは言うだけ言ったきりですわ、先生」

だいたいいつもそうなんですと、声をひそめた。

滋子は笑った。「じゃ、わたしとのお話に、秋吉さんが加わることはないんですね」

「はい、もちろんです」

ああ、よかった。

「じゃあ、安心して伺えます。具体的に、等君はどんな不思議なことをしたんですか」

ひとしきり、敏子は返答に困ったようにそわそわした。言葉を選びかけては考え直し、やがて、やおらバッグを膝に載せると、ぱちんと蓋を開け、なかから一冊のノートを取り出した。

「これ、ご覧いただけますか」と、両手で差し出す。

「開けていいんですか」

「どうぞ、見てやってください。うちにはこういうのがいっぱいあるんですけど、とりあえず今日はひとつだけ持って参りました」

滋子はそれを膝に載せた。スパイラル綴《と》じのありふれたノートだ。表紙を開くと、緑色のクレヨンで、「萩谷等」と大きく書いてあった。

間もなく中学校へあがろうという十二歳にしては、ひどく幼い筆致だ。全体に歪《ゆが》んで傾き、文字の大きさが不統一で、バランスも崩れている。今日日《きょうび》、小学四年生ぐらいでも、自分の名前ならば、もう少し上手に整えて書くのではないか。

次のページには絵が描いてあった。家と、人と、立木が二本。家は赤い三角形と茶色い四角形の組み合わせ。木は、茶色の一本線を太く描いて、その上に緑色の雲みたいにもくもくした塊《かたまり》を載っけてある。人は、おそらく自分と母親なのだろう、一人はスカートをはき、一人は半ズボンだ。ちょうど、トイレ表示のマークみたいな形状である。目鼻は黒い点と線でつけてある。

まるで幼児の落書きだった。

滋子は目を上げて、敏子の顔を見た。敏子はひとつうなずくと、

「等は絵が好きで、しょっちゅう何かしら描いておりました」と言った。「もっと小さいころは、壁でも床でも手当たり次第に描くんで、わたし毎日あっちこっち拭いて回っておりました」

滋子はうなずき返した。心に浮かんだ質問は、とりあえず舌の裏に押し留《と》めておいて、次、次とページをめくっていった。

海の絵。山の絵。果物かごとリンゴ。猫や犬。鳥。飛行機や電車。どれもすべて、幼児のイタズラ描きのレベルだ。とても小学六年生の描いたものとは思えない。

「等君はいつもこういう絵を？　というか、これは等君がいつ描いた絵なんでしょう」

「小学六年生の絵には見えませんですよね、先生」

「え、ええ、まあ」

先回りされて、滋子はたじろいだ。

「でもそれ、等が今年になって描いたんです。いちばん最後のページが、亡くなる何日か前に描いたものです」

滋子はそのページを確かめた。これは——トラックだ。荷台の部分がコンテナ状になっている。車体は黄色く、コンテナ部分は銀色だ。運転席には黒いサングラスをかけた男性が座り、大きなハンドルに、グローブみたいに大きな手を乗せている。頭より手の方が大きい。こういうデフォルメも、ものの大きさの対比がまだよくつかめなかったり、つかめていても、細部を描いているうちに（指は丁寧に五本描かれ、ちゃんと爪もついている）、描き込んでいる部分だけサイズが大きくなってしまう幼児の絵にありがちなものだと思う。

「等を撥ねたトラックも、黄色だったんです」と、敏子が言った。「それとそっくり同じ形をしてました」

滋子は目を細めた。

「引っ越し屋さんのトラックだったんですよ。荷物をおろして帰るところで」

「運転手はサングラスをかけていた、とか？」

なぜかしら、敏子は申し訳なさそうに首を縮める。

「警察の方のお話ですと、そのようなんです。それで信号の色をちゃんと見なかったんじゃないかって、お調べがあったそうですから」

あわてたようにひらひらと手を振り、

「でも、結局運転手さんは悪くなかったんです。信号は青でした。等の方が、赤信号で飛び出したんです」

滋子はゆっくりと何度かうなずいた。絵のなかのトラックは走っている。タイヤがぐるぐる回っているように描いてある上に、風の流れを示す横線が何本も引っ張ってある。

「そうしますと……等君は、自分の事故を予知していたということ、でしょうか」

敏子がどう反応するかわからないので、そうっと差し出すように言ってみた。見ると、敏子も滋子の機嫌を計っているかのように、上目遣いになっているのだった。

「どう思われますか、先生」

「うーん」思わず、苦笑がこぼれた。「どうでしょうねえ。偶然てこともありますものね」

「そうですよねえ。引っ越し屋さんのトラックなら、事故の前にも見かけてることだってありますでしょうしね。なにしろ三月でしたから」

異動と引っ越しの季節だ。

「でも、これを見て」滋子は指で絵のなかのトラックを指し示した。「秋吉さんは、等君が超能力者だと言ったんでしょう?」

田口の電話から今日の会見までの間に、滋子は下準備のつもりで、何冊か本を読んだ。スーパーナチュラルな事象を扱った記録本や、超能力者としてメディアで有名になった人物の評伝や自叙伝などだ。もちろん、にわか勉強である。が、未来予知のできる能力（そんなものが本当にあるかどうかは別として）と、田口が電話で話していた「サイコメトラー」の能力とは別物だということぐらい、今では滋子も理解している。

「いいえ、それはまあそうなんですけれども、それだけではなくて」

敏子はハンカチで、今度は涙ではなく汗を拭いた。

「すみません、わたしは話が下手で、よくわかりませんですね」

このトラックの絵はきっかけなのだ、という。

「秋吉さんて、いい人なんですよ。等の葬式にも来てくれたし、家が近所なんで、納骨までにも何度かうちへ来て、お線香あげてくれたんです。わたしが一人じゃ淋しいだろうって、話し相手になってくれまして」

そういう折に、敏子は彼女に等が描いていた絵を見せた。「もともと、不思議な絵だなと思ってましたもんですから、つい」

「このトラックが、等君を撥ねたトラックとそっくりだということが不思議だと」

「はい、それはそうなんですが、それ以前に先生」

こういう絵は普通じゃないんです、という。額にいっぱいの汗だ。

「普通じゃない？」

「はい。先生、等は、学校じゃこんな絵は描かなかったんです。美術の時間とかには、もっとちゃんとした絵を描きました。ああ、そっちも持ってくればよかったですね。比べたらよくわかるのに」

「なのに、家ではこういう絵を描いた」

「そうなんです。わたしもおかしいなあと思うから、等に訊《き》いたんですよ。そうするとね、あの子言いました。こっちの絵は見て描いてるんじゃなくて、頭に浮かんだものを描いてるんだって。そういうときは、上手く描けなくてこんなふうになっちゃうんだよ、お母ちゃんて」

滋子は開いたままのノートブックを応接のテーブルに置くと、腕組みをした。

「見たものを描くときは――」

「上手いんです。スケッチなんかもう。美術の先生にも褒めてもらって」

「で、こちらは、頭に浮かんだものを描いたのだと」

「はい。幼稚園の子みたいな絵だって、自分でも思うんだって。嫌なんだけども、どうしてもこうなっちゃうって言いました」

「でも、描きたくて描いてるわけですよね？」

「それが先生、おかしいんです。等が言うには、ときどき、頭のなかがこういうものでいっぱいになって、ぐるぐるしてくるっていうんですよ。気持ちが悪くなるって。絵に描くと、そのぐるぐるがなくなるっていうんですね。だから描かずにいられないって」

少し、スーパーナチュラルらしい話になってきた。

「なるほど。その話を聞いて、黄色いトラックの絵もそうやって描かれたものだと知ったから、秋吉さんは、等君が超能力者だったんじゃないかと言い出したわけですね？」

「そうなんです、そうなんです」

「等君本人は、こういう絵を描いた後、お母さんに何か説明したりしたことがありますか？」

「いいえ、ありません。いえいえ、ありました。珍しい絵やヘンな絵だと、わたしがこれなぁにって訊きますわね。そうすると教えてくれました。いつもじゃなかったですけど。つまりあの、わたしが目に留めて、訊いたときにはです。すみませんわたし、話がごちゃごちゃ」

見ている方の目が回りそうなほど、敏子はめまぐるしく首を振ったりうなずいたりしている。

「いいんですよ、落ち着いてゆっくりお話ししましょう。このトラックの絵については、お尋ねになりましたか」

「気づかなくて、何も――」

返事がかすれて途切れた。気づいていれば、もっと注意することができた。身を嚙み骨を砕くほどの深い後悔が、声のなかに滲《にじ》み出ている。

「大丈夫ですか」

「大丈夫です」ハンカチで顔を半ば隠し、萩谷敏子は目をつぶっている。「すみません、取り乱しまして」

滋子は生温《なまぬる》くなってしまった冷茶をひと口飲み、もう一度等のノートブックを手に取った。

「それで、あの」敏子はハンカチを握り締めている。「等の描いたこういう絵を、もっとよく見てみた方がいいって、秋吉さんが言いまして」

「他にも何かあるかもしれないというわけですね」

「はい、それで先生、それの最初の方をめくってみていただけますか。二、三ページ目だと思うんです」

差し伸べる指が震えている。滋子はページを繰った。

「あ、それです！」

家の絵だった。ページの真ん中に、やっぱり三角と四角を組み合わせた形の、簡素な家が描いてある。ただ、さっき見た絵と違い、屋根は灰色、家は茶色で、さらに大きな窓があった。その窓の奥で、女の子が眠っている。

もっとも、描写としては、横になっている、転がっていると表現するべきか。仰向けだが、目鼻はついてない。顔は灰色に塗りつぶされて、のっぺらぼうなのだ。それでも女の子だろうと見当がつくのは、服が真っ赤なワンピースであることと、髪が長いからだった。肩まで届くほどのおかっぱ頭で、髪の色は茶色。家の壁よりも明るいブラウンに塗ってある。手足は棒切れのように真っ直ぐ描いてあり、関節も掌《てのひら》も指もない。やはり灰色だ。

そして、家の屋根の端には風見鶏がついていた。たぶん風見鶏だろう。位置からして他のものではありえない。が、たいそう風変わりだった。鶏ではなく、蝙蝠《こうもり》なのだ。紫色で、「バットマン」のマークみたいな形だ。

「この絵が何か」

問い返す滋子をじっと見つめて、萩谷敏子は喉《のど》をごくりとさせた。

「秋吉さんが、これは大変な絵だって言って」

「何が大変なんです？」

「その家は人殺しのあった家だっていうんです」

滋子はゆっくりと目を見開いた。「殺人が」

「はい。先生、覚えておいでですか。先月のことですけど、北千住の方で家が焼けて、その焼け跡を調べたら、地べたから骨が出てきたって事件がありましたね」

すぐには思い浮かばなかった。

「火事で焼け死んだ人がいたという事件ですか」

「いいえ、違います。そうじゃなくて、その骨は、ずっと昔に死んだ、その家の娘さんだったんです。親御さんがその娘さんを死なせて、床下を掘って埋めて隠してたんですよ。それが火事になって初めて見つかって。でも、あんまり昔のことなんで、ホラなんですか、じ、じ」

「時効？」

「そう、時効です！　時効だから、警察も何もできなかったって。でも、親御さんは娘さんを殺したこと、認めたんですよ」

滋子は片手を頬にあてて、唸《うな》った。そういえば、一時《いっとき》ニュースで騒いではいなかったか。

「等君が描いたこの絵は、その家の絵だと」

「はい！」敏子の声が大きくなった。

「秋吉さんがそう言ったんですか」

「間違いないっていうんです。蝙蝠の風見鶏があるから」

問題の家の屋根にも、まったく同じ蝙蝠の風見鶏がくっついているのだという。秋吉という奥さんは、その映像を何度も何度もニュースやワイドショーで見たから、確かだというのだ。

「等君もそういうニュースを見て、これ、描いたんじゃないですか」

髪が乱れるほどの勢いで、敏子は首を横に振った。

「違います先生。それは違います。等がこれ描いたのは、あの事件がニュースで流れるよりも、もっともっと前だったはずなんです」

「記憶違いじゃ……」

敏子は身を乗り出し、滋子の膝の上からノートブックを取り上げた。最後の方を開くと、滋子の前に突き出した。

「これ、見てください。これ。梅の花の絵です」

確かにそうだった。紅梅と白梅だ。ぐねぐねと茶色の枝が描いてあり、いっぱいに花がついている。正しいスケッチではないが、梅の花であることに間違いはない。

「等とわたし、水戸の偕楽園に遊びに行ったんです。二月の十三日の、日曜日でした。カレンダーにつけてあるから、間違いないです」

楽しく一日母子《おやこ》で過ごして、帰ってきたその夜、等はこの絵を描いたのだという。

「たくさんの梅を見たから、頭のなかが梅でいっぱいだって言いました。目の裏まで梅が咲いてるって」

敏子は前のページに戻り、蝙蝠の風見鶏のある家の絵を広げた。

「ね、先生。この家の絵は、梅の絵よりもこんなに前ですよ。梅の花の絵が最後の方なんですから、真ん中へんに描いてあるこの家の絵は、もっともっと前ですよ。でも、北千住のあの事件があったのは、四月です。わたし新聞で調べました。火事があったのは四月二十日の午前一時ごろで、骨が見つかったのは明るくなってからでした。新聞にちゃんと載ってます。ね？　先生。不思議でしょう。そんなころ、等はもう死んでました。お骨になってたんです。ニュース見て描いたんじゃありません」

敏子の勢いに、滋子はいささか気圧《けお》された。

「何でかわからないけど、あの子、ここの家にこの娘さんが死んで埋められてること、知ってたんです。それでこの絵を描いたんです。どうやって知ったかわかりません。だからあの子には、やっぱり超能力があったんじゃないかって、秋吉さんが。わたし、わたしそれで――」

煙草をふかしながら、野崎は萩谷等のノートブックに見入っている。さっきからずっと眺めているのは、あの梅の花の絵だ。

「どう思います？」

滋子は尋ねた。恵は自分の机で頬づえをつき、二人を見比べている。

「どう思うも何も、ねぇ」

返事した拍子に、煙草の灰が野崎の膝の上に落ちた。

「シゲちゃん、どうするつもりなの」

「どうもこうも、ねぇ」と、滋子は彼の顔を見返す。「これじゃ禅問答ですね」

萩谷敏子との会見の後半には、お膳立てどおり、野崎と恵も立ち会う形になった。二人ともそれぞれに、滋子がどんな形でこの来客（というよりも依頼人か）に手こずっているか、想定しながら事務所に帰ってきたのだろう。が、泣いたり笑ったりしながら「すみません」と「ありがとうございます」を繰り返す敏子お母ちゃんは、どうやら予想外のタイプだったようだ。

敏子の語る亡き等のエピソードに、恵は一度ならず涙ぐんでいた。野崎は非常に礼儀正しく敏子に応対し、混乱しがちな彼女の話を上手に誘導してくれた。

「あのお母ちゃんは、まあ、金めあてじゃないよな。有名になりたい症候群でもない。自分の息子をぱあっと売り出して――霊能者だか超能力者だか知らないが――オイシイ思いをしたいと思ってるわけじゃない」

「ええ、それは間違いないですよ」

滋子の言葉に、恵が頰づえを外して大きくうなずいた。

「あたしもそれに一票。実はちょっと心配してたんで、萩谷さんがああいう人でほっとしてるんです」

「心配？」

「うん。最初に持ち込まれた話だと、萩谷さん、滋子さんが有名なライターだから会いたいって感じだったわけでしょ。その前にはテレビ局とかにも行ってた。自意識過剰のガメツイ人だったら嫌だなあ、ヘタにかまうと面倒だし、断れば逆恨みされるしって、不安でした」

野崎が笑い出した。「おまえはね、そういう小心なところを何とかせんといかんよ」

「あら、心外ですね。あたし、経験から発言してるんですけど」

「本当に面倒な目になんぞ、まだ遭ったことねえだろが。ケイは弱腰だからさ。シゲちゃんを見なさい。徒手空拳《としゆくうけん》であんなでっかい事件にぶつかって、玉砕したんだぞ」

「ぶつかったんじゃなくて、巻き込まれたんです。それに玉砕なんて名誉ある終わり方でもありませんでしたね。一敗地にまみれただけでした」

滋子は几帳面《きちようめん》に訂正した。

「それは失礼しました」

野崎がバカ丁寧に頭を下げる。恵は真顔で起き直り、片眉を吊り上げた。

「滋子さん、負けてなんかいませんよ」

「それは意見の分かれるところよね」

恵に微笑みかけ、野崎に言った。

「とりあえず、その女の子の遺体が発見されたという事件の報道を調べてみようと思うんです。その家の屋根に、本当にこんな蝙蝠みたいな形の風見鶏がついてるのかどうか。週刊誌のグラビアにでも載ったものだろうと思いますから、大宅文庫であたればすぐわかるでしょう」

「ネットじゃ駄目かい？」

「事件の大筋はわかるんですけど、写真は駄目。家が写ってるものもサイズが小さくて、屋根の風見鶏まで確認できないんです」

野崎は等のノートブックをめくり、問題の絵を広げた。

「紫色の風見コウモリ、か」

「あれ？　でもヘンですよね」恵が高い声を出した。「その家、火事で焼けちゃったんでしょ？新聞の写真やテレビに映ったのは、焼け跡ですよね。だったらそもそも風見鶏が残ってるはずないですよ」

「もっと落ち着いてものを考えなさいよ」野崎が言う。「全焼とは限らんだろが」

「あ、そっか」恵はペロリと舌を出した。パソコンに向き合い、「滋子さん、調べたのどのニュースサイトですか」

滋子が教えると、恵はモニターに顔を寄せて読み始めた。

「ホントだ。この写真で見る限り、半焼けっていうか半壊って感じですね。屋根も半分残ってるわ」

寄り目になって、さらにモニターにくっつく。

「でも、う〜ん、風見鶏は見えないなあ。屋根に何かくっついているようにも——見えなくもないけどわかんないわ。写真の角度もよくないですね」

野崎が滋子に向き直る。「調べるってことはシゲちゃん、あのお母ちゃんの依頼を引き受けるつもりなのか」

滋子は首を振った。「まずは、ただ事実を確かめるだけですよ。勘違いってこともあり得るし」

「勘違い？」恵が首を傾げる。

「毎日たくさんの事件報道があるでしょう。そのせいで、記憶違いが起こってるのかもしれない」

もともとこの件は、かなりそそっかしい騒ぎ屋であるらしい秋吉という主婦が、敏子に風見蝙蝠のことを吹き込んだから始まったものなのだ。

「そうだな。秋吉ってオバハンが、他の事件報道で見た家と、女の子の遺体が出てきた事件の家とを混同してるって可能性もなくはない」

「だけど、それぐらい二人で裏を取ってるんじゃないですか?」

恵の問いかけに、滋子と野崎は同時に「ない、ない」と否定した。

「素人さんはそういうことやらないんだよ」

「とは限らないけど、少なくとも萩谷さんと秋吉さんは、そういうタイプじゃなさそうよね」

「思い込み強そうだったもんなあ」

野崎がうなじをさすりながら困ったように笑う。

「もしも勘違いだったなら、等君のお母さん、がっかりするでしょうね」

感傷的な眼差《まなざ》しになって、恵が呟いた。この人にはこういう情に流されやすいところがあるんだなと、滋子は思った。悪い特質ではない。でも危ない。

「がっかりするとしても、間違いなら尚《なお》のこと、早くそう教えてあげなくちゃ」

「そうそう。ま、行きがかり上そこまでは付き合ってやるか」

「でも、ホントだったら?」恵が食い下がってきた。「本当にこの家に風見蝙蝠がついてるってことがはっきりしたら、そこから先はどうするんですか」

滋子は肩をすくめた。「どうしようかしらね。だって、それだけでは超能力云々の話に結びつかないもの」

「どうしてです? 偶然てこと?」

「あたしたちが知らないだけで、風見蝙蝠が割とポピュラーなものだったり、ホームセンターの人気商品だったりする可能性もあるじゃない? 雑貨の流行って、とてもじゃないけどつかみきれないもの」

　恵はくちびるを尖《とが》らせて、少し考えた。

「そうすると、等君は単に、事件とは何の関係もなしに、どこか他所で見かけたものを絵に描いただけだってことですか」

「そうね」

「でも、あの絵の家のなかには女の子も描かれてますよ」

「それこそ偶然」

「そうかなぁ！　だってお母さん、言ってたじゃないですか。滋子さんも聞いたでしょ」

　もちろん聞いた。等君がこの家と風見蝙蝠の絵を描いた当時、何か話し合った記憶はありますか。この絵について、等君に尋ねてみたことはありますか。野崎がそう尋ねると、萩谷敏子は、待ってましたとばかりにこう答えたのだ。

「おかしな絵だったので、ハイ、わたし訊きました。これはどんな絵なのって。そしたら等、言いました」

　――お母ちゃん、これ、悲しいでしょ。この女の子は悲しいんだよ。ここから出られなくて、ずっとずっと独りぼっちだから。

　勢い込んでいる恵を宥《なだ》めるつもりで、滋子は努めて口調を柔らかくした。

「ああいう証言は、あてにならないものなの。後付けの可能性が高いからね」

「後付けって――」

「後から記憶を作っちゃってるって意味だ」と、野崎が答えた。

「珍しいことじゃないよ。だからインタビューってのは難しいんだ」

どすんと椅子の背にもたれると、恵はわざとのように大きなため息をついた。

「なぁんかヤな感じ。二人とも意地悪だよ」

「ごめんね」と、滋子は笑った。

「謝ることねぇよ、シゲちゃん。こいつが甘すぎるの。ケイ、〝懐疑主義〟って言葉を辞書で引いてみな。〝科学的思考〟でもいいぞ」

恵は頬をふくらませた。「あたしだって、頭から超能力を信じてるわけじゃないですよ。これでも合理主義者なんですから」

野崎のからかいに、恵はムキになっている。

「でも、お母さんの気持ちを思うとね」

「そこなのよ」滋子はうなずいてみせた。「萩谷さんもね、本当は等君が超能力者だったかどうかなんて、どうでもいいんじゃないのかな」

敏子はただ、等のことを思い出していたいのだろう。それも一人で思い出を反芻《はんすう》するだけではなく、誰かと語り合いたいのだろう。誰かに、等がどんな子だったのか聞いてもらいたいのだろう。話題にしてもらいたいのだ。

だからこそ、秋吉というパート仲間の言葉にすがりついてしまったのだ。罪な話である。

「これは、萩谷さんの〝喪の仕事〟なんだろうと思うんですよ」

残された者が死者を悼《いた》み、その記憶を整理してゆくことで、喪失の傷を癒《い》やし、愛する者の死を認めてゆく過程のことだ。

「だから、無下《むげ》にはできないって気がする。しばらくのあいだ、一緒に立ち会ってあげたい。いえ、立ち会わせてもらいたいんです」

滋子の言葉に、野崎は呆《あき》れたように顎《あご》を伸ばした。

「付き合いがいいよ、シゲちゃんは」

「いえいえ、逆ですよ野崎さん。あたし――今までいっぺんもこういうことをしてこなかったですからね。あんな大勢の人の死に関わったのに」

野崎と恵は顔を見合わせた。

「あの連続殺人事件の時は、そんな余裕なんてなかったと言い訳することもできます。でもね、あれから九年ですよ。あの事件で大切な家族や友人や仲間を殺された人たちは、この九年間に、それぞれ苦しみながら喪の仕事をしてきたんでしょう。それでも、未《いま》だに終わっていないかもしれません。あの事件の犠牲者たちは、あまりにも残酷で意味のない死を強いられた人たちばっかりでしたから、九年ぐらいじゃ割り切れなくて当然です」

滋子はそれを見て見ぬふりをしてきた。自分にはもう関わる資格がないという「反省」を盾《たて》にして。

「だから、せめてもの罪滅ぼしっていうのも大げさだけど……」

滋子が口をつぐむと、二人も黙ってしまった。

やがてゆっくりと、野崎が口を開いた。「あんまり思い詰めるなよ」

「はい。大丈夫ですよ」

感謝を込めて、滋子は答えた。

前畑昭二が親から引き継いだ前畑鉄工所は、葛飾区の南部の町にある。この不景気のなかでも堅調な操業を続けており、おかげで彼は毎日忙しい。平日は朝六時に起き出し、七時には工場に出てゆく。それでいて午後十時前に帰宅できることはめったにない。休日も、接待や付き合いで外出することが増えた。

二人は、滋子が例の連続殺人事件に関わるほんの少し前に結婚した。だから十年の結婚生活は、そのまま滋子があの事件と衝突し、乗り越え、折り合いをつけてきた年月に重なる。事件の渦中にあったときには、離婚の危機にも直面した。

そのせいもあって、二人の生活の場は、十年の間に何度か移った。今は結局、昭二の両親の位《い》牌《はい》を納めた仏壇を守って、彼の生家で落ち着いている。工場と同じ敷地内にあるこの家は、古びてはいるが６ＤＫの二階家で、二階の一角には滋子の仕事部屋もある。が、ノアエディションの一員になり、毎日浅草橋まで通勤するようになってからは、その部屋はほとんど書庫と化して、滋子がそこに据えた机に向き合う機会はほとんどない。

昔は典型的な夜型で、午前零時を過ぎないと何も書けないタイプだった。今はまったく逆だ。朝、昭二を送り出し、掃除や洗濯を片付けて、午前十時までには出社する。夕方は、仕事の混み具合にもよるが、午後六時にはノアエディションを出て、買い物をしながら帰宅する。昭二の帰宅が遅くとも夕食は一緒にとるから、帰り道で恵とちょっとお茶を飲んだりして、空っぽのおなかを宥めておくことも多い。

校了日や納期の間際になると、徹夜仕事も珍しくはないのがこの業界だが、滋子はこれまで、ノアエディションに泊まり込んだことはなかった。夕食が駄目なら朝食、朝食が駄目なら夕食、どちらか一食は、必ず昭二と一緒にとるように努めている。

「そんなに無理することねえよ」と、言われたこともある。「遅くなったときは泊まっていいよ。夜中の三時におまえが一人でこっちまで帰ってくる方が、よっぽどオレの心臓には悪い」

それでも滋子は、自分で決めたこの習慣を守るようにしている。遠慮や義務感ではなく、そうしたいからだ。生活のリズムは、自分で作らなければ出来上がらない。物書き稼業なんだから、昼夜逆転生活なんて当然だ、ぐらいに思っていた九年前の自分は甘えていた。昔は、口うるさく小言を並べる姑や、不機嫌そうな舅を疎《うと》ましく思ったこともあったが、今になって振り返れば、前畑鉄工所という小船を操り、昭和という時代の荒波を必死に渡ってきた働き者の義父母の目には、滋子の仕事がうさんくさく見えるのは当然のことだったとわかる。義父母にとっては、額に汗し、身体を使うことのみが「労働」であって、滋子のライター稼業なんか、どんなに努力したってまっとうな仕事に見えるはずもなかった。滋子もまた、その溝を埋める努力をしなかった。

その日も帰宅すると、まず仏壇に向かい、「ただいま帰りました」と挨拶をした。いつもならそれだけなのだが、今日はちょっと気分が違い、そのまま座り込んで、義父母の位牌を眺めていた。

昭二は一人っ子である。舅にとっては頼れる倅《せがれ》であり姑にとっては世界でいちばん大切な愛し子だった。二人とも、どんなときでも昭二の味方をしたし、昭二が大事だった。とりわけ姑は、昭二の言葉を金科玉条のように仰ぎつつ、一方では昭二がまだ小学生であるかのように甘やかすという離れ業をしては、幾度も滋子の神経を逆撫でしてくれたものである。

あまりにそれが露骨なので、実家の母に愚痴をこぼしたこともある。母は、「男の子の母親は、みんなそんなもんよ」と笑っていた。

——そういえば昭ちゃんも、お義父《とう》さんお義母《かあ》さんがそれぞれ三十過ぎての子供だったっけ。

昭和一桁《けた》生まれの夫婦には、充分に遅い子供である。

——しかも一人息子だもん、格別可愛かったわけですよね、お義母さん。

自然と微笑んでしまった。

「今日ね」と、声を出して仏壇に語りかけた。「四十一歳でやっと恵まれた一人息子を亡くしたばかりのお母さんに会ったんですよ。ふっくらしてて、昔風の、いかにもニッポンのお母ちゃんて感じの人でした」

子に先立たれる悲しみは、親にしかわからない。望んでも子供に恵まれずにいる滋子には、想像することしかできない。

「いささか変わった話を持ち込まれたので、あたしで役に立てるかどうか怪しいんですけどね。ま、やってみます」

チンチンと鉦《かね》を鳴らして立ち上がり、夕食の支度に取りかかった。

十時半を過ぎて帰宅した昭二はご立腹だった。ぷんぷん怒りながら風呂に入り、ブリブリしながらビールを飲む。こういうとき、職住近接は良くないなと滋子は思う。帰宅するまでに頭が冷えたり、気分が切り替わったりすることがないからだ。工場で起こったトラブルを、昭二はそのまま持ち帰ってしまう。

何でも、お得意さんの発注に間違いがあって、できあがった製品が納められないのだという。発注間違いは先方の責任なのだが、向こうは永年の顧客の立場だから強気で、謝るどころか、ちゃんと確認しなかった前畑鉄工所が悪いと言わんばかりなのだそうだ。

「最初っから急ぎ仕事だったのに、もっと急いで作り直せっていうんだ。そのくせ、あっちのミスでできちまったブツの決済は渋るしさ。ねぎるんだぜ。酷《ひど》いだろ？」

「理不尽な話だよねえ」

「なあ？　うちはいつだって、あんなとことの取引、切っちまったっていいんだ。先代からの付き合いがあるから続けてるだけでさ」

怒り晩酌なので量を過ごし、頭に血が昇っている分、アルコールも早く回る。昭二は早々に大いびきをかいて寝てしまった。滋子は萩谷敏子と等のことを話しそびれた。涙もろい昭二のことだから、きっともらい泣きしたことだろうに。

後片付けを済ませると、滋子は古い新聞を調べにかかった。前畑家では、経済紙と全国紙と、スポーツ新聞をそれぞれ一紙取っているのだが、幸い、古い家には空いているスペースがたくさんあるので、三紙とも最低半年分は取っておくようにしてある。ノアエディションのような仕事では、以前に一度だけ出た新聞広告が必要になったりすることが、存外あるものだからだ。

萩谷敏子の言葉に間違いはなかった。問題の火災は四月二十日に発生している。場所は足立区千住鳥居町というところで、火元の家を含めて三軒が全焼。二軒が半焼。ほぼ百六十平米を焼いた火災は、完全に鎮火するまで二時間を要したと、記事にある。春の夜の強風が災《わざわ》いしたらしい。火災の原因は煙草の火の不始末だ。

二軒の半焼を合わせて四軒が全焼したと勘定し、簡単な割り算で、一軒一軒がずいぶんと小さな家だとわかる。一軒あたり、せいぜい十二、三坪だ。滋子は北千住あたりに土地勘はないが、似たような土地柄の葛飾に住んでいるから、見当はつく。古いタイプの木造一戸建てが密集している町筋なのだろう。

これだけでも、都内の火災としては見出しになるトピックだ。出火は午前一時。だから、火災についての記事は、二十日の夕刊社会面に小さくベタ記事で載っている。

が、同じ火災についての報道が、二十一日の朝刊になると、がらりと姿を変える。見出しも違う。

「焼け跡から遺体発見　十六年前の失踪少女？」

「両親が殺害を自供」

「我が子を床下に十六年　〝時効〟に近隣住民困惑」

滋子はまず、恵が表現したとおり、半壊・半焼け状態の家屋の写真をチェックした。巨人がこの家の後ろ半分を踏み潰して通り過ぎて、前半分は傾き、ひしゃげた状態ながらもほぼ無傷で残っているという感じだ。後ろの部分は屋根まで焼け落ち、焦げた梁《はり》が突き出しているのに、前の部分は板壁が立ち、瓦《かわら》もきちんと並んでいる。

新聞の写真は粒子が粗《あら》い。が、ネットで検索して見つけ出した写真とは違い、さすがに現物なので、問題の家の屋根の端っこ——家の正面だ——に、何か取り付けられているのがおぼろげに見て取れる。が、形まではわからない。町中で、鯉幟《こいのぼり》を立てるための金具を屋根に付けっぱなしにしている家を見かけることがあるが、それと似ている。

スポーツ紙の事件面ならもう少し大きな写真が出ているかとめくってみた。確かに紙面の三分の一を占めるほどのサイズの写真が載っていたが、焼け落ちた家の後ろ側を撮ったもので、屋根の部分は切れていた。少女の遺体が埋められていた場所に、白い人形《ひとがた》が描いてある。

秋吉という主婦が見たのは、新聞の写真ではあるまい。週刊誌かテレビだ。やっぱり明日は大宅文庫詣でだなと思いながら、滋子は記事の本文に取りかかることにした。必要なだけの新聞を持って、台所のテーブルへと移動する。一応、記事から判《わか》る限りの事件経過を書き留めながら読んでいこう——と思って、ちょっと苦笑した。この感じ、懐かしい。

萩谷敏子は、「北千住の方で家が焼けて、その焼け跡を調べたら、地べたから骨が出てきた」と言っていた。が、三紙をぶつけて記事を確認してゆくと、それは正確な表現ではないと判った。

地元警察が焼け跡の地面を捜索したのは、両親が少女の遺体がそこにあると告白した後のことだ。自白が先だったのである。

出火は午前一時。強風により延焼し、鎮火したのが午前三時ごろ。そして「未明」——正確な時刻が記事のなかにないのは、調べきれないのか関係者の記憶が定かでないのかどちらかの理由によるのだろう——問題の少女の両親である土井崎《どいざき》元《げん》と向子《こうこ》夫婦が、火災現場付近の交通整理のため現場にいた千住南警察署の交通課員に、「十六年前に娘を殺し、家の床下に埋めた。骨があるはずだから掘り出してやってほしい」と告げた。全国紙と経済紙の記事にはこうあるが、スポーツ紙の方は、土井崎夫妻はまず火災現場にいた鳥居町の町内会長に告白し、その後、彼に連れられて警察官の元に赴《おもむ》いたということになっている。

夫妻はそのまま千住南警察署に連行され、係官に供述しているうちに、現場から少女と思われる遺体が出た。土井崎夫妻にはもう一人、殺害された少女の下に妹がいたが、彼女も事情聴取を受け、事件についてはまったく関知していないということで、二十日の午後には帰宅を許されている。

土井崎夫妻は、三日間、千住南警察署内に身柄を留め置かれた。その間に遺体の鑑定が進み、夫妻の供述どおり、少女が殺害されてから既に十六年が経過、刑事事件の時効成立要件である十五年を過ぎていることが確認されたので、解放されたのだろう。

もうひとつ、十六年近くのあいだ地中にあった亡骸《なきがら》を、なぜ記事では「白骨」とか「白骨化した遺体」と表記せず、ひたすらに「遺体」と記しているのか、その理由がわかった。

少女の遺体は、顔立ちまで充分判別できる状態だったというのだ。両足の一部こそ白骨化が始まっていたが、残りの部分は見事なまでに屍蝋《しろう》化していたからだった。

これにはたぶん、彼女を殺害した土井崎夫妻も驚いたことだろう。土井崎元は、最初に告白する時点で「娘の骨」という表現をしている。もう白骨になっていると思い込んでいたのだろう。しかし、少女の身体はきれいに残っていた。死因は首を絞められたことによる窒息死と判明したが、解剖するまでもなく、首にはその痕《あと》が見てとれたというのだ。

滋子はメモを取る手を止めると、リビングの明かりを見上げて、眉をひそめた。

――目は開いていたのかしら。

つい、余計な想像をしたくなる。

土井崎夫妻は、最初はもらい火の被災者、次に殺人と死体遺棄の容疑者、最終的には、殺人事件の犯人と確定したが事件が時効ということで、記事の上での扱われ方が転々と変わっている。当初は姓名が書かれておらず、次にはきっちり書かれ、事件が成立しないとなると、全国紙と経済紙ではまた匿名に戻り、一部のスポーツ紙では実名が載ったままだ。

殺害された少女についても同様だった。「十六年前に捜索願の出されていた夫妻の長女」「失踪当時十五歳の少女」――「少女」の表記が、やがて「茜《あかね》」という実名にとって代わり、また「少女」や「長女」に戻る。この事件が、何らかの形でこの三紙で報道され続けているあいだじゅう、匿名に伏されていたのは土井崎夫妻の次女、茜の妹だけである。

どのくらい歳の離れた姉妹なのかわからないが、姉さんの方が十六年前に十五歳だったのだから、今では、妹も立派に成人していることだろう。彼女の実名を記事に書かなかったのは、マスコミの見識といっていい。それでも地元の人たちはみんな知っているはずだし、彼女の今後の人生が根底から破壊されてしまったであろうことに変わりはないのだが。

新聞報道は五日間で止まっている。時効になった事件より、他に報道するべき事柄はたくさんあるし、殺人事件だけでも毎日のように起こるのだ。

土井崎夫妻と次女のその後は、少なくとも新聞紙面からは読み取ることができない。

土井崎茜は、殺害された当時、地元の中学校の三年生。非行少女であったらしい。夫妻はそれぞれに、

「娘の非行に手を焼いていた」

「このままでは先が思いやられると悩んでいた」

と、述べている。

夫の土井崎元は、「自分が娘の首を絞めた。女房は娘を押さえつけていただけで、手は下していない」

妻の向子は、「すべて二人でやった。下の娘は何も知らない。今までも気づかれることはなかった」

二人が茜を絞殺し、遺体を床下の地面に埋めて隠したのは、一九八九年十二月八日深夜から未明にかけてのことだ。この時、夫妻の次女は家にいなかった。夫は「親戚の家に遊びに行っていた」と述べ、妻は、「どこにいたのか記憶がはっきりしないが、家にはいなかった。友達のところに泊まっていたのかもしれない」という。

計画的な殺人ではなく、夜遊びから帰ってきた茜と喧嘩《けんか》になり、それがエスカレートした挙句の行為だったと、夫妻は供述している。そして、茜を殺害してから三日後に、千住南署に捜索願を提出している。娘が家出して帰ってこない、と。

茜は以前にも家出したことがあり、夫妻が捜索願を提出するのは二度目のことだった。一度目は茜が中学二年生の夏休みで、都心でフラフラ遊んでいたらしく、一週間後にケロッとした顔で

帰宅した。夫妻は捜索願を取り下げた。

近所の人びとの談話も載っている。茜の非行は近隣では有名で、彼女は鼻つまみ者だったようだ。

「また家出したって聞いて、まったく疑わなかった。今度は帰ってこないかもしれないって、土井崎の奥さんが心配そうな顔をしてたのを覚えてます」

「今だから言えるけどあのころは私らも、学校の方も、茜ちゃんが家出してくれてほっとしてたところがある。土井崎さんが茜ちゃんで苦労してたのは、みんな知ってたし。誰も捜そうなんてしなかった」

茜の〝失踪〟後も、土井崎夫妻の暮らしぶりに変わりはなかった。夫はサラリーマン。妻はパート勤務。近所付き合いの良い夫婦ではなかったが、静かで目立たない住民だったという。

滋子はボールペンでこめかみを押さえた。

茜の殺害から、目くらましの捜索願提出までの三日間というのが気になる。大いに気になる。

この三日をどう解釈するか。土井崎夫妻の逡巡《しゅんじゅん》と受け取るか。それとも様子見と取るか。

十五歳の少女の親は、娘が帰宅しないという事態に、常識的にどう反応するものか。すぐにも警察に駆け込むものではないか。

が、茜は不良少女で〝前科〟もある。二年生の夏休みの一件だ。またケロリとして帰ってきたのでは恥ずかしい。ああ、そういうことだなと世間は思うはずだ。だからすぐには騒がず、わざと三日の間を置いた。またぞろお騒がせすることになるんだろうから、本当に面目ないんだけども、やっぱり心配だから届けだけでも——。

冷静だ。抜け目ない。

一方で、その三日間に地獄の苦しみを味わったはずだ。警察に行こう。捜索願を出すのではなく、娘を殺したと白状するのだ。その方がいいという思いに、揺れなかったわけがない。だが、土井崎夫妻にはもう一人の娘がいた。自分たちが自首すれば、この子は殺人犯の子供になる。

まさか死刑にはなるまいが、自分たちが刑務所にいるあいだ、誰がこの子の面倒をみてくれるだろう。児童保護施設に送られることになるなら、あまりに不憫《ふびん》だ。

滋子の目には、この三日がその後十六年間の沈黙の素であるように見える。この三日ですべてが決まってしまった。隠し通そう、と。

しかし、それならばなぜ、土井崎夫妻は今になって告白したのか。火災で家が焼けたからといって、必ずしも地面まで掘り返されるとは限らない。半壊した家を解体し、建て直す段階にならなければ、誰もそんなことなど考え付かないだろう。猶予はあったのだ。

茜の亡骸が発見されるかもしれないという可能性を思うだけで、もう参ってしまったのか。まだ何とかなるとは思わなかったのか。

時効の成立を意識していたのか。今ならもう罪に問われる心配はない。次女も大人になった。大丈夫だと。この大きな秘密という重荷をおろそうと。

それよりも何よりも、どうして十六年の間に、茜の遺体をどこか別の場所に移しておかなかったのか。火災が起きたとき、土井崎夫妻の胸に、その後悔はよぎらなかっただろうか。

なぜ、自ら手にかけた娘の亡骸を床下に、十六年も同じ場所で暮らしてゆくことができたのか。

そのあいだには、楽しいこともあったろう。残った次女と家族三人で、笑い転げたこともあったろう。一緒になって泣いたり、困ったりしたこともあったろう。次女の成長を喜んだことも、彼女の将来を心配したこともあったろう。

その足元には常に、長女の屍骸《しがい》が埋もれているのに。

ポーンという涼やかな音がした。滋子ははっとして顔を上げた。リビングの時計が午前一時を報せたのだ。

この振り子時計は、義父母が結婚したときに買い、ずっと大事にしてきたものだ。手巻きの時計だが、今でもほとんど狂うことなく、正確な時刻に鳴ってくれる。

とんだ夜なべだ。もう寝《やす》まなくては。

自分で自分の額をぺたりとぶった。あたしったら、何やってるんだろう。この事件に興味を持ち始めている。

滋子さん、いい加減にしなさいよ。あんた、昔あれだけ痛い目に遭ったのに、忘れたのかね。義父母の説教が聞こえてくるようだ。

急いで新聞を片付け、明かりを消し、足音を忍ばせて、二階の寝室にあがっていった。昭二のいびきはやんでいた。布団を蹴り飛ばし、大の字になって熟睡している。

その隣に横になっても、尚もしばらく、滋子は眠れなかった。目を閉じると、萩谷敏子の泣き笑いの顔が浮かんでくる。

——等のことを考えると、すぐ涙が出てきてしまいまして。

失った子。今はもうこの世にいない、自分の分身。この手で守り育ててきたのに。

代われるものなら自分が代わって、その命を永らえさせてやりたかった。

親なら、誰しもそう願うだろう。心の底から、叫ぶように。

土井崎夫妻は、茜を思って泣いたことがあったろうか。茜の非業の死を、自らの手がもたらした死を、悔やんだことはあったろうか。

あれほどに悼まれ、悲しまれ、追憶される愛し子の萩谷等と、十六年間、誰も捜そうとしなかった土井崎茜。

今、誰か茜のために泣いている者はいるのだろうか。悼まれることのない死者に、行き場所はあるのだろうか。

第二章　第三の眼

翌日、いつもより早めに家を出ると、滋子は真っ直ぐ大宅文庫に向かった。日本中のありとあらゆる雑誌を保管してくれている、有り難い場所である。最近は何でもネットで検索できるようになったけれど、グラビアなどの現物にあたるには、やっぱり「大宅詣で」をするのがいちばん確実だ。

探すものがはっきりしているので、手間はかからなかった。目的のグラビア写真を見つけ出し、コピーをいくつか取ってもらって外に出るまで、一時間足らずで済んでしまった。

少し、動悸《どうき》が早くなっていた。今日は五月らしい爽《さわ》やかな陽気だから、汗ばんでいるのは気持ちの高まりのせいだ。

問題のグラビアは、二誌見つかった。ひとつはカラーで、ひとつはモノクロ。どちらにも、半壊した土井崎家の残り半分、無傷で残った瓦屋根の正面、三角の部分に取り付けられた風見鶏——風見蝙蝠がはっきりと写っている。

色は紫色だ。本当にバットマンのマークに似ている。

カラーグラビアの方には「かくも長き不在」、モノクロの方には「時効までの沈黙」というタイトルが、それぞれ添えられていた。

ノアエディションに出社すると、恵が先にいて、眠たそうな顔で机の雑巾《ぞうきん》がけをしていた。

「ケイちゃん」

「あ、おはようございます」

滋子は何も言わず、コピーを広げて見せた。恵は最初は片手でコピーを受け取り、すぐに両手でわしづかみするような格好になったので、滋子は雑巾を受け取ってやった。

「あったんですね」

「うん」

「これ、本当に土井崎さんの家なんですね？」

恵も事件について調べてきたのだろう。

「ええ。勘違いじゃなかった」

どうするんですかと眼を輝かせる恵に、滋子は両手を合わせた。

「ごめん。今日一日、あたしに休みをくれる？」

「いいですよ！　って、あたしが決めたらダメかしら」

幸い業務は一段落して、今週は手が空いている。

「北千住へ行ってこようと思うの。近所の人たちに話を聞いてみる」

「土井崎さん一家は――」

「まさかもうここにはいないでしょう」

「そうですよねえ。いられるわけない」

「近所の人たちが、この風見蝙蝠のことを覚えていたなら、もう百パーセント間違いないってことよ」

「え？　それってまだ裏を取るって意味？」

「念のためにね」

話しているところに野崎が来たので、彼にもコピーを見せた。

「しょうがねぇな。うちには有給なんて洒落たもんはないんだぞ」

「承知してます。すみません」

千代田線に乗るために、御茶ノ水まで出た。乗り換えの途中で、時計を気にしながら携帯で電話をかけた。電話の相手は夜型なので、午前中のこの時間には起きているかどうか微妙だ。

案の定、寝ぼけた声が出た。

「はいはい、引田《ひきた》です」

ノアエディションで仕事するようになってからの知人で、家庭雑貨に詳しい女性ライターだ。

「あれ、前畑さん。おはよう」

滋子は起こしたことを詫《わ》び、「唐突なんだけど」と前置きして、尋ねた。

「風見鶏ってあるでしょ。あれって、普通はホームセンターで売ってるものよね」

「うん。家具屋さんでも扱ってる場合もあるし、ネットでも買えるけど。手作りキットもけっこう種類が出てる」

「そのなかに、鶏じゃなくて蝙蝠の形をしているものがある？」

「コウモリぃ？」

「バットマンのマークみたいな形なの」

相手は寝ぼけたまま噴き出した。「必要なんですか、それが」

「そうじゃないんですけど、ちょっと知りたくて。蝙蝠の形をした風見鶏が流行《はや》ったなんてこと、ないかな」

電話の向こうではパソコンを立ち上げているようだ。

「ううう〜、どうかな。蝙蝠ってのはちょっと——あたしのストックしてる限りじゃ見当たらないし、そんな流行は聞いたことないみたい」

「手作りキットはあるかもしれない？」

「う〜ん。どうかなあ。蝙蝠って、あんまり可愛い動物じゃないでしょ」

「そうよねえ」

「完全な手作りか——あと、可能性があるとしたら、それこそ『バットマン』関連ですよ」

コミックか映画の関連商品として売り出されたかもしれない、というのだ。その場合には、バットマン・ファンの間で人気が出たというケースは考えられる。

「調べてみましょうか」

「頼んでいい？　助かります」

「それが仕事だもん。ノアエディションさんにはお世話になってるし」

「実はこれ、わたし個人の仕事なの」

「じゃ、今度奢《おご》ってくれればＯＫよ」

滋子は約束して、電話を切った。起き抜けにおかしなことを頼まれて、「バットマンの風見鶏い？」と、あくび混じりに呟いている顔を想像すると可笑《おか》しい。

北千住の駅で降りると、滋子はキオスクで地図を買った。ざっと見ただけでは、千住鳥居町は見つからない。小さな町なのだろうか。

千住神社というのがある。が、その近辺には「千住宮元町」はあっても「鳥居町」はない。千住南警察署の管内なのだから、足立区南部のはずなのだが——。

仕方がない。バッグから眼鏡を取り出した。ベンチに腰かける。

「老眼」ではなく、近頃では「加齢視」と呼ぶらしいが、実態は同じだ。滋子は三十代後半からこの兆《きざ》しを感じるようになり、今では、細かいものを読むときには老眼鏡が必需品である。三つ年上の昭二はまだまったくその気配もないのが憎らしい。

あった。足立市場——正確には東京都中央卸売市場足立市場の西方だ。千代田線乗り入れのJRより、京成線千住大橋駅の方が近かったかもしれない。思いつきで行動すると、こういうことになる。

こうした大きなターミナル駅では、駅前の様子と喧騒は、東京中どこへ行っても同じだ。消費者金融の大看板が目立つところまで一緒である。

それでも、地図を頼りに歩き出すと、狭い道の両脇にぎっしりと店が並んだ商店街や、真新しいマンションと古びた一戸建てが混在する町筋に、親しみを覚えた。滋子の住む葛飾と同じ、東京の下町のこの眺め。建て込んだ住宅のあいだの細い道。自転車の荷台に荷物をくくりつけた人や、自転車のチャイルドシートに幼稚園の制服を着た子供を乗せた若い母親とすれ違う。トタン壁の工場の内側から、キーンという金属音が聞こえてくる。灰色を通り越して黒ずんだブロック塀の家の内側に、木立が狭苦しそうに茂っている。その鮮やかな新緑が、路地のような一方通行の道を隔てた向かいの家の玄関先を彩るたくさんの植木鉢の色と呼応する。

小中学校も点々とあり、スクールゾーンの歩道は緑色にペイントされている。知らない土地を訪ねるとき、昔の人はお寺や神社を目印にしたそうだが、今では学校を頼りにするのがいちばんだ。校庭があるから、そこだけぐっと空間が開けていて目立つのである。

ゆっくり歩いて三十分ほどで、「千住鳥居町」という住居表示の看板を見つけた。淡いグリーンの看板が、モルタル塗りの住宅の壁の角に取り付けられていたのだ。その隣は小さなお稲荷さんだった。「鳥居」はこの稲荷のものかもしれない。

そこから先は探すまでもなかった。目を上げればほんのすぐそこに、普通乗用車が一台かろうじて通れる——大型ワゴンは苦しいか——ぐらいの道幅の左右に、色も形もとりどりなら、新旧も入り混じった住宅が立ち並ぶなか、そこだけ削《そ》ぎ取られたように土地が剝《む》き出しになっているところがあった。

あの火災で焼けた家々の跡だ。

滋子はさらに足取りを緩め、思わず息も潜《ひそ》めて近づいていった。

ほぼ百六十平米を焼いたというが、今現在更地になっているところの広さは、それよりもう少し広いのだろう。まわりにはもう、半壊状態の家は見当たらない。すべて取り壊され、きれいに均《なら》されたのだ。

土地はだいたい横長の長方形だが、向かって左側の辺にあたる部分が三〇度ほど傾いている。このなかに五軒の家が建っていたわけだが、どういう配置になっていたのか、ちょっとしたパズルだ。こういうことも、下町の古い住宅地では珍しい話ではない。

三〇度傾いている辺に面している隣家は、三階建て、チョコレートブラウンの外壁のヘーベルハウスだ。築浅の感じがする。土地の境界は斜線だが、ヘーベルハウスはきっちり四角いので、土地の「余り」ができている。そこに自転車が二台、壁に沿うように停められていた。

更地には、まだ地鎮祭などが行われた様子はない。土は乾いて、雑草がちらほら生え始めており、空き缶やコンビニのビニール袋がいくつか散らばっている。ガス管の引き込み位置を示す小さな赤い標示杭も見える。

この細い通りに、さっきから人通りはなかった。家々のベランダや二階の物干し場を、洗濯物が満艦飾《まんかんしょく》に彩っている。

遠くでごろごろと音がするので、振り返ると、さっき滋子が通ってきた横道を、台車を押した宅配便の配達員が通り過ぎていった。

さて、どうするか。いきなり近所の家のインターフォンを押すのでは、何とも大げさだ。この区画の先、信号なしの横断歩道を渡ったところにクリーニング屋の看板が見える。その向かいには美容院があるようだ。どちらも通りがかりの客が入りにくい業種だが、聞き歩きの手始めとしては、店舗の方がまだとっつき易い。

歩き出そうとしたとき、ヘーベルハウスの家のドアが開いた。ドアはいっぱいに開いているのに、すぐには誰も出てこず、ごっつんごっつんと手間取っている。と、大きなベビーカーが半分ほどのぞき、四苦八苦しながら前の車輪がドアの枠を乗り越えたかと思うと、白髪頭の小柄な男性が、ベビーカーの横をすり抜けるようにして外に出てきた。

男性はベビーカーの前にまわり、両脇を手でつかんで持ち上げる。がちゃんがちゃんと、ベビーカーは大揺れだ。なかなか出てこない。男性がベビーカーを持ち上げると、ちょっと横に傾き、おかげで滋子の目にも、その乗客の顔が見えた。

双子だ。まだ一歳になるかならないかぐらいだろう。どんなに乗り物が揺れても泣きもせず、騒ぎもせずに目をぱっちり開いておとなしくしている。

「やっこらさ、と」

やっとベビーカーが現れた。

「じゃ、ちょっと行ってくるよう」

白髪頭の男性は、家のなかに声をかけて、ドアを閉めた。そして滋子に気がついた。

滋子は微笑して会釈した。男性も会釈を返す。すぐに顔がほころんだ。

「ああ、すみません。インターフォン押してやってください」と、ドアの方に手を振った。「家内がおりますから」

「はい、あの……」

何かと間違われているらしいが、何かわからない。

「十キロ以上でしたら、配達もやりますよ。夕方になっちゃうけどね」

ベビーカーの乗客のどちらかが、「ぶうう」という声を発した。男性はのぞきこむ。

「はいはい、行くよ。ぽっぽ見に行こうね」

滋子は男性が出てきたドアの方に目をやった。インターフォンのボックスの脇に、半紙ぐらいのサイズの手書きの張り紙がある。

「小牧《こまき》精米店　営業しています　インターフォンで呼んでください」

お米屋さんだったのだ。

「あの、小牧さんのご主人でいらっしゃいますか」

ベビーカーの方にかがみこんでいた男性は、その格好のまま顔だけ滋子に向けた。

「はい、毎度どうも」

「すみません、お米を買いにきたんじゃないんです」

小牧という男性はきょとんとした。髪は白いが、顔はまだ若々しい。五十代半ばぐらいだろうか。

「お隣の火事のことで――」

何度かまばたきすると、小牧氏は身を起こし、しげしげと滋子の顔を見た。

「火事のことって、どちらかのお知り合いかなんかですか」

どちらかというのは、「焼け出された五家族の」という意味だろう。

嘘をついても意味はないので、滋子は率直に答えた。

「違います。土井崎さんのことでお尋ねを」

小牧氏の顔が、くしゃくしゃっと崩れた。

「ああ、なんだ記者の人か」

やっぱりそうか、うんざりだ、まだ何かあるのか。様々な表情が溶け合っている。

「うちじゃ、もう誰も何も話すことなんかないですよ。孫を散歩に連れてくところなんでね、すみませんね」

小牧氏——小牧のおじいちゃんと呼んだ方がいいだろう——は、それでも丁寧に滋子にひとつ頭を下げると、ベビーカーを押して早足で歩き始めた。乗客たちが、「じいじ」とか「ぷう、ぷう」とか声を出している。

「おかしなことをお伺いするんですが」

あわてて後を追ったりせず、滋子は声を高めて呼びかけた。

「土井崎さんの家の屋根に、変わった形の風見鶏がついていたことを覚えていらっしゃらないでしょうか」

ベビーカーが停まった。今度こそ、あからさまに不審そうな顔が振り返る。

「え？　何だって」

滋子は歩み寄り、更地の方を指差した。

「土井崎さんの家の屋根に、鶏じゃなくて蝙蝠の形をした風見鶏がついていたらしいです。写真に写っているんですが、ご記憶でしょうか」

ベビーカーの可愛い乗客たちが、手足をパタパタさせている。はずみで、右側の子のソックスがぽんと脱げた。滋子はかがんで拾い上げると、

「可愛いタータね」

笑って話しかけながら、穿《は》かせてやった。真っ白な綿の靴下で、足首にぽんぽんがついている。双子はそろって大きな瞳を瞠《みは》り、びっくりしたように滋子の顔を見返していた。ほっぺたが真っ赤だ。

「あんた、どこの記者さん？」

顔を上げると、しかめっ面が待ち受けていた。滋子は笑顔を保ったまま、

「記者ではありません。個人的な調査で、茜さんの事件のことを調べているわけでもないんです。ただ、その珍しい風見鶏のことを知りたくて参りました」

小牧のおじいちゃんは、見るというより匂いをかいで検分するように、上から下までくんくんと滋子を見回した。そして「風見鶏ねぇ」と呟く。

「そんなもの、何で調べてんの」

滋子はバッグのなかをかきまわし、カード入れを見つけ出した。ノアエディションの名刺ではなく、ずいぶん前に作ったきり、最近では使うことのない「フリーライター　前畑滋子」の名刺が、パスネットの後ろにまだ二、三枚入っているはずだ。

あった。端っこが丸まって、いかにも古い感じがするが、汚れてはいない。それを差し出すと、小牧のおじいちゃんは慣れた手つきで受け取った。さんざんこういう経験をしたのだろう。

「フリーライター、ねぇ」

「事件関係の取材をしているわけではないんです。ですから事件のことをお伺いしたいのではなくて、風見鶏」

いきなり小牧家のドアがばんと開き、滋子の説明を断ち切った。ジーンズにTシャツ姿の若い女性が走り出てくると、しゃきしゃきと音がしそうなほど機敏にあたりを見回し、小牧のおじいちゃんに目をとめて、

「あ、おじいちゃん！　帽子！」

大声で言って駆け寄って来た。手に白いものを握っている。

「帽子、忘れたでしょ。ちゃんとかぶせていってよって、あれほど――」

滋子に気づいて、言葉が切れた。きょとんとした顔がおじいちゃんとそっくりだ。

小牧家の娘さんで、双子のお母さんだろう。孫が生まれると、家のなかでの互いの呼称も孫を中心に決まる。小牧のおじいちゃんは、自分の古女房を「おばあちゃん」と呼び、娘を「お母さん」とか「ママ」と呼んでいるに違いない。

「ママ」の名は酒井《さかい》直美《なおみ》といった。

「酒井」は夫の姓であり、彼女は小牧家の長女だ。つまりうちの旦那、マスオさんなんですよと話してくれた。

彼女は、また取材の人だよと苦い顔をする父親と、滋子のあいだに入ってくれた。双子に手早く帽子をかぶせると、笑顔であやして、

「とにかく、おじいちゃんは散歩に行ってらっしゃいよ、ね？」

父親が渋々という感じで出かけてゆくと、改めて滋子に向き直った。

滋子はここに来た目的をもう一度話した。直美は細身で浅黒く、二の腕の筋肉など引き締まっている。見るからに活発で頭の回転が速そうだ。

「あの騒ぎのころには、もうびっくりするくらいいろんな取材が来ましたからね。父も母も血圧上がっちゃって大変でした。だから、取材の人っていうとそれだけで警戒しちゃうんですよ」

「無理もないことです。今頃になってまた蒸し返すようで、申し訳ありません」

直美は笑顔になった。「でもね、こんなヘンな取材は初めて。いったい何だって、土井崎さんの屋根の風見鶏のことなんか知りたいんですか?」

正直に話した方がいいかな——滋子はちょっと迷ったが、やっぱり拙《まず》いよなと思った。いきなり超能力云々では、せっかく親切に応対してくれているこの若い母親が、引いてしまうかもしれない。かえって面倒なことになってしまう可能性もある。

「あの風見鶏を、事件の報道が盛んなころ、グラビア写真で見て覚えていたんです。わたしは家庭雑貨の記事や広告を書くことが多いので、ちょっと興味を持ちました。どこで売ってるんだろう、輸入品かな、と思いまして。今日は別件で近くまで来たものですから、ちょうどいい、近所の方に伺えば何かわかるかと——」

胸の前で腕組みをし、ゆっくりとうなずきながら、

「へえ、そういうことですか」と、直美は言った。愛想のいい口調だし顔から笑みは消えないが、どうも信用されていない感じがする。

「あれねえ、そこらで売ってる物じゃないですよ」

「とおっしゃいますと」

「手作りなんです。学校の工作の時間にね、作ったんです。あ、茜さんじゃありませんよ。妹さんです。妹さんの友達が作ったんですよ」

驚きを抑えて、滋子も大きくうなずきを返した。

「ああ、なるほど。だから鶏じゃなくて蝙蝠なんですね」

「そうそう。バットマンの胸のマークを真似っこして作ったんじゃなかったかな。よくできてるからって、土井崎さん、ずっと屋根に飾ってましたよね」

もう失《な》くなっちゃったけどと、釘を刺すように言い足した。

「やっと焼け跡の片づけが終わりましたからね」

「大きな火事だったそうですね」

「びっくりしたですよ。怖かった」

腕組みした手を動かして肘《ひじ》のあたりをさすりながら、直美は更地に目をやった。

「それでもうちの側は風上で、助かったんです。壁も焦げてないでしょ。水はかぶっちゃったけど」

「土井崎さんのお宅はどのあたりだったんですか」

ちらっと滋子の顔を見てから、指差して教えてくれた。

「ちょうど真ん中へんの道路側です。向こうの奥の、角の家が火元でした。だから土井崎さんたちこっち側の二軒は全焼しないで済んだんですよ」

こちら側から眺めると、火元の家に近い側のモルタル塗りの二階家は、壁にべっとりと煤《すす》がついている。その奥の家は外壁が新しい感じだが、タイルがぼろぼろと剝落《はくらく》し、割れている。火災の熱のせいか。

「あちらも木造のお宅でしたら、危なかったですね」

それはもうホントにと、直美は胸を撫《な》で下ろす仕草をした。

「うちが建て替えるとき、工務店さんが言ってたんですよ。お隣が古い木造だから、火が出たら危ないよって。うちも最初は、木造の三階建てにするつもりだったんです。けど、それじゃヤバイよって。だからこういう形で、一応は防火建築に」

「そうでしたか。いいアドバイスでしたね。もちろん、火事なんか起きないのがいちばんいいんですが」

直美は鼻にくしゃくしゃっと皺《しわ》を寄せた。とてもチャーミングな表情だ。

「火元の家ね、山野さんていう、もう九十近いおじいさんが一人暮らししてたんです。火が出たのも寝煙草のせいでしょ。近所でもみんな、大丈夫かな大丈夫かなって心配してたのに、案の定でした」

しかし死者も重傷者も出ていないのだ。たぶん、近所の人びとが総出で協力し、山野のおじいさんたちを助け出したのだろう。

「そうするとここだけ五軒ぐらい、古い木造の家が集まってたんですか?」

「そ。借家でしたからね、全部」

「ああ、地主さんがおられるんですか」

「そうそう。お金持ち。でも土地の人じゃないんですよ」

直美はぐっと顔をしかめた。今度は怒りの皺が寄る。

「千葉の方に住んでるとか。こっちに愛着も何もないから、家が古くたって屋根が傾いたって雨が漏ったって知らん顔。手を入れて住み易くしたら、借家人が出て行かないでしょ?　だからわざと放ってあったんですよ」

きつい口調だった。

「こんなことになっても、近所に挨拶にも来やしない。山野さんはもうボケちゃってるし、ほかの家の人たちもお年寄りが多いですから、あたしらも気の毒で文句なんか言えません。せめて地主さんにひと言謝ってもらったって、バチはあたらないと思いますけどね」

ひと息に言ってしまってから、直美は滋子がこんなことを聞かせてしまっていい相手かどうかわからないということを思い出したようだ。

「ま、もうしょうがないから、いいですけどね」

と、素直に取り繕《つくろ》った。

「焼け残った家が解体されたときに、風見鶏も一緒に捨てられてしまったんでしょうね」と、滋子は言った。

「と思いますよ。あれだけ取っておく意味がないもの。ああ、でも——」

直美はいったん口をつぐむと、また腕組みをして滋子の顔を見た。

「前畑さん、でしたっけ？」

「はい」

「ホントに本当に、そんなことだけ調べに来たんですか。ホントは、セイちゃんたちのこと聞きたいんじゃないんですか」

「セイちゃん？」

滋子は純粋に問い返しただけなのだが、直美の目つきが急に尖った。

「またトボけて。そうなんでしょ？　言っときますけど、あたしたちもセイちゃんが今どこでどうしてるか知りません。お父さんお母さんと一緒にいるかどうかもわからないし。だから、騙《だま》したって無駄ですよ。何も聞き出せやしませんから」

滋子はその怒りの理由を理解した。セイちゃんと呼ばれているのは、おそらく土井崎茜の妹だろう。

「なかなか信じていただけないのも無理はないと思いますが、わたしは土井崎さんの事件をどうこうしようというわけではないんです」

「あのヘンテコな風見鶏のことだけわかればいいって？　そんなバカみたいな用事、あるもんですか」

滋子は穏やかに微笑した。「お時間をいただいてしまってすみません。ありがとうございました」

丁寧に頭を下げ、立ち去ろうとした。と、直美が呼びかけてきた。

「あの風見鶏作ったセイちゃんの友達は、近所にいますよ。あのクリーニング屋の看板、見えるでしょ？」

腕を伸ばして指し示す。さっき見かけた看板だ。

「あの家の息子です。行って聞いてみたらどうですか。もっと詳しいこと覚えてますよ、きっと」

本当に風見鶏のことが知りたいんならねと、わざとのように声を強めて付け足した。滋子はもう一度会釈して、そちらへ歩き出した。しばらくすると、後ろでばたんとドアの閉じる音がした。

酒井直美は親切で付き合ってくれたのではなく、滋子を撃退するつもりだったのだろう。土井崎茜の件は、刑事事件としては時効が成立しているが——というより、それだけになお、マスコミの興味を惹《ひ》く材料がふんだんに揃《そろ》っている。両親による実子殺し。遺体を自宅に隠していたこと。そして何よりも妹の存在。

警察による真相追究は行われなかった。その分、土井崎家の人びとは格好の取材ターゲットになったはずだ。取材攻勢が来るのは目に見えていたから、彼らは上手に身を隠したのだろう。どのみち、元の家にはもう住めないのだし。それでも諦めきれないマスコミ関係者が、手を変え品を変え近所の人びとに食い下がって、迷惑をかけたのかもしれない。

取材記者やレポーターたちをかばうわけではないけれど、こういう事件の時には、進んでしゃべりたがる近隣住民もいるのだ。急に世間の耳目を集めて、嬉しくなってしまうのだろう。そういう取材源は、マスコミにとっても有り難い存在だ。

が、一方では、それを苦々しく思う人びともいる。事件関係者と親しかった人たちだ。事件に驚き、隠されていた暗い秘密に当惑しながらも、他人の不幸を餌にしてマスコミにちやほやされるなんて、バチあたりなことだと思う。そういう人たちだ。

酒井直美は後者の方だ。あるいは「セイちゃん」と同窓生なのかもしれない。年格好からして有り得ることだ。一緒に集団登校した幼馴染《おさななじみ》なのかもしれない。

看板には「今井クリーニング」とあった。チェーン店化、フランチャイズ化の進むクリーニング業界では、絶滅種ともいえる独立店だ。普通の二階家の一階部分を店舗にしている。大きな窓ガラスの向こうには、ずらりとワイシャツが下がっている。手前には真っ白なアイロン台。銀色のアイロンが架台に据えてある。

この家もモルタル塗りだった。脇から見れば瓦屋根が見えるのだが、正面だけはビルのように、四角い陸屋根部分がくっつけてある。都内では、下町でさえ、こういうタイプの商店は珍しくなってきた。

出入り口はアルミサッシの引き戸で、ガラスの上に赤や黄色のポスターカラーで、「土曜日はサービス日！」「ワイシャツ100円均一！」「電話一本で伺います」などと直《じか》に書いてある。

ごめんくださいと声をかけながら、滋子は引き戸を開けた。奥から「は～い、ちょっと待ってくださいね」という女性の声が聞こえてきた。

クリーニング品の受け渡しをするカウンターは、使い込まれて飴《あめ》色になっていた。滋子はそこに片手を乗せ、片手を肩から提げたショルダーバッグにかけて待った。

ああ、昼食どきだった。お昼を食べているんだな。店内の壁に掛けられた大きな時計を見上げて気づいた。

「はいはい、ごめんなさいね、お待たせして」

五十代にかかったところという感じの、よく太った女性がせかせかと出てきた。エプロンの胸やおなかのあたりがぱんぱんになっている。髪は洒落たショートカットで、赤いヘアエナメルがきらきらと目立つ。

滋子はこんにちはと挨拶を先にして、

「ついさっき、お米屋さんの小牧さんで伺ってきたんですが」と、切り出した。

また信用してもらえないんだろうなあ、我ながら怪しい調べ物だと思うし――と考えつつ、名刺を出していたら、奥からどすんどすんと足音が響いてきた。

「母ちゃん、どきな。俺が相手するから」

野太い声が聞こえて、赤いヘアエナメルのおばさんが、あわててぴょこんと脇に寄った。どすんどすんは擬音ではなく、比喩でもない。実際にそういう音がしたのだ。この体格なら当然だろう。

滋子は、身長百九十センチ、体重百キロはありそうな巨漢と、カウンターを隔てて向き合っていた。

一瞬、ぽかんとしてしまった。

目鼻立ちはきれいに整っているが、顎《あご》にくっきりと浮いた割れ目が、ハンサムという表現を退けている。髪は角刈りだ。よく似合っている。この巨漢に、これ以外のヘアスタイルなど想像できない。

巨漢は分厚いくちびるを開いた。

「あんた、ライターとかだって？」

もともと細い目が、限界まで細められている。視線は真っ直ぐ滋子を射抜き、鼻息はいきなり荒い。

「セイちゃんを追いかけ回してるんだってな。いい加減にしろよ」

巨漢は身を乗り出し、両手をカウンターにどすんと突いた。ちょっとした木の幹が生えたみたいだった。

さすがに滋子もひるんでしまい、上体を反《そ》らした。が、一歩も退きはしなかった。

「何か誤解をなさっているようですが、それは違います」

自分の声が落ち着いているので、心強く思った。

「わたしは土井崎さんのご家族について調べに来たのではありません。土井崎さんの――」

「うるせぇ！」と、巨漢は凄《すご》んだ。怒鳴ったのではなく、彼にしてみれば、ちょっと肺活量の目盛りを「大」の方に回しただけなのだろう。

それでも充分威圧的だった。可笑しいのは、滋子よりも隣にいるヘアエナメルの「母ちゃん」の方がびっくりしていることだ。

「ちょ、ちょっと勝男《かつお》、何なのよ。いきなり大声出すんじゃないよ」

すみませんねお客さんと、滋子に謝りかける。と、巨漢の息子は今度こそ母親を怒鳴りつけた。

「なんで愛想笑いなんかしてんだよ。母ちゃん、こいつマスコミだぞ。セイちゃんのこと探りに来たんだよ。ペラペラとつまんねえ嘘ついてさ！」

「いえ、ですから」

滋子は両の掌を広げ、胸の前に挙げた。まるでホールドアップだ。

「それは誤解だと申し上げているんです。わたしは土井崎さんのお宅の屋根に飾ってあった風見鶏のことを知りたくて伺ったんです。小牧さんで、あの蝙蝠の形の風見鶏を作ったのは、こちらの息子さんだと教えていただいたものですから」

「そんなくだらねえ作り話、誰が本気にするか！　舐《な》めんじゃねえぞ！」

罵声《ばせい》と一緒に息が届いた。鼻息だ。

「勝男ったら」

母ちゃんは倅の太い腕をぴしゃりと張った。

「そんな頭からがあがあ怒鳴ったら、話にも何もなりゃしないじゃないか。何であんたはそんなに短気なんだろうね！」

驚いたことに、母親の反撃は効いた。勝男という巨漢はにわかにひるんだ。

「な、何だよ母ちゃん。俺に怒るなよ」

母ちゃんは勢いに乗る。「あんたが怒るから、こっちも怒らなくちゃしょうがないんだよ！　バカだね。だいたいなってないよ。女の人を怒鳴りつけるなんて、ちゃんとした男のすることじゃないんだからね」

「だって俺はこいつが――」

ソーセージぐらいありそうな指を滋子の顔に突きつけかける。と、母ちゃんはその指をはらいのけた。

「他人様《ひとさま》を指差すんじゃない！　失礼だろ！」

呆気《あっけ》にとられていた滋子は、思わず笑ってしまった。すると母ちゃんも照れ笑いをする。

「悪いわねぇ。もう、身体ばっかりデカくって、頭の方はさっぱりなんですよ。すぐキレちゃってさぁ。躾《しつけ》を間違っちゃって、すみませんね」

巨漢は口を尖らせて拗《す》ねている。母ちゃんの威光の前にたじたじだ。

と、何を見たのか彼の細い目がぱっと大きくなった。

「あ、直美」

滋子はあわてて振り返った。酒井直美が引き戸のサッシの陰に隠れるところだった。ガラス戸だから、ポスターカラーの文字の向こうに、身を縮めた姿が丸見えだ。

「あ～あ」と、ため息をつきながら出てきた。両手を腰にあてる。

「もう、カッちゃん駄目じゃない。こんにちは、おばさん」

苦笑いして母ちゃんに挨拶する。そして滋子の顔を斜めに見ると、

「前畑さん、ホントに風見鶏のことだけ調べに来たの？　ホントにホントにほんと～に、それだけ？」

なるほど。滋子は察した。直美は今井クリーニングへ行ってみろと教えてくれた直後、ここへ電話をかけたのだ。そして勝男に、これからセイちゃんのことを探りまわってる女ライターが行くよと報せたのだろう。

——ちょっと大きい声出して、ビビらせてやってよ。

ぐらいのことも言ったのだろう。

「ええ、本当にそれだけです」

可笑しくて可笑しくて、滋子は笑いが止められなかった。参ったなあという直美の顔と、息子を睨《にら》み据えている母ちゃんの怒り顔、バツが悪そうに困惑している巨漢の勝男の組み合わせが、とても可愛い。

昼食のテーブルを片付けて（母子が食べていたのは冷やし中華だった）、母ちゃんは滋子にコーヒーを出してくれた。インスタントではない。いい香りだ。

「ありがとうございます。いただきます」

狭くてごちゃごちゃしているけれど、居心地のいい台所兼食堂だった。懐かしいリノリウム床に、赤いビニールシートのスツールだ。

滋子と母ちゃん、直美と勝男、テーブルの四面それぞれについて座っていた。勝男の腰かけているスツールは、彼の巨軀《きょく》に隠れて見えない。

「ごめんなさいね。ちょっとやり過ぎだったかな」

直美がくるりと瞳を回す。そんな表情をすると、若い母親というよりは、まだ高校生ぐらいの少女のように見える。

「おまえなぁ、俺は番犬じゃねえんだぞ。けしかけるなよ」

勝男はムクれている。直美はあっけらかんと笑う。

「しょうがないじゃない。あたし、ホントにこの人のこと怪しいって思ったんだもん」

「すみません」滋子は小さくなった。「怪しまれても仕方がありませんよ。でも、お見受けするところ、皆さん、土井崎さんのご家族についての取材で、ずいぶん迷惑を受けたようですね」

勝男は食卓の上に転がっていた煙草のパックから一本取り出し、火をつけた。ショートホープだ。

「迷惑っていうかさ、まあ、いろいろね」

「腹が立っちゃって。しつこいんだもん」

「お祭しします」

母ちゃんが二人の方に手を振って、

「この子ら、小学校から中学出るまで、ずっとセイちゃんと一緒だったんですよ。家も近所だから、仲良しでね」と教えてくれた。

「いっつも三人でつるんでてさ」

やはりそうだったか。

「それなら、土井崎さんの妹さんのことを心配されるのは当然です」

意外そうに、直美が小首を傾《かし》げた。「前畑さん、セイちゃんの名前知らないの?」

「はい。報道されていませんからね」

あら、と目を丸くした。「ホントにセイちゃんのこと調べてないんだね」

勝男が険悪な横目になった。「じゃ、やっぱりおまえの早合点だったんじゃねえかよ」

「せいこちゃんていうんですよ。誠の子って書いて、誠子。いい名前でしょう」と、母ちゃんが言った。「名前どおりのいい子ですよ。素直で優しくて頭がよくて。何から何まで姉さんとは正反対だったよね」

勝男がぶっとい肘で母親を突いた。「母ちゃん、余計なこと言うな」

「まあいいじゃん。それぐらい」軟化した直美がフォローした。「本当のことなんだしさ」

一本ちょうだいと、直美は勝男に煙草をねだる。勝男は渋った。

「おまえ、友《ゆう》と朋《とも》におっぱいやってんだろ？　駄目だよ」

「だからうちでは禁煙してンだもん、一本ぐらいいいじゃない。カッちゃん、〝おっぱい〟なんて言わないでよ。なんかエッチ」

勝男は照れてしまった。直美は小粋に煙草を指にはさみ、勝男に火をもらうと深々とひと息した。

「あの風見鶏ね、小学校五年生のときの工作の時間に、カッちゃんが作ったんです。ブリキとかプラスティックの板とか使って何か作ろうっていう課題でね」

「五年生？　今井さんは器用なんですね」

滋子の言葉に、勝男はまた別の照れ顔を見せた。

「ホントよくできてたんですよ。先生も褒《ほ》めてたもん。ちゃんと風を受けて回るしね。ほかの生徒はロクなもん作れなかったのに」

「だけどうちの親父は気に入らなくてさ」勝男は下を向いたまま、照れ笑いして呟いた。「こっちは得意になって持って帰ってきたのに、怒られてがっかりだよ」

「どうしてです？」

「だからほら、〝バットマン〟だから。そうよね、おばさん？」

直美の問いかけに、母ちゃんは笑い出した。

「そうそう。学校の工作の時間に、何でマンガのもんなんか作るんだぁって、カンカンだったよ。そんなもん捨てちまえって怒鳴りつけたっけね」

「カッちゃんガッカリしちゃって、捨てようとしたの。そしたらセイちゃんが、あたしんちに飾るから頂戴って。うちの屋根につければ、カッちゃん毎日見られるもんねって。この道、あたしたちの登校路だったんですよ」

「優しいでしょう」と、母ちゃんが言う。「そういう子なんですよ、セイちゃんて」

「あたし覚えてるわよ。土井崎のおじさんが、ほら、中町にあったペンキ屋さんから梯子《はしご》借りてきて、自分でつけたんだよね。おお、よく回る回るって喜んで。カッちゃんも嬉しかったんだよね」

話の流れで登場した「土井崎のおじさん」という言葉が、場の空気に作用した。三人とも口をつぐんだ。

「いいお友達ですね。いいお話です」滋子は言った。「それ以来、風見蝙蝠はずっと土井崎さんの屋根の上についていたんですね」

勝男がうなずいた。「俺なんか、忘れかけてたけどね。ときどき通りかかって、あれまだついてるなんて思ったけど。わざわざ外すのも面倒くさいから、そのまんまになってたんじゃねえの」

「十年？　もっとか」

「おまえいくつになったんだよ。二十五だろ。だったら十四年だ」

十六年前に殺害された当時、土井崎茜は十五歳だった。存命なら三十一歳だ。勝男と同窓生である妹の誠子とは六歳違うことになる。

簡単な暗算が別の思考を呼んだ。姉がひそかに殺害されたころ、六つ年下の誠子は九歳、小学校の三年生だ。風見鶏が屋根についたのはそれから二年後。つまり、土井崎元がわざわざペンキ屋に梯子を借りて、妹の仲良しの男の子が作った工作物を飾ったとき、土井崎家のその屋根の下、土台の地面のなかに、すでに茜は埋められていた。

「焼けた家を壊すとき、解体屋が外してくれたんだけどさ」と、勝男が続けた。「長いこと雨に打たれてたもんだから、もうボロボロ。ブリキなのに、触るそばから土くれみたいに崩れちゃうんだ。だから捨てたよ」

「そうでしたか……。でも、親切な解体屋さんですね」

なぜかしら急に直美と顔を見合わせて、勝男はうなだれた。直美は煙草を消して言った。

「解体屋が入ったのは先月の月末だったんだけど、土井崎さんとこ、弁護士さんが来ててね。セイちゃんに、屋根の風見鶏をもらってきてくれって、頼まれたんだって言ってた」

誠子は、思い出になるものがほしいと言ったそうだ。

仲良しの友達との思い出の品。そうでありながら、家のなかではなく、外にあったもの。

「もう、あたしたちとも会えないと思ったからじゃないかな。そんなことないのに」

バカ言うなと、勝男が小声で叱った。

「セイちゃんはこの土地には戻ってこれねえよ。いろいろ言う連中だっているんだからさ」

そうだねとうなずいて、直美は勝気そうに笑った。

「事件で大騒ぎしてるころ、あたしたちセイちゃんの同級生のところを、新聞記者とかレポーターとかが回って歩《ある》ったの。卒業アルバムを貸せって」

よくあることだ。しかし、

「茜さんではなく、誠子さんの?」

「うん。茜さんの方ももちろん回ったでしょうけどね。だから写真、出てたじゃない」

滋子がチェックした記事には載っていなかった。被害者が未成年者だからだろうと思い込んでいたのだが、載せたところもあったのか。

「セイちゃんにも興味あったんじゃない？　姉さんが親に殺されて埋められてるのに、何にも知らずにその家に住んで親と仲良くしてた妹はどんな子だったんだ、どんな顔してたんだってね」

「うちにも来たけど、断りましたよ」と、母ちゃんが言った。「塩まいてやったよ」

「だけどほいほい貸しちゃったバカがいたの」

直美の目つきがまたきつくなった。

「カッちゃん、のしちゃったのよ、そいつを」

滋子はひやりとした。店先にあった巨大なアイロンを思い浮かべたのだ。

「それはもちろん、素手でですよね？」

「そうよ。ほかに何があるの？」

「そうですよねぇ」

成人して働き出しても、同窓生たちの半分方は地元に残っているという。家業を継いでいる場合が多いからだ。殴られたその同級生は居酒屋の息子で、だから勝男は店に乗り込んでいって暴れたのだそうである。

「危うく警察沙汰《ざた》になるところだったのよ。やりすぎよ、カッちゃん」

その暴走しがちな巨漢をわたしにけしかけたのはあなたですよねと、滋子は心のなかで言った。まあ、いいか。これだけ話してくれたんだもの、プラスマイナス・ゼロだ。

「どうもありがとうございました。風見鶏のことはよくわかりました」

滋子がテーブルに額をつけるようにしてぺこりとし、顔を上げると、直美が真正面からこちらを見つめていた。

「でも――」

彼女の口元が、きゅっと尖る。

「でもでもでも、蒸し返すようだけど、やっぱり気になるなぁ。事件のこととは関わりないなら、前畑さん、どうしてあの風見鶏のために、わざわざここまで来たりしたんです？　すっごい気になる。教えてもらっちゃいけない？　訊いちゃいけないこと？」

母ちゃんは黙っている。勝男は煙草を取り出して火をつけ、直美と滋子の顔を見比べている。

滋子は迷った。そこは仕事のうちでもあるから、適当な嘘ならいくらでも用意できる。が、それを言い並べてこの人たちを騙すのは、ひどく嫌らしいことのように思えてきた。

話してもいいだろう。この人たちなら、萩谷敏子母さんの等への想いを笑ったりしないだろう。

「実は、最初からあんまりストレートに申し上げても、かえって信じていただけないと思っていたんですが」

事情を打ち明けた。滋子の話が進むうちに、テーブルを囲んだ三人の目が一様に丸くなってゆく。

「はあ、超能力」

直美が気の抜けた声を出した。

「俺、知ってるぜそういうの」勝男はぶんぶんと首を振った。「テレビで見たよ。アメリカから霊能者が来てさ、ダムの底の死体を見つけたんだ」

「テレビでやってることはみんな嘘だよ。何度言ったらわかるんだかね」と、母ちゃんがすかさず叱る。

「その子――等ちゃんですか。ほかにもそういうことやってたのかしら。何かはっきりしてるの？　お母さんとしては、どんな小さいことにでもすがりつきたいんでしょうけど」

　直美の目が真剣になっている。ああ、若くても、この人もやっぱりお母さんだ。

「わかりません。わたしが見せてもらった限りでは、実際に起こった事件と結びつきそうなのは、風見蝙蝠が屋根についていている家の絵だけでした。もっとよく調べてみれば、出てくる可能性はありますが……」

「調べてみてあげて。何でもいいじゃない。そのお母さんにとって確かなものなら」

「そうですね。努力してみます」

　ご馳走さまでしたと立ち上がり、店の出入り口の方へ向かおうとして、鴨居《かもい》にかけてある遺影に気がついた。頑固そうな四角い顎の、角刈り頭の男性だ。

「あ、これ親父」と、勝男が言った。「三回忌やったばっかりなんスよ。まだ還暦前だったんだけど、酒好きだったからね、脳卒中でぽっくり」

　勝男ぐらいの身長があると、鴨居の遺影を見上げなくてもいい。

「土井崎のおじさんとも、ときどき飲んでた」

「家族ぐるみで仲良しだったんですね」

「うん。土井崎さんは酒、強くなかったけどね」

「ほとんど下戸《げこ》みたいなもんだったよね」と、直美も言う。

　ちょっとの間、何という理由もなかったが、四人で遺影を見ていた。

　細い目をまばたきして、勝男が呟いた。

「親父が生きてたら、どう思ったかな」

　母ちゃんも直美も何も言わない。

「土井崎さん家《ち》のこと、なんか察してたかな。あれで商売人だったから、人を見る目、あったからよ」

　母ちゃんが倅の背中を景気よくばんと張り、その動作とは裏腹の沈んだ声で言った。「父ちゃんにだって、わからなかったよ。誰にもわからなかったよ。そういうことはあるんだよ。世間にはさ」

　勝男は素直に、うんと答えた。

　小牧家の前まで、直美と一緒に引き返した。歩きながら、黙るのが怖いかのように早口で直美はしゃべった。

「うちの旦那はサラリーマンだし、お米屋はもう俺の代で終わりだって父さんも言ってるから、別に帰ってくることもなかったんだけど、実家建て直すって聞いて、戻ってきちゃったのね、あたし」

　滋子はうなずいてみせた。

「またカッちゃんとセイちゃんとご近所になれるのも楽しいなって思ったしね。うちの親も、旦那と一緒にローン返した方が楽だしさ。友と朋が生まれて、ホント帰ってきて正解だったたって思ったわ。一人で育てるんじゃキツいもん」

　あの双子のことだろう。

「そういうのいいよね〜って、セイちゃん言ってた。あたしもそうしたいけど、うちは借家だし、二世帯住宅建てるなんて、よっぽど甲斐性ある旦那じゃないと無理だわって笑ってたな。あたしが帰ってきたころ、セイちゃんまだ独身で、あの家にいたからさ」

　ということは、事件が発覚したころには結婚していたのだろうか。

「誠子さんはご結婚を？」

直美は一瞬、口を引き結んでから答えた。「火事があったとき、新婚三カ月だったんですよ」

わたしも早く子供がほしい。直美の双子を抱いて、そう言っていたという。

「どうしてるかな。旦那さんとうまくいってるといいんですけどね」

小牧家の前まで来たが、直美は突っ立ったまま更地を見つめている。問いかけるように瞳を凝《こ》らして。

「もう連絡とれないんですよ。騒ぎが起こって——そうだなぁ、今月の初めぐらいまでは、携帯電話がつながってたのね。いっつも留守電だったけど、つながることはつながったの。でも今はもう全然。大丈夫かなぁ」

夫とは一緒に暮らしているのか。両親はどこにいるのか。誠子との関係はどうなのか。

更地は何も答えてくれなかった。


家庭雑貨に詳しいライターの引田から連絡があったのは、それから二日後の夜のことだった。

「調べてはみたんですけどね。風見鶏そのものがポピュラーなものじゃないし、ましてや蝙蝠なんて変わったモチーフのものが広く出回ってるなんてことは、やっぱりないなぁ」

「そっか。そうよね。町中でひょいひょい見かけるものじゃないものね」

「オーダーメードをやってるメーカーもあることはあるんですよ。普通はだいたい別荘用ね。で、多いのは、その家の持ち主のイニシャルをデザイン化した形。蝙蝠ってのは——とことん異色」

彼女と一緒に、滋子も笑った。

「バットマンの関連グッズのなかにも、風見鶏は見当たりませんでした。少なくとも輸入はされてない。あるとしたら、個人で旅行して、ハリウッドの雑貨屋でお土産に買ってきた場合かな。だとしてもオフィシャルな製品じゃなくて、パチものかも」

礼を言って電話を切ると、滋子は、萩谷敏子から預かった等のノートブックを取り出した。テレビではＮＨＫの九時のニュースが流れている。昭二はまだ帰宅していない。

テーブルの上にノートを置くと、もう一度あの風見蝙蝠のある家のページを広げてみた。ダイニングの白色灯の光の下で、最初に見たときよりも色調が柔らかく見えるようだ。

等の描いたこの絵の家は平屋である。グラビアに写っている実物の土井崎家はどこからどう見ても二階家だ。等のこの絵は、木造家屋であること、瓦屋根であること、そして問題の風見蝙蝠の取り付けられている位置は合っているけれど、基本的な家の形に関しては大きく外していることになる。

引田のおかげで、風見蝙蝠が流行《はや》りものではないことは判った。だがそれは、土井崎家以外の家にはまったく存在していなかったという証明ではない。萩谷等はたまたまどこかの町中でそれを見かけ、面白いもので印象に残ったので、後で絵に描いたというだけかもしれない。

可能性のみを考えるならば、等が見たのは土井崎家の風見蝙蝠だったということだってあり得るのだ。遠足や社会見学の際にバスの車窓から見たのかもしれない。母親に連れられて、何かの用事で北千住のあのあたりへ行ったことがあるのかもしれない。

そんなバカなと思われるかもしれないが、そちらの考えの方が、小学六年生の男の子が何らかのスーパーナチュラルな能力を持っていたという仮説よりは、まだ受け入れ易い。滋子は現実主義者だから。

それでも――不可解な事柄はまだある。

滋子はこれまで、何度もこのノートをめくった。ひとつひとつの絵を検分してきた。風景画もあれば人物画もある。ひとつの絵にその両方が描かれているものもある。

それらのなかで、人物の肌の色が灰色に塗られているのは、風見蝙蝠の家のなかの少女だけなのである。あとは全て肌色だ。肌色のクレヨンの上から黄色をかけてある場合もある。が、灰色なのはこの少女一人きりだ。

土井崎茜の亡骸《なきがら》が屍蠟《しろう》化していたことを、どうしても連想してしまう。そこまでは結びつけなくとも、この少女一人だけ肌が灰色なのは、等が、彼女が死者であることを示そうとしたからではないのかと思ってしまう。

等の絵を、もっとたくさん見てみなくてはならない。萩谷敏子は、ほかにもいっぱいあると言っていたではないか。これらの絵は「普通じゃない」とも話していた。等は、幼稚園児の落書きと間違えそうなこれらの絵だけではなく、ちゃんとした絵も描いていたと。

——こっちの絵は見て描いてるんじゃなくて、頭に浮かんだものを描いてるんだって。

携帯電話にかけてみると、敏子は律儀な人らしく、二回呼び出しただけですぐに出た。滋子とわかると、あわただしく挨拶と礼を繰り返す。

「遅い時間に申し訳ありません。今、お仕事中ではありませんか?」

「大丈夫です、うちにおります。先生あの、等のことで何かわかったんでございましょうか」

気が早い。滋子は嚙んで含めるように用件を説明した。と、敏子はつんのめるように承知した。

「はい! 等の絵でしたら、全部とってあります。全部お見せできます。先生ありがとうございます!」

すっかり喜ばせてしまったようで、敏子のおしゃべりは止まらない。何とか舵《かじ》取りをして、土曜日の午後に訪ねる約束をしたら、ちょうど昭二が帰ってきた。

先日の顧客との悶着《もんちゃく》はまだ未解決のようだが、今夜は機嫌が悪くなかったので、滋子は晩酌の付き合いをしながら、萩谷敏子と等のことを説明した。昭二はひどく興味を惹かれた様子で、食事が終わると、

「オレにもその絵、見せてくれないか？」

滋子はノートを開いて差し出した。昭二は、きれいに手を拭いてからそれに触れた。

「ああ、たまんねえなあ」

眩しそうにまばたきする。

「何が？」

「何がって、可愛いじゃねえか。一生懸命描いてさ。きれいに色塗って。子供の絵っていったら、オレ、それだけでもう降参なんだ」

そういえば以前、何かの用で二人で東京駅へ降りたら、丸の内口のホールで小学生の絵の展覧会が開催されているところだった。時間があったからそぞろ歩きをしながら見物しているうちに、昭二が涙ぐんでいるので驚いたことがある。

心底ほしいと願ったのに、自分には子供がいない、もう恵まれる可能性もほとんどない。だからだろうと思った。辛《つら》かったから、滋子は涙目に気づかないふりをした。

「パッと見た感じ、どう思う？　この絵、もうすぐ中学生になる男の子にしては幼いよね」

「そうだなぁ。でも、オレも絵がヘタくそだったから、中学へあがってもこの程度だったような気がする」

「スケッチとかは、もっと大人びていて上手なんですって。今度の土曜日に、萩谷さんのところ

で全部見せてもらうことになったの」

「土曜日？　あ、オレはコンペだ」

付き合いのゴルフである。

「そうでなかったらくっついて行ったのになぁ」

「社長さんは辛いね」滋子は茶化した。「でも、そんなにこの子の絵が気に入った？」

「うん」ためらわず、昭二は即座にうなずいた。「何かこう、生き生きとあったかい感じがして好きだ」

でも、これだけは別だと少女の絵を指差す。

「これは悲しい。話を聞いて事情を知っちゃったからかもしれないけど、淋しい絵だよ」

「この女の子、ただ昼寝してるのかもよ」

「いや違う。こりゃ死人だよ。等君て子は、それをわかってて描いたんだよ」

昭二には、この手のエピソードに感激し易い癖《へき》もある。深く問い質《ただ》すと面倒なので、滋子は聞き流した。

「そういやぁ、絵を描くっていえばな、面白いこと思い出したよ」

ついこのあいだの話だ、という。

「昼休みに事務所でだべっててさ、なんかの拍子に郵便ポストの話になったんだ。今、どんどん新型になってるだろ？　郵便物を入れる口がでかいんだ」

「全体の形は同じでしょ？　四角くて」

「そうそう。でな、ホラ、事務の毛利《もうり》ちゃん。あの娘《こ》、うちじゃ最年少だろ。それ以外の形のポストを知らないっていうんだ。昔の、筒型で郵便受け口のところが出っ張ってるヤツ」

毛利ちゃんは十八歳だから、無理もない。

「だからオレとか山田のおっさんとかで、こんな形だって絵に描いて見せてやろうと思ったんだけど、全然ダメなんだよ」

「ダメって？」

「形にならないんだ。もちろん絵も下手なんだけどさ、描けば描くほどこっちも混乱してきちゃうんだよ。つまり、現物を見て描いてるんじゃなくて、記憶で描いてるから」

山田さん（古参の金型職人だ）の描いた旧型の郵便ポストには脚部がついており、昭二はそれは違うと言い張り、円形の土台付きのものを描いたのだが、山田さんは納得しなかったそうだ。

「で、そこからいろいろ話が広がってさ、普段見慣れてるモンでも、そらで描いてみようとすると難しいなって。パクちゃんなんか、休みとなりゃ車磨いてるくせに、じゃあおまえの新車描いてみなって言ったら、ボロボロ」

手近にあった広告を裏返し、昭二はパクちゃん（今年入った新人の職工さんだ）の描いたものを再現してくれた。彼の新車はバリバリのスポーツタイプだ。が、絵の方はボンネットバスみたいな格好をしている。

「サイドミラーがドアの後ろにぺろっとくっついてんだぜ。まるでフグだよ、フグ。ヘンだヘンだってからかうと、またパクちゃんがムキになってさ。みんなで大笑いしたよ」

楽しい昼休みのすごし方である。前畑鉄工所は安泰だ。

「この等君て子も、それなんじゃないか？　思い出して描くのは苦手なんだよ。技術の問題じゃなくて、記憶力の問題だ」

なるほどと、滋子はうなずいた。等のスケッチ画を見せてもらえば、はっきりするだろう。

「それにしてもなぁ、切ないな」

昭二は晩酌で赤くなった目をしばたたく。

「この絵を描いた子は、もういないんだろ。おふくろさんより先に、逝《い》っちまったんだよな」

「トラックに撥ねられたんだって」

「辛いな。なんでこんな小さい子が死ぬんだろう。世の中、死んでもいい野郎はそこらじゅうにゴロゴロしてんのにさ。なんでこんな子の命を取るんだよ。神も仏もあったもんじゃねえな」

そうだねと呟いてから、滋子は小声で言った。

「でも、等君はまだ幸せじゃないかな」

「何でだよ！」

昭二は語気鋭く問い返した。鼻の穴が広がっている。あ〜あ、この人はホント子供に弱いんだから。

「こうしてみんなが悼んでるもの。赤の他人のあたしやあなたも悼んでる。そうじゃない？ でも、土井崎茜さんは誰にも悼まれていないよ。あっちだって十五歳の女の子なのに」

むっと口を尖らせて、昭二は黙った。

「親に殺されたってのは、確かに救いがねえよな」

「――うん」

「最悪だよ。自分の子供を手にかけるなんざ、ひとでなしの最たるもんだ。俺が裁判官だったら絶対許さねえ。時効なんて、何であるんだかな」

腹立たしそうな手つきで、またあの少女の絵をめくって広げた。

「でもよ滋子、一人だけその娘を悼んでるぜ」

等君だ、という。

「この絵が悲しくて淋しいのは、等君が茜って女の子を悼んでたからだよ。同情してたんだ。可哀相だなって思ってたんだよ。超能力だかなんだかわかんないけど、特別な感覚のあるヤツっているじゃねえか。等君にはそれがあったんだ。普通の人間にはない眼だ。三つめの眼だよ。それがさ、心のなかにあったんだ」

感情的には同意したい結論だ。が、そんな簡単に認めるわけにはいかない。滋子はそっと苦笑した。

住所を教えてもらえれば大丈夫だと言ったのに、萩谷敏子は駅まで迎えにゆくと聞かなかった。実際、来てもらって正解だった。JR船山駅は大きな乗換駅だし、周囲の繁華街は範囲が広く、入り組んでいる。

「わざわざありがとうございます。先生、等も喜んでいます」

敏子の案内で、駅から南の方角に向かった。途中で、道幅は狭いが活気のある商店街を通り抜けた。敏子は勤め先のスーパーのほかに、ここでも日常の買い物をするという。日用品はこっちの方が安いことがあるのだと、内緒話のように教えてくれた。

「等とも、よく一緒に来ました。あの子、ここのコロッケが大好きで」

指差した総菜屋の店先では、黄金色のコロッケがほかほかといい匂いをさせている。帰りに買っていこうかと思った。

駅から二十分ほど歩いた。萩谷敏子の住まいは共同住宅で、アパートというよりはタウンハウスの形をしていた。二階建て陸屋根のコンクリート造りの建物を、羊羹《ようかん》を切るように分割してある。ひとつひとつの世帯はたいへん小さく、幅は一間《いっけん》半ぐらいだろう。ずらりと並んだ玄関ドアの脇には、それぞれ外置型の給湯器がついていた。

築十年くらいだろうか。灰色の外壁は煤けており、丸い換気口から下へ、汚れが筋になって這《は》っている。とはいえ、まわりの家並みと比べて、格別目立って貧相なわけではなかった。あたりには古い木造家屋がちまちまと立ち並んでいる。駅周辺の町並みに比べると、少しばかり時間が遅れているような、取り残されたような地味な眺めだ。

「どうぞ、狭いところですみませんです」

中に入ると、形ばかりの靴脱ぎスペースがあり、その先はすぐ台所だった。汚れたガスレンジが据えてあり、その隣が流し台。茶簞笥《だんす》が通り道にせり出している。

一階のひと間だけの居室は、それでも六畳分くらいあるだろうか。ちゃぶ台みたいな低い丸テーブルが真ん中にある。突き当たりは掃き出し窓で、それを開けるとベランダに出る。物干し竿に、今は何もかかっていない。

その窓の並びに、真新しい仏壇が置かれていた。

みかん箱ぐらいの大きさで、漆塗《うるし》りではなく、木目に上薬《うわぐすり》をかけただけの素朴な造りだ。観音開きの扉には四季折々の花が彫刻されている。桜、梅、牡丹《ぼたん》に椿。

仏壇のサイズが小さいので、ふたまわりほど大きい木箱の上に載せてある。木箱は正面が開けてあり、なかには図鑑の類が並んでいた。動物図鑑、植物図鑑、ちょっと大きめの「世界遺産写真集」、「マンガの描き方」という読本も見える。

「まず、お線香をあげさせていただけますか」

滋子の申し出に、萩谷敏子はぺこぺこと頭を下げてから、膝をついて仏壇を開けた。

位牌は、等のものがひとつあるだけだった。

手前に、A5サイズの額装したカラー写真が飾ってある。笑顔の等だ。山登りにでも行ったときのものだろうか。立木を背に、大きなリュクサックを背負い、カメラに向かってピースサインを出している。

等の顔を見るのは、これが初めてだったのだ。ずっと話題にし、彼のことばかり考えていたから、とっくに知っているような気分になっていた。滋子はちょっと目を瞠《みは》った。

何て可愛い子だろう。それも、女の子のような繊細な可愛らしさだ。

小柄で骨細で、十二歳から十三歳の男子の平均的な体格をかなり下回っているように見える。この写真ではよく日焼けしており、元気いっぱいの感じだが、あるいは病弱だったのかもしれない。だが、その印象もまたこの子の不思議な魅力になっている。

「等、前畑先生が来てくださったよ」

敏子は、そこに子供がいるかのような口調で話しかけて、蠟燭《ろうそく》に火を灯し、鉦《かね》を鳴らした。

「いつもは、寝てるときでも出かけるときでも、仏壇の戸を開けっ放しにしてるんです。けども、今日はいきなり先生にお会いすると、等、恥ずかしがり屋なもんですから、閉めておきました」

滋子が持参してきた菓子の箱を差し出すと、敏子はそれをおしいただいてから、仏壇に供えた。

滋子は線香をあげ、位牌に手を合わせた。

黄色と白の小菊が、写真の手前に飾ってある。供え物の台の上にはアーモンドチョコレートが載っている。

コンパクトで小奇麗な仏壇だ。それだけに悲しい。萩谷等の十二年余の人生は、こんな小さな箱のなかに収まってしまうのだ。

「本当に可愛らしいお子さんですね」

振り向いて声をかけると、萩谷敏子は静かに泣いていた。大粒の涙がするすると、彼女のぷっくりとしもぶくれの頰を伝って落ちる。

「赤ちゃんのときは、よく――」

手の甲で涙を押さえながら言った。

「女の子と間違えられましたです」

「わかります、わかります。だって、お人形さんみたいな顔立ちだもの」

「わたしに似なくてよかったって思ってたんですけども」

滋子は微笑んだ。確かに似ていない。

「等君はお父さま似ですか」

「そうですねぇ。どうでしたでしょうか」

ちょっと引っかかる返答だった。そういえば、母子家庭であったことの理由を、敏子はまだ話してくれていない。事情がありそうだ。

「このお写真は、遠足か何かですか」

「〝あおぞら会〟で、高尾山に行ったときのです」

「ああ、子供会の集まりとか」

「いえ」父親のことを尋ねたときと同じように、敏子の表情が躊躇《ためら》いに揺れた。「ハイキングの会なんです」

また引っかかる。滋子は押して尋ねるのはやめて、何気ないふうに室内を見回した。

「ほかにもお写真は飾ってあるんですか」

「はい、階上《うえ》にございます。お葬式のときに使った遺影なんですが」

この部屋は壁がやわなので、重たい額に収めた写真を掛けることができないのだという。

「二階には、壁板が張ってあるところがあるもんですから、そこに掛けました。もともと、二階が等の部屋になってておりましたし」

「見せていただいてもよろしいですか」

「はい、はい。もちろんです」

敏子の後をついて急な階段をのぼってゆくと、最初に学生服が目に入った。中学校の制服だ。等の遺影は、階段をあがりきったすぐ右手に飾ってあった。こちらは首から上だけのモノクロの肖像だが、等はにっこり微笑んでいた。

「仏壇の写真は、去年の夏休みのなんです。こちらのは、今年の誕生日に撮りました。毎年、誕生日には写真を撮ってたんです。スナップですけど、全部アルバムに張ってあります」

等の誕生日は二月十日だ、という。

「ああ、それでその週の日曜日、水戸の偕楽園へ遊びにいらしたんですか？」

敏子の顔がぱっと明るくなった。

「先生、よく覚えていてくださいましたね」

「あの梅の絵は印象に残りますもの」

「テレビのニュースで梅祭りのことをやってましてね。等、それはそれは行きたがったんです。桜なら、近所でもいっぱい咲いてるところを見られるけど、梅はないって。わたしも行ったことありませんし、じゃあ出かけようって、お弁当こさえて行きました」

仲良し母子の遠足だ。うんと楽しかったことだろう。

「亡くなったのは三月二十日でしたから……」

最後の遠出だ。滋子は胸が詰まるのを感じて、遺影から目をそらした。

「等君は小学校の卒業式にも出られなかったわけですね」

「そうなんです。わたし、代わりに行って卒業証書をいただいてきました。中学の入学式の方も出たかったんですが、お許しが出ませんで。当人がもう亡くなっている以上、わたしは保護者でなく、部外者になってしまいますから」

融通がきかない。話のわかる先生がいなかったのか。

「児童相談所の先生も、熱心にあいだに立ってくださったんですけども、前例がないということでした」

児童相談所。三度目の引っかかりだ。

敏子は気づかないようだった。

「あ、わたしお茶をいれてまいります。先生、日本茶とお紅茶とコーヒーと、どれがお好きでしょう？」

涙を払い、ニコニコと問いかける。やりとりを重ねるうちに、滋子もだんだん要領がわかってきた。この気が優しくて何かとあわてがちの人には、「おかまいなく」とか「何でもいいです」とか言っては駄目なのだ。好意は遠慮せず受けた方がいいし、「これが好き」と答える方がいい。話が早く済む。

「わたし、紅茶党なんです」

「まあ、わたしも好きなんですよ。よかったです」

いそいそと階段を降りてゆく。滋子は等の遺影と二人きりになった。

等の机は、新入学のシーズンが来るとテレビのCMでよく見かける、ありふれた学習机だ。正面の部分が書棚になっていて、ドリルブックや辞典に混じってコミック本がある。

机の上はきちんと片付けられている。鉛筆立ての鉛筆はすべて削ってある。滋子は机の表面に手を触れてみた。埃《ほこり》はない。掃除が行き届いていた。

学習机の正面に、動物写真をあしらったカレンダーがかけてある。月めくりのものだが、三月のままになっていた。ノートブックで見かけた等の字で、小さな書き込みがある。「漢字テスト」「ドッジボール大会」「ミッチーの誕生日」ミッチーは仲良しの友達だろうか。

カレンダーの隣には、やはり三月分の給食の献立表が貼ってあった。ところどころに赤丸がついていた。等の好きな献立だったのだろうか。「すぶた」「五目御飯」黄色いバツ印が二つある。「ヒジキの煮付け」「ヒジキサラダ」だ。こっちは嫌いな献立か。

等君、ヒジキが苦手だったんだね。あたしと同じだ。

二階の部屋には居室の横幅いっぱいの大きさの押し入れがあった。一階には、風呂やトイレのある位置である。唐紙《からかみ》ではなく板張りの引き戸だ。ちょっと気が引けたが、十センチほど開けてみた。布団と毛布が収納されている。

物件の表示としては「2K」になるのだろうけれど、この間取りとスペースは、普通は一人暮らし用だろう。新婚夫婦でもちょっとキツい。等がまだ小さいから、母子二人で何とか住めた。遅かれ早かれ引っ越しを考えなくてはならなかったろうが、それだけの経済的余裕はなさそうに見える。目についた家電はみな古い型のものだったし、家具もいかにも安っぽい。

母子二人のつましい暮らしだ。

先生、どうぞと声がかかった。滋子はとんとんと音をたてて階段を降りた。きっと等もそうしたろう。お母ちゃん、今晩のご飯はなぁに？

丸テーブルの上に、ティーカップとポット。小皿にレモンスライス。ミルクと砂糖は一人用のパッケージタイプのものだ。来客があるからと、わざわざ買ってきたのかもしれない。いい香りが漂っている。

いただきますと、滋子はカップを手に取った。

「いつもこのテーブルでお食事をしていたんですか」

「はい、何でもここで済ませてました。等は宿題も、絵を描くときもここでやりました。机があるのにねぇ」

テーブルの脚は折りたたみ式になっている。

「お寝《やす》みになるときは、二階で？」

なぜかしら、敏子は困ったように笑った。

「ずっとそうしていたんですけども――押し入れが二階にありますから。先生から、できるだけ等を独立させた方がいいってご指導がありまして、六年生にあがってからは、わたしは階下で寝ておりました」

「じゃ、布団の出し入れが大変でしたでしょう」

「毎晩、上から運んだんです。朝は運び上げました。大騒ぎでしたけども、等がやってくれました」

平均以上の所得のある家庭なら、子供が小学校へあがる段階で個室を持たせることができる。いや、経済的には苦しくとも、そうするべきだという風潮がある。まず子供に嫌がられるからだ。どうして僕には、あたしには、自分の部屋がないの？　友達はみんな自分の部屋を持ってるよ。

親兄弟と川の字になって寝るなんて、幼児の時だけだ。

　等を独立させろと指導したのは、どの先生だろう。小学校の担任か。それとも先ほどちらりと出てきた、児童相談所の先生だろうか。

　等は何か問題を抱えていたのか。思い出せば、初対面の時に敏子はこう言っていた。

　――ちょっと変わってましたもんで、学校じゃずいぶんご迷惑かけて、先生にもご苦労が多くって。

　何であれ、慎重に尋ねなくてはならない。敏子にとっては言いにくい事柄のはずだ。

ひとしきり、たまに世間話も織り交ぜながら、この家での母子の暮らしぶりを聞いた。

　等はよく家事を手伝い、敏子が夜パートに出る時の留守番も嫌がらなかった。家計が苦しいことも子供なりにわかっていたので、いろいろと我慢もしてくれた。四年生のとき、仲良しの友達が塾通いを始めて、自分もどうしても同じところに行きたいとねだったが、そこは著名な進学塾で、敏子の稼ぎではとうてい高い月謝を払うことができない。そのことを言い聞かせ、諦めさせるまで三日かかって、敏子も等もたいへん切ない思いをしたが、あの子が駄々をこねたのは、後にも先にもあの時だけだった――。

「学校には楽しく通っていたんですね。お友達もいて」

　敏子は一瞬、言い迷ったようだった。

「そうですね。学年によりましたけれども……」

「ああ、クラス替えがありますもんね」

「幼稚園の時から仲良しのお友達がいたんです。佐《さ》藤《とう》秀行《ひでゆき》君て、ヒデちゃんヒデちゃんて呼んでました。あの子と別のクラスになると、寂しそうでした」

ほかには友達ができにくかった、という意味だろうか。

滋子はカップをそっと脇に寄せると、テーブルに両手を乗せた。

「ごめんなさい、今日は等君の絵を見せていただくためにお伺いしたんですけれど、それだけでなく、実を言えば、等君の不思議な能力のことや、あの絵の謎を解くためには、等君がどんなお子さんだったかを、なるべく詳しく知る必要があると思うんです。それで少しお尋ねしますけれど、お気を悪くなさらないでくださいね」

はい——と、敏子はしゃんと座り直す。滋子は彼女に笑顔を向けた。

「難しい話にはしないつもりです。ホントにごめんなさい」

「いえいえ、わたしが先生にお願いしたんですから」

「先ほどちらっとおっしゃいましたね。児童相談所のことを」

ちょっとうつむいてから、顔を上げなおして敏子はうなずいた。

「はい、お世話になっておりました。学校から紹介していただきまして」

「それは学校の先生から、等君のことで児童相談所に相談した方がいいと勧められたわけですか」

「はい、そうでございます」

「何か——問題が？」

敏子は丸い頬に片手あてると、少しうなだれた。

「どう申し上げましょうか……。まあ、落ち着きがなかったんでございますね。お教室で。あ、騒いだりイタズラをしたりするわけではないんですが」

「何年生の時でしょう」

「最初は、三年生の夏休み明けでした」

ゆっくりと、滋子は確認した。「騒ぐわけではない。イタズラもしない。でも落ち着きがない」

「はい。先生のおっしゃることを、身を入れて聞いてないようだということでした。すぐぼうっとして、目がうつろになると。そういう時は、名前を呼ばれてもすぐ気づかないくらいだったそうです。もちろん、あてられても何も答えられませんし。授業をね、聞いておりませんのですから」

滋子は首をかしげた。「ぼうっとしてるのと落ち着きのないのとは違いますよね。集中力がないという意味かしら」

「ああ、そうかもしれません」

「おうちでもそういうことはありましたか？」

敏子はさらにうなだれる。「さあ……わたしは気づきませんでした。それは先生、わたし、あまり等と、ゆっくり一緒にいる時間がなかったんですよね。朝はあわただしいですし、昼間は働いておりますし、お休みもなかなかとれませんでしたし」

「それはずっと、今お勤めのスーパーですか」

「いえいえ、わたしいろいろやりました。昼と夜と、平日と土日とで、別の仕事をしてた時期もあります」

母子家庭の場合、何よりも苦しいのが家計のやりくりだ。母親に一定のキャリアがあるとか、専門職についているとか、実家が裕福で援助が期待できるなどの少数の例外を除いては、子育てはそのまま生活苦との戦いになる。萩谷敏子はさらに、等を産んだとき四十歳を過ぎていたということもあり、安定した収入を見込める仕事は、なかなか見つからなかったことだろう。掛け持ちでしのぐしかなかったのだ。

「そうすると等君は、家で独りでいる時間が長かったわけですか」

「ある程度の歳になってからは、そうでした」

「保育所に預けたこともありますか。夜間保育や休日保育が必要になったこともあったでしょう？　あるいは、お身内やお友達の家に預かってもらったとか」

萩谷敏子は、先ほど滋子が等の父親について尋ねたときと同じような、躊躇いの表情を浮かべた。

「わたしは、あの、いろいろありまして、身内とは縁を切ってる状態なんです」

言葉がもごもごと口にこもる。

「ただ、等が一歳から三歳ぐらいになるまでのあいだは、そのころ住んでたアパートの隣の方が親切で、わたしが仕事に出ているとき、よく等を預かってくれました。そのうちにも小さいお子さんがいましてね。一人みるのも二人みるのも一緒だって」

「このアパートではないんですね」

「はい」今度ははっきりと恥じ入るように下を向いた。「家賃が払えなくて、追い出されてしまいまして」

間《ま》をとるために、滋子は紅茶を飲んだ。

「そうした周囲の方々から、等君はよくぼうっとしてるとか、変わっているねと言われたことはありましたか」

「いえ、いえ！」敏子は強くかぶりを振った。「隣の奥さんは、等君は絵が好きだね、絵を描いてれば何時間でもお行儀よくしてるわよって、褒《ほ》められたくらいです」

絵の話になった。ちょうどいい。では等君のほかの絵を見せていただけますかと、滋子は切り出した。

敏子は勇んで立ち上がると、階段下の物入れの戸を開けた。スケッチブックが三冊、その上にノートが二冊、その上には画用紙を巻いた筒が二本載っている。

「これ、全部ですか？」

さすがに驚いた。

「はい。もっとうんと小さいときの、広告の裏に描いたりしたのはなくなってしまいましたけども、それ以外のものは、わたし、気をつけてとっておいたんです」

スケッチブックの方は、学校で描いたものが大半だという。

「小学校でも、三年生からは自由参加のクラブ活動があるんです。等は美術クラブに入ってました」

つまり、スケッチブックは「ちゃんとした絵」、ノートの方は「ちゃんとしてない絵」になるわけか。

滋子はまず、丸めてある画用紙を手に取った。

「これ、五年生のときと六年生のときと、夏休みの課題で描いたんです」

嬉しそうに恥じらいながら、敏子が言った。

「どっちもとっても褒められて、区の展覧会に出してもらいました。秋の小学生絵画展というところで、二つとも金賞をいただいたんです」

うなずいて、滋子は絵を広げた。

一枚目は、エプロンをかけた敏子の絵だった。キッチンに立ち、包丁を手にたまねぎを切っている。たまねぎの刺激で目をしょぼしょぼさせている。

滋子はふうっと息を吐いた。

「よく描けてますね……！」

色彩豊かで明るく、料理の楽しさが伝わってくるようだ。ふっくらした敏子の体格をきちんとデッサンし、肩や肘《ひじ》のあたりの線や、包丁をつかんでいる指の形はきわめて正確に写し取られている。まな板の脇に転がっているたまねぎと、その皮を剝《む》いてスライスしたものの質感の違いもちゃんと表してあるし、流しの脇のガス台の上で沸いている鍋から立ちのぼる湯気には動きがある。

「わたしがシチューをつくっているところだそうです」

敏子はまた涙目になっている。

「〝僕のお母さん〟というタイトルなんですよ」

五年生の夏に描かれたこの絵と、あのノートブックに描かれた絵の技術力は、まったく段階が異なっている。三段階以上違うだろう。見て描いた絵と、頭のなかに浮かんできた絵。ちゃんとした絵とちゃんとしてない絵。

六年生の夏の作品は、東京駅のホームに停まっている新幹線を描いたものだった。今度は、滋子は息を吞んだ。

「〝夏の旅〟というタイトルです」と、敏子が説明する。何も言えずにただうんうんとうなずいた。

車体の配色からして、東北新幹線だろう。独特のフォルムの車体が、先頭部分を右手に、画用紙の奥へと伸びている。ドアが開いており、ホームには乗降する客たちがいる。老若男女とりまぜて、数えてみると八人だ。いちばん手前には駅員がいて、運転席の方へと歩きかけている。

発着を報《しら》せる表示板、ホームの柱、銀色の屋根の傾き。窓の光。旅客たちが持っている鞄や荷物。それぞれ細かく描きこまれ、ふさわしい色彩が添えられて、金属のものは金属に、布は布に、コンクリートはコンクリートに見える。そのなかで、確かに人びとが動いている。今にも、これからこの新幹線に乗り込んで出かけようという、夏の旅行客たちの弾んだ声が聞こえてきそうだ。

しかも遠近法が正確だ。新幹線の大きさがよくわかる。

「凄いわ」感嘆の声が出た。「わたしは子供の描く絵に詳しいわけじゃありませんが、それでもこれ、小学生のレベルじゃないでしょう。素晴らしいですね」

五年生のときよりも、また腕を上げている。

「これ、お二人で新幹線に乗ったときに描いたんですか？　それともホームでスケッチを？」

敏子は身を縮めるような仕草をした。

「わたしの稼ぎじゃ、等を旅行に連れてゆくことはできませんで。でもあの子がそばで新幹線を見たいというものですから、一緒に駅に行ったんです」

「ああ」

「夏休みでお客さんが多いときですから、ホームでスケッチもできなかったんです。入場券で入ると、三十分しかいられませんしね。それでわたしが写真を撮って、等はあとでそれを見ながら描いていました」

それでもなお臨場感に溢れている。その場にイーゼルを据え、好きなだけ時間をかけて、描きたいだけ描かせてやりたかった。どこまで凄くなったろうか。

「先生方が褒めるのも当然です」

「あ、ありがとうございます」敏子は洟をすすった。「図画工作の先生には、萩谷君は絵の才能がある、この道を進ませてあげてくださいと言ってもらいました。美術クラブの指導もなすっていた先生で、ホントに優しくしていただいたんです。等も、いちばん懐《なつ》いていました」

小学校にあがって以降は、等の日常は学校を中心に回っていたはずである。ぜひ、教師たちから話を聞いてみたいという気持ちがむくむくと頭をもたげてきた。

「萩谷さん、等君が習った先生方に会いに行ってもよろしいでしょうか」

「先生がですか？」

「はい。学校での等君の様子を知りたいんです。先生方のご迷惑にならないよう、充分注意いたしますので」

等の通った小学校は、さくら小学校というそうだ。ここから歩いて十分ほどの距離だという。六年間で三回のクラス替えがあり、等についた担任教師は三人。それと図画工作の先生と。

「児童相談所で等君を担当した先生のお名前も教えていただけますか」

敏子はすべて覚えていた。滋子はメモをとった。

申し訳なさそうに口の端を下げて、敏子は言った。「五年生と六年生のときの担任の伊藤《いとう》先生は、等のこと、問題児だとおっしゃっていました。かなり厳しく叱られたこともあります」

「わかりました。そのつもりで慎重にお目にかかるようにします」

次に滋子はスケッチブックを開いた。二冊は鉛筆や木炭を使ったデッサン集で、残りの一冊は水彩画集だ。

こちらも素晴らしかった。小学生の腕前ではない。なかでも滋子が驚いたのは、等が自分の右手を描いたスケッチである。角度を変え、指の動きも変えて五枚の連作になっている。

「等君は右利きでしたか？」

「はい」

観察しては描きを繰り返し、それでなおこの精密さ。

「素人《しろうと》が見たって才能があるのはわかりますよ。こりゃあ、図画工作の先生が興奮するはずです！」

滋子の手放しの称賛に、敏子はとうとう涙をこらえかねたのか、手近にあった台布巾で顔を拭いた。

「本当に――ありがとうございます。勉強の方は、あの、そんなんでムラ気ですしぼうっとしてたもんで、あんまりパッとしなかったんですが、絵だけは得意な子でした」

「でも萩谷さん、もったいないですよ。画用紙の方の二作だけでも、額に入れて飾ったらいかがですか」

「わたしもね、額に入れるって言ったんです。そうすると等、とても照れましてね。もっともっといいのを描くから、そしたら飾ってよって。これはしまっておいてって言うんです。ですから――」

敏子は仏壇の方に目をやると、等の写真に「ね？」というようにうなずきかけた。

そうか。彼は恥ずかしがり屋だった。

「展覧会で展示されたときも、お母ちゃん一人で見に行ってきてっていうんですよ。僕は行かないって。手を引っ張って無理矢理連れていったんですけども、下を向いて顔を真っ赤にしていました」

敏子にとっては、等はまだここにいるのだろう。共に暮らし、毎日話しているのだ。だから敏子には、彼が恥ずかしがるようなことはできない。いつか、敏子が等のこの絵を壁に飾り、しみじみと懐かしむような時は来るのだろうか。これを「等の遺したもの」として愛《め》でることのできる時は。

等が新しい絵を描くことは、もうないのだ。

スケッチブックと画用紙を丁寧に元に戻すと、滋子はノートブックを手に取った。スケッチブックと比べて、こちらはかなり古くなっている。どちらも滋子が預かったノートと同じスパイラル綴じだが、一冊は表紙が取れかけている。

それを指して、敏子は言った。「そっちがいちばん古いです。二年生にあがったころから描き始めました。こういうノートは、あんまり小学生が使うものじゃないみたいですけども、たしか商店街の福引であたったんだと思います」

「そうすると、先日お持ちいただいたのと合わせて、二年生から六年生までのあいだに、こちらのタイプの絵は三冊分描いたことになりますか」

「そうですねぇ」

滋子は、先日来預かっているノートブックを取り出し、三冊並べてみた。表紙の取れかけているものから順番に古びているように見える。

「先生にお見せしたノートは、六年生になる前の春休みに買ったような覚えがあるんです。今度のノートは早くいっぱいになりそうだねぇって話したことがあります」

では、最初の二冊は四年がかり、三冊目は一年で描いたのか。滋子の借りた三冊目は、残りページは二、三枚しかない。「ちゃんとしてない絵」の制作スピードがあがってきていたわけである。

時間を遡《さかのぼ》るつもりで、滋子は二冊目のノートから広げた。「拝見しますね」

やはり、三冊目同様に稚拙な絵だった。

クレヨンを使った幼児画だ。三冊目よりもさらに筆致が幼い。線が乱れているし、遠近法はなし。描かれている事物はすべて二次元でのっぺりしている。家は三角と四角の組み合わせ。人物も記号化、簡略化されている。

なかに一枚、新幹線を描いたものがあった。画用紙の金賞をもらった新幹線と比べると、とても同一人物の手になるものとは思えない。文字通り大人と子供ほどのスキルの差がある。

ノートブックは、一ページずつ几帳面《きちょうめん》に使われているわけではない。次の絵まで何ページも飛んでいる場合が多々あり、しかも描きかけでやめている絵も目立つ。

三冊目のノートも、ページの使い方には無駄があった。が、途中でやめた絵はなかったから、この点でも等のスキルは成長していたのだ。

二冊目のノートに、絵は十五作。そのうち、人物が出てくる絵は九つある。等自身と敏子を描いたと思われる絵は三作だ。

三冊目のノートでは、絵はトータル十九作で、人物が出てくる絵が九作あり、等と敏子が出てくるのはひとつだけだった。

滋子は人物の肌の色に注目した。九作のうち、肌色が使われているのが七作。残り二作では肌が灰色に塗られているのだが、どちらも描きかけだった。それどころか、ひとつは途中でやめた絵を黒いクレヨンでぐしゃぐしゃと塗りつぶそうとしている。車と人物が並んでいるような絵だ。

もうひとつの、塗りつぶされてない方は、ビルのような高い建物の上に人が立っている。人は頭と手の部分だけ、ビルは上部だけが描かれていて、下は空白だ。足のない幽霊のようなビルである。

ひとつひとつの絵を観察しつつメモを取る滋子を、敏子は不安そうに見守っている。

続いて、一冊目のノートを開く。

こちらはさらにページが飛び、稚拙さの度合いもぐんと増していた。等自身、自分が何を描いているのかわからなかったのではないかという気がする。家なのか山なのか。太陽なのかリンゴなのか。色使いもでたらめで、木の幹が真っ赤に塗られている絵もあった。

さらにこちらには人物が出てこない。これはそうかな、と思うものも、頭だけだったり、手だけだったりする。海の（ように見える）青く波立つところに、黄色い浮き輪が浮いており、その上から足がぬっと出ているとか、五人の人物の頭だけ並んでいるとか、ノートの中心に大きな頭があり、端っこに小さな頭がひとつあるとか。

どの頭にも、目鼻も髪もない。つるりとのっぺらぼうだ。三冊目と二冊目のノートでは、クレヨンの点にすぎないとしても目鼻唇、時には眉毛も描いてあるのに。

ただ、肌の色は肌色だ。灰色のは見当たらない。

「こちらのタイプの絵については、等君はスケッチブックを使おうとしなかったんですね」

不安顔のまま、敏子はうなずく。

「はい、このノートが描き易いって言いました。これはちゃんとした絵じゃないからいいんだって。ずっとクレヨンだけで描いておりましたし」

「その〝ちゃんとしてない絵〟というのは、等君の言葉ですか。等君本人がそう言ったんですね」

「はい。〝ヘンな絵だ〟とも申してました」

助言や同意を求めるように、敏子は仏壇に目をやる。

「あんまり、好んで描いているようにも――わたしの目には見えませんでした」

でも、描かないと頭のなかが〝こういうもの〟でいっぱいになり、ぐるぐるしたというのだ。

また絵の数をかぞえながらページを繰って、十二作目のところで滋子は手を止めた。ただ止めたのではなかった。凍ってしまった。

ノートのページいっぱいに、茶色い建物が描かれている。特徴のある三角屋根の二階家だ。建物の正面、三角屋根の尖った部分のすぐ下に、明かり取りの窓がついている。玄関のドアの脇にも、縦長のスリットのような形の窓がある。

滋子はこの家を知っていた。

首筋と二の腕に、ぞわりと鳥肌が浮いた。

〝山荘〟だ。

この家のフォルム。窓の位置。見間違えるはずがない。あれから一日だって忘れたことはないのだから。

九年前に滋子が関わった、あの連続殺人事件の犯人たちのアジトである。

滋子は片手で口元を押さえた。手が震えて、ノートのページも揺れる。

「先生？」敏子が心配そうに身を乗り出す。

返事ができなかった。声が出ない。滋子の目はこの絵に釘付けになっていた。

やはり遠近法のまったくない、平らな絵だ。地面の線が描かれていないので、三角屋根の家は宙に浮いているようにも見える。そしてその足元には――。

人の手だ。肘から先の部分が、描かれてはいないがそこに存在しているであろう地面の部分から、空に向かって突き出している。何本も何本も。一度ぎゅっと目を閉じてから、しっかりと見開き、滋子はその数をかぞえた。十三本だ。指の長さがみんな同じなので、左右どちらの手なのか見分けることはできない。だが、どの手も指をいっぱいに広げ、何かをつかもうとするかのような、あるいは助けを求めるかのような格好をしていた。

すべての腕が灰色に塗られている。

あの〝山荘〟は、主犯の青年の別荘だった。本来は彼の母親の所有物であったのを、母親を殺して自分のものにしたのだった。

そして母親の遺体を庭に埋めた。

判明している限りでは、それが彼の最初の殺人であり、そこからすべてが始まったのだ。

青年が逮捕された後、捜査当局は庭を掘り返した。あとからあとから、白骨化した遺体や白骨が出てきた。永遠に終わらないかと思えるほどの恐ろしい発掘だった。

最終的に、〝山荘〟の庭に埋められていた遺体の数は、彼の母親のものを含めて、

――十三体にのぼった。

滋子はノートを押しやり、床に手をついて立ち上がった。声を出すともどしてしまいそうだったので、無言のままトイレへ走った。敏子がびっくりしてのけぞる。

トイレに飛び込むと、身を折って便器の上にかがみこみ、嘔吐《おうと》に備えた。膝ががくがくして、水洗タンクにつかまらないと立っていられない。

酸っぱい水が喉元までこみあげてきたが、どうにかこうにか吐かずに済んだ。冷や汗で肌がじっとりする。

ゆっくりとレバーを操作し、水を流した。水の流れを見ると落ち着いた。トイレはとても清潔にしてあって、芳香剤のレモンの香りがする。

手を洗い、ひとつ、ふたつと息をして自分を立て直した。大丈夫、大丈夫。

うろたえてはいけない。冷静に考えなくては。

あの連続殺人者――網川浩一《あみかわこういち》という青年の正体が暴《あば》かれ、〝山荘〟に捜査の手が入ったのは、一九九七年三月初旬のことである。

〝山荘〟の在る群馬県氷川高原北部の別荘地では、夜にはまだ吐く息が白く凍った。足元では霜柱が砕けた。

萩谷等は一九九三年二月十日生まれだ。〝山荘〟が死者を吐き出し始めたとき、彼は四歳になったばかりだった。

現に、あの一冊目のノートの絵は、等が小学二年生のころから描き始めたものなのだと敏子は言っていたではないか。リアルタイムで事件報道を見ているはずがない。もっとも早く、二年生に成り立てであの絵を描いたのだとしても、七歳か八歳。事件からは四年以上が経過している。

事件後四年というと、半端な時である。網川の公判の進行は象の歩みで、一審の死刑判決がくだされるまで、それからさらに二年かかった。当初の衝撃は遠く薄れ、判決の時期の目処《めど》は立たず、谷間のようにぽっかりと、世間の関心があの事件から離れていた時期なのだ。

他の場所で発見された遺体も合わせて、網川と彼の共犯者（滋子としては、いっそ奴隷と呼びたいような従属的存在の若者だった）が手にかけた被害者は十六名にのぼる。それほどの事件だったから、当時の報道合戦にはすさまじいものがあり、それは逮捕から半年後に始まった初公判まで継続した。

が、空前絶後の事件であっても、世間の関心はそう何年も続くものではない。公判が開かれれば報道はされるものの、回を重ねる毎《ごと》にその扱いは小さくなっていった。

もっともその後も、思い出したようにニュースショーのなかで特集が組まれたり、ドキュメント番組の題材に取り上げられたりすることはあった。萩谷等が、小学校二年生か三年生のころにテレビでそれらの映像を見て、〝山荘〟と事件について知ったという可能性はある。そしてあの絵を描いたのだ。

彼の言う「ちゃんとしてない絵」ではあっても、そのとき見て描いたのだ。見たものを思い出して描いたのだ。断じて、〝山荘〟の姿が、庭に埋められた遺体の腕の映像が、彼の頭のなかで「ぐるぐる」していたはずはない。

もう一度、滋子は深呼吸をした。

そうだ。あれは実に比喩的な絵なのである。〝山荘〟が隠していた遺体は、どれひとつとして地表に露出してはいなかった。腕なんか突き出していなかった。だから発掘には大変な手間がかかったのだ。網川が、どこに誰を埋めたのか白状しなかった――あるいは、彼自身忘れてしまっていたらしいことも障害となって。

十三本の腕。十三人の死体。それは、等がその数字を聞き知って絵の上に表現しただけのものだ。どんな番組であれ、〝山荘〟を映したならば、そこに何体の死者が隠されていたのか、ナレーションなどで告げるに違いないのだから。

トイレから出ると、小さな洗面台で額に水をかけ、タオルを借りて拭《ぬぐ》うと、滋子は部屋に戻った。敏子は座ったままおろおろし続けていた。

「先生、大丈夫ですか」

気遣わしそうに滋子の腕に触れた。

「すみません。お手洗いを拝借しました」

「ご気分が――」

「いいえいえ、平気です。ホントにごめんなさい」

滋子がもとの場所に座ると、しみじみと観察するような目をして、敏子は小声で言い出した。

「あの……先生。失礼ではございますが」

「はい？」滋子は冷えた紅茶の残りを飲み干した。ちゃんと喉を通った。

「おめでた、ということではございませんのですか」

むせそうになった。悪阻《つわり》だと思ってるのだ！

「まあ、とんでもない！　違います」

「あらまあ、そうですか」敏子は素朴にがっかりした顔になった。「わたし、てっきりそうかと」

前後の事情を抜きにして、ただ場面だけを切り取って見たならば、そういう解釈もできるだろう。しかし、今はそんな場合ではない。それにこの人は、わたしがあの〝山荘〟を舞台とした事件の関係者であることを知っているのだ。滋子があの事件に関連してメディアに登場し、ルポを書いたからこそ、萩谷敏子は滋子のことを「有名なライター」だと認識したはずなのだ。だったら、この絵が何を意味しているのか見当ぐらい付きそうなものではないか。それが滋子を驚愕《きょうがく》させるだろうことも、予測できるのじゃないのか。

いや、いや。

できないのか。

「お口なおしに、お番茶にいたしましょうか」

台所へと立ち上がる敏子の丸っこい背中を、滋子はいささか唖然《あぜん》として見上げた。そうか、できないのだ。

この人には、等のこの絵の内容がわからないんだ。そもそも、ちゃんと見ていないのかもしれない。見ても、そこから意味を読み取ることはしていないのだ。

あまり、物事を深く考える性質《たち》ではない人なのだ。そんな時間も、その必要もない人生を忙しく生きてきて。

「萩谷さん」滋子は努めて穏やかに、ゆっくりと呼びかけた。

「わたしに見せていただく前に、萩谷さんご自身では、等君のこのノートをご覧になりましたか」

敏子はすぐに返事をした。「はい、見てみました」

やっぱり、見ても何も気づかなかったのだ。あの事件を知り、滋子のことを覚えていたのに。

「秋吉さんというパート仲間の奥さんには、この三冊全部を見てもらったんですか？」

「いいえ、ノートは、最初に先生にお見せしたノートだけでした。あっちの水彩画と、スケッチブックは全部見せたんですが」

それらがとてもよく描けていたので、もっとほかにはないのと秋吉が言い、それで三冊目のノートを出したのだという。

「ノートに描いたなかでは、あれがいちばん絵らしい絵になっていましたから。でも、スケッチブックのに比べるとヘンでございましょう。だから不思議なのよっていうことで、お見せしたんです」

もしもこの一冊目も見せていたら、あるいは、秋吉というパート仲間は気づいたかもしれない。

「もう一度お尋ねしますが、あの蝙蝠の形の風見鶏の絵に気づいたのも秋吉さんですよね？」

「はい」番茶の入った湯飲みを運んできて、敏子は座った。「わたしは何も……。北千住でああいう事件があったことも、よく存じませんでした」

秋吉という主婦の存在なしには、敏子が滋子を訪ねることも、滋子がここへ来ることもなかったわけである。

「その後、秋吉さんとは何かお話しになりましたか」

「先生とお会いすることになったということですか」

「ええ。お知らせになりました？」

敏子は、決まり悪そうにくすりと笑った。

「実は、言ってないんです」

「秋吉さんは何も訊いてきません？　興味がないはずはないですよね？」

「忙しい人ですから。あの～、人付き合いが多くて」

敏子の苦笑いは、近所の主婦の立ち話の笑い方になっている。

「とっても好い人なんですけども、騒がしいというんですか。でも、ひとつのことはすぐ忘れて、ほかのことの方に行ってしまうんです。移り気で。もしもわたしが本当に先生にお会いしたなんて言ったら――」

有名人が大好きだから、きっとしゃしゃり出てくることだろう、と敏子はいう。

「それだと先生のご迷惑になるんじゃないかと思いまして、秋吉さんもケロリと忘れてるようなのを良いことに、わたし、知らん顔をしております」

ほっとした。こうなると、滋子としてもその方が有り難い。土井崎茜の件だけでなく、九年前の〝山荘〟のことまで「等君の超能力だ！」などと騒ぎ立てられては、落ち着いて調べものもできないだろう。

「恐縮ですが、今後もそのまま知らんふりをしていていただけますか」

「はい、先生のおっしゃるとおりにいたします」

番茶には、可愛らしい花の形の和菓子が添えられていた。塗りの器に載せてある。

もてなしの心遣い。きちんと掃除され片付けられた家のなか。働き者で骨惜しみしない気質。秋吉への対処の仕方からうかがい知ることのできる、それなりの人を見る目の確かさと、世間知。

萩谷敏子は、けっして愚かな女性ではないし、無能でもない。判断力もある。ただ、AとBがあり、BとCがあり、それぞれが結びついてるならば、即座にAとCも結びつけていいという考え方をしないだけだ。

でも、いったん何かに動かされれば、一途《いちず》に進む。目立ちたがり屋でもなくメディア好きでもないこの人は、秋吉の言葉だけを信じてテレビ局や出版社を回り、とうとう滋子のところまで来た。どこかで妙に理知的に、(でも、超能力なんてやっぱりあるわけがない)などという醒《さ》めた考え方をしなかったからだ。

気をつけなくては。この人を誘導しないように、あたしの思い込みを押しつけることのないように、言動は慎重に心がけよう。敏子にとって、これが〝喪の仕事〟である以上、彼女を傷つけることも避けたいけれど、それよりもっと悪いのは、あたしがこの人を巻き込んで暴走してしまうことだ。滋子は心に言い聞かせた。

「萩谷さん、等君がこうした絵を描いているとき、そばでご覧になってたことはありますか?」

「いえ、ほとんど……」

「描いてから見せてもらっていたわけですね?」

「あのぉ、ものによっては、たとえばあの梅の絵ですとか、ほかにもあるんですが、一緒にどこかに出かけた後に等が描いた絵なんかは、すぐ見せてくれたんです。けども……」

言い迷っている。滋子は待った。

「こっちのノートの絵は、等、実はあまり見せたがりませんでした。ちゃんとしてないから、見られると恥ずかしいって申しまして」

「こっそりご覧になったことは？」

敏子は仏壇の等に気兼《きが》ねしている。

「いえ……そういうのはわたし……いくら親でも……何だか良いことじゃないように思えまして」

「立派だと思いますよ」

敏子があまりにも困って身を揉《も》んでいるので、励ましを込めて滋子は言った。

「子供にもプライバシーがあるとか、子供は独立した存在なんだとか、頭ではわかっていても、なかなかそうはできないのが親心というものでしょうから」

敏子は大いに照れた。

「そんなこと考えたわけじゃないんです。等が何を描いてるのか、気になってしょうがないこともありました。特にあの、等君のノートの絵のことはお話しになりましたか」

「児童相談所では、等君のノートの絵のことはお話しになりましたか」

照れに緩んだ頰を引き締めて、敏子はちょっと黙った。

「申しませんでした」

「学校の先生には」

かぶりを振る。

「等に——ちゃんとしてない絵のことは誰にも言わないでって、頼まれたんです。お母ちゃんと僕だけの内緒だよって、ね」

滋子は目を細めた。

「その約束を守られたんですね」

弁解するように、敏子は急に早口になった。

「でもあの子、さっきも申しましたように、ときどきはノートの絵も見せてくれましたし、これが何の絵なのか話して聞かせてくれることもありましたから、わたし、これが何か悪いことだなんて、夢にも思ったことなかったんです。ええ、はい、それは本当に。ですから、等が死んで初めて三冊全部見てみたんですけども、それもただ、あの、これがあの子の、残した絵だからで」

滋子は敏子を宥《なだ》め、ノートを三冊並べた。

「では、覚えていらっしゃる限りでいいんですが、このノートの絵のなかで、等君が進んで見せてくれたものや、どんな絵なのか話してくれたものがどれなのか、教えていただけますか。大まかでいいんです」

敏子は首をひねりながらノートをめくり始めた。指を迷わせ、ぽつりぽつりと解説を始める。彼女の記憶にあるものは、絵のなかに彼女と等が登場しているものと、一緒に出かけた場所の風景画ばかりだった。等が話したという内容も他愛ない。

ノート三冊分の作品を通して、九点が挙げられた。

「うろ覚えですみません」

敏子が挙げた絵のなかに、〝山荘〟の絵は含まれていなかった。等は黙ってこの絵を描き、母親には何の説明を加えることもなかったのだ。

何も言いたくなかったのか。言うことがなかったのか。

滋子としては、それを確認できただけで御の字だ。等がこの絵の素材とした映像やテレビ番組なら、何とか探し出すすべはある。

「わかりました。ありがとうございます」

先ほど滋子は、一冊目のノートの〝山荘〟の絵より後ろのページを見なかった。あらためて、今度はノートを逆にめくってみた。後ろにはあと二作あった。ひとつは窓から見た家並みの風景らしいが、このアパートの窓ではなさそうだ。おそろしく大雑把《おおざっぱ》な描き方なので、屋根の列がただの三角波みたいに見える。

もうひとつは、鳥かごに入った鳥の絵だった。黄色に塗られているから、カナリアか。

偕楽園の梅の絵を始め、この二作など、明らかにスケッチ的な素材の絵でありながら、等はノートブックに描いている。しかも稚拙だ。新幹線と違い、現物や写真を見ずに、思い起こして描くとみんなこうなってしまうのか。それとも、等のなかには明瞭な区別があり、風景画的な絵であっても、これらは「頭のなかがぐるぐるしたから描いた」もので、スケッチブックの作品とは成り立ちからして異なっているのか。

再度、〝山荘〟のページを広げる。

心臓がとくんと打ったが、それだけだった。表情も変えずに済んだ。三角屋根。十三本の灰色の腕。隅から隅までよく観察する。

さっき見落としていたものに気づいた。

左下の端だ。パッと見ただけでは何だかわからない。描き損じの汚れのようにさえ見える黒い筋。

しかし、それには形がある。腕と同じように、空白の地面から突き出している。

滋子は目を見開いて、凝視した。

これは——瓶だ。瓶の上部だ。

ワインの瓶に似ている。地面に埋められて、首の部分から上が外に出ているのだ。

滋子は自分を抑えるために息を止めた。

あの〝山荘〟の庭には、シャンパンのドンペリニヨンの瓶が埋められていた。網川たちが、何番目かの被害者を埋めたとき、目印にするために立てておいたのだ。彼らがそんなことをしたのはその時だけで、だから瓶も一本きりだった。

滋子は現物を見てはいない。〝山荘〟には、大々的な捜索が終わるまで、メディアは立ち入ることができなかった。建物の内部の撮影が許されたころには、庭はすっかり掘り返され、木立も植え込みも根こそぎにされていて、元の景色は消えうせていた。

ドンペリの瓶も、当然のことながら取り除かれていた。警察は、実況見分の際に撮影した写真を持っているのだろうが、それは公開されていない。シャンパンの瓶の存在そのものが、一般には知られていない。滋子はそれを、刑事の一人から直に聞いたのだ。

テレビの映像には、絶対に映ってない。瓶がそこにある時期には、カメラは入れなかったのだから。

なのに、なぜ等はシャンパンの瓶を描けた？

なぜ、こんなものがここにある？

第三の眼だ。昭二の言葉が、滋子の脳を揺さぶった。

断章①

水曜日はつまらない。ミキちゃんが塾に行ってしまうので、一緒に帰ることができないからだ。心のなかの呟きが、少女の口を尖らせる。

ミキちゃんは塾のほかにもいろんな習い事をしてる。水泳教室と英会話だ。だけどそういうお教室に行くときは、いっぺん家に帰ってから出かけるので、学校の帰り道は一緒にいられる。けど、塾に行くときだけは別なんだ。ミキちゃんのお母さんが裏門のところまで車で迎えに来ていて、すぐに乗せて行ってしまう。

ミキちゃんの通ってる塾は遠くにあるんだって。電車の駅で五つも先だ。だからお母さんが車で連れて行く。うちなんか、雨の日だって誰も迎えになんか来てくれないのに。

独りぼっちの信号待ちで、少女は重たいランドセルを背負い直した。横断歩道の反対側には、杖をついたおじいさんが一人立っているだけだ。腰がうんと曲がったおじいさん。ときどき、この交差点ですれ違う。いつかお母さんにそれを言ったら、この近くに上手なセイケイゲカの病院があるからだって教えてくれたけど、あんなおじいさんがどうしてセイケイなんかするんだろう？

青信号になって、少女は道を渡った。おじいさんはとってもゆっくり歩いているので、横断歩道の半分を過ぎたところですれ違うと、こんこん、と咳をした。風邪をひいてるんだ。風邪もセイケイ病院で治るのかなぁ。

　こないだ、ミキちゃんは言ってた。週に一度の塾じゃ、勉強が遅れちゃうから、二度とか三度にするんだって。そしたら、つまらないのは水曜日だけじゃなくなる。そんなのイヤだもん。だからあたしも塾に行きたいって言ったのに、お父さんもお母さんも、小学校の四年生のうちから塾なんか行くことないって。だいいち、うちにはそんなお金はありません。子供はあんただけじゃないんだしね。

　そんなこと言って、あたしがバカになったらどうするつもりなんだろ？　お父さんもお母さんも、あたしのことなんかどうでもいいみたい。

　一人歩きで黙っていると、頭のなかに言葉がぐるぐるする。おしゃべりしたいのに、相手がいない。

　仕方がないから、少女はスキップしながら歌をうたった。つまらない気分のつまらない歌。歩道を歩いて、最初の角を右に曲がる。道幅が急に狭くなり、ガードレールもなくなった。道の両側には、たくさんの家が立っている。庭のある大きな家。幅の狭い小さな家。自家用車の鼻先を、道にはみ出して停めている家もある。そういうところを歩くときは、前と後ろをよく見て気をつけないといけない。道の真ん中を通らなくてはならないから。こんなところで車にはねられたら、はねられ損だってお母さんは言う。

　一人だと、スキップも面白くない。少女は跳ねるのをやめ、むくれた顔で歩き出した。次の角にさしかかる。

　足を止めて、考えた。

いつもはこの角を左に曲がる。ミキちゃんと一緒に、おしゃべりしながら。

本当は、真っ直ぐ行った方が、うちもミキちゃん家《ち》も近いのに、わざわざ遠回りするんだ。お母さんたちがそうしろって言うからサ。

――あの道はとおっちゃ駄目だよ。

――いいわね、必ずまわり道するのよ。

どうしてってきくと、どうしてもって言う。どうしてもどうしてか教えてよって言ったら、うちのお母さんは怒るんだ。あんたはお母さんの言うこと聞けないんだね！　なんでミキちゃんみたいに良い子になれないの？　ミキちゃん家はお金持ちで、お父さんもお母さんも優しいから、ミキちゃんはらくちんで良い子になれるんだよって言ってやったら、叩かれた。

ミキちゃんは知ってた。どうしてこの道を通っちゃいけないのか、お母さんが教えてくれたんだって。

角から三軒目の家に、ケイサツのお世話になったヒトが住んでるからだって。

いろいろ、悪いヒョウバンのある家なんだって。

女の子が通りかかると、ケイサツのお世話になったことのあるヒトが、声をかけてくるんだって。

そして家のなかに連れ込んで、いろいろ悪いことをするんだって。

連れ込むって、どうするんだろ。あたしは手を引っ張られたぐらいじゃ負けないよ。何かあげるって言われたって、ついてなんかいかないよ。大人は嘘つきだって知ってるもん。

だけどミキちゃんはとっても怖がる。お母さんに叱られるのがイヤなんじゃなくて、ホントにその家が怖いんだって。

突っ立ったまま、少女は意固地《いこじ》な顔つきで思案した。

今日は一人で真っ直ぐ歩いていってみようか。

三軒目の家の前を通っちゃうんだ。夕飯のときに、お母さんに言ってやろう。あの家の前を通ったけど、何ともなかったよって。お母さん、怒るかな。

いいよ、怒っても。どんなに怒ったって、また通るから。ミキちゃんと同じ塾に通わせてくれるまで、なんべんだって通ってやるからねって、言ってやるんだ。

よし。もういっぺんランドセルをずり上げ、少女は真っ直ぐ歩き出した。わざとゆっくり進んでゆく。あたしは何にも怖くなんかないもん。怖いもんなんかない。嫌いなものならたくさんあるけど。

かまってくれないお父さんは嫌いだ。妹ばっかり可愛がるお母さんも嫌いだ。すぐ叱る先生も嫌いだ。

ホントは、お金持ちで優しいお父さんとお母さんのいるミキちゃんのことも、心の底では嫌いだったりするのかもしれない。

ケイサツのお世話になったことがあるヒトって、そんなに悪い人なのかな。もしもその人が、お父さんよりお母さんより優しかったらどうだろう？

あたし、そのヒトの方が好きになるかもしレンないな。

一歩一歩、踏みしめるようにして歩く。背中のランドセルが揺れる。

角から三軒目の家は二階建てで、真四角の形をしている。色は灰色で、雨に汚れて黒い筋がくっついている。コンクリートじゃないし、木でできてるわけでもない。

真四角の家には真四角の窓がついている。玄関のドアだけは長四角で、びっくりするくらい明るい黄色のペンキで塗ってある。

少女は、三軒目の家のまん前で立ち止まる。

道の真ん中だ。ぐるっと見回してみる。

ひとつ先の信号を、白いシャツを着たおじさんが、スーパーの袋をぶらぶらさせながら渡ってゆく。

ほかにはだあれもいない。

あたしと真四角の家があるだけ。

ううん、家はいっぱい並んでるけど、この家だけは独りぼっちの感じがするんだ。ひとつだけ形が違うから？　色が違うから？　可愛い家じゃないから？

あたしみたい。

真四角の窓にはみんな格子がついている。団地とかマンションの窓についてるヤツ。泥棒に入られないようにするためだって、お母さんが前に教えてくれた。

でも、この家の窓の格子は、ドラマのなかに出てきたケイムショの牢屋みたいだ。そうだ、ケイムショって、ケイサツのお世話になるヒトが入るところじゃなかったっけ？

この家はやはり、ケイムショに入ったことのあるヒトの家だから、こんな格子がついてるのかな。

りんりん、と音がして、少女はびっくりして跳び上がった。うしろの方から自転車が近づいてくる。少女はあわてて道の反対側へと避けた。

自転車を漕《こ》いでいるのは、痩せた女の人だった。おばさんだ。だけど服の色はとってもきれいだ。

おばさんは、真四角の家の前で自転車を停めた。玄関のドアの脇。一階の窓の格子のすぐ下に。ひらりと降りて、スタンドを立てて、自転車の前のカゴのなかからバッグを取り出す。バッグのなかをさぐって——

じっと見つめている少女に気がついた。

顔色の悪いおばさんだった。目の色もどんよりとしていた。上から下までざっと少女を見て、ほんのちょっとだけ何か言いたそうな顔をした。でも何も言わなかった。

おばさんは、キーホルダーを引っ張り出すと、自転車に鍵をかけた。

それから今度は、別の鍵で玄関のドアを開けた。

かちゃり。バタン。まっ黄色のドアが開閉して、おばさんは真四角の家のなかに消えた。

ドアが開いたその一瞬に、玄関の内側に、運動靴がいっぱい脱ぎ散らかしてあるのが見えた。

少女は何度かまばたきをして、目にしたものを瞳の奥へ、心のなかへとしまいこんだ。

第三章　再会

六月になるまで、滋子はあえて萩谷等のことを考えないようにして過ごした。少し間を置く必要があると感じたからである。

本来、滋子の仕事はノアエディションにある。そちらに打ち込んでいれば、あの〝山荘〟の絵を頭の隅に片付けてしまうことは、さほど難しくなかった。

このことは、野崎にも恵にも話していない。昭二にさえ黙ったままでいた。話してしまうと──つまり、自分の言葉で誰かに説明してしまうと、今の滋子のなかにもやもやとわだかまっている疑問が、中途半端な形で結論へと固まってしまうような気がしたからだ。

等の作品は現在、すべて滋子の手元にある。萩谷敏子に頼んで貸してもらったのだ。そんなものは必要ないと遠慮する敏子を制して、絵の点数も明記した預かり状を渡してきた。そこまでしたのは、これらの作品をもっとよく検分するつもりがあったからだが、それにも冷却期間が要ると思った。

次にページを開いて〝山荘〟の絵を見たときには、あのシャンパンの瓶は、やっぱり単なるクレヨンの汚れにしか見えないかもしれない。最初は見落としていたくらいなのだ。充分に有り得る。あたしは見間違いをしたのだ。これは〝山荘〟だという驚きが思い込みを呼び、目を誤らせたのだ。

六月の第一週に入って、昭二が急に出張することになった。週末から三泊四日で、上海へ行くのだという。前畑鉄工所の取引先である機械メーカーには、アジアに生産拠点を移しているところが多い。だから、やれ技術交流だ指導だ研修だと、昭二が海外出張することは珍しくなかった。

「本社の方にはさ、俺たちみたいなスキルのある熟練工が、もういないんだよ」

取引先を「本社」と呼ぶのは、昭二のクセだ。

「だから下請けがあてにされるってわけさ」

まんざらではなさそうな顔でそう言う一方、このまま日本の工業技術が海外に流出していったら拙いことになる、俺ら下請けは敵に塩を送ってるようなもんだとぶつぶつこぼしながら、昭二はスーツケースを詰めた。

滋子は久しぶりに車を転がし、彼を成田まで送っていった。搭乗ゲートの前で手を振って別れると、妙にぽつりと独りになった。

帰宅し、普段着に着替えて、ほとんど何も考えることもなく、書斎兼書庫の六畳間にあがっていった。

萩谷等がそこで待っているような気がした。

あらためて、彼のノートを開いた。

正座した滋子の膝の上に、〝山荘〟の絵。地面から空《くう》をつかむように突き出した十三本の灰色の腕。

やっぱり、シャンパンの瓶はシャンパンの瓶に見えた。

ひとつ息を吐き、滋子はノートを置いて立ち上がった。古い名刺のファイルはどこにしまっておいたろう。

　九年前の事件の折、滋子は警察サイドに深く食い込んで取材活動をしたわけではないから、捜査担当の刑事たちと知り合う機会はなかった。

　ただ、大詰めになって、双方にとって等しく思いがけないアクシデントのような遭遇があり、そのとき会った同年代の刑事とは少しばかり親しくなった。シャンパンの瓶の存在を教えてくれたのも彼である。

　秋津《あきつ》信吾《しんご》という、当時捜査一課第四係に所属していた刑事だ。名刺は一枚もらったきりで、ずっとファイルしたままだから新品のようにきれいだが、八年のあいだに彼の立場と肩書きが変わっている可能性は大きい。駄目でもともとのつもりで電話をかけてみた。

　と、ちゃんと通じた。秋津は警部に昇進し、現在、同じ捜査一課の三係に所属しているという。ただ、今は出先にいるという。

　こちらの用件ですからと遠慮したのだが、それだといつ連絡がつくかわかりませんよ、秋津に伝えてかけ直させましょうと、先方は親切だった。これも、市民に親しまれる警察というものか。携帯電話の番号を告げ、丁重に礼を述べて、滋子は受話器を置いた。

　そして、遅まきながら少し後悔した。過去の事件と直接つながる人物と再会するだけの勇気を、果たして自分は持っているのだろうか。思いつきで連絡してしまってよかったのか。

　何か考えつくとすぐ行動してしまうのは、若いときからの性分だ。九年経っても、あたしのそそっかしいのは変わっていないと、ぽんと額を叩いた。

　秋津刑事から連絡があったのは、翌日の午後二時過ぎのことだった。

「え～と前畑さん？　前畑滋子さんの携帯電話ですかね、これは」

秋津は大柄で闊達《かったつ》で直截《ちょくせつ》で、いつも元気がよかった。人によってはややガサツに感じるかもしれないが、その分、話が早い。三十代が四十代になり平刑事ではなくなっても、彼のしゃべり方も声もまったく変わっていなかった。

「はい、前畑です。お久しぶりです」

「ホントに久しぶりですよ。お元気ですか」

「おかげさまで、何とかやってます。秋津さんは警部になられたと伺いました。おめでとうございます」

電話の向こうで彼は豪快に笑った。

「何の間違いか試験にうかっちまったんですよ。ま、中身は変わってません」

ところでどうしたんです？　と問われた。滋子は突然連絡した非礼を詫び、かけ直すと言った。

「大したことじゃないんですが、秋津さんに教えていただきたい事柄があるんです。あの――昔の事件に関わることなんですが」

へえ、と秋津は声をあげた。「早い方がいいんですか」

「はあ、まあ、できれば」

「あなたは即断即決の人ですからね。思い出しますよ。あいつの山荘の窓ガラスを割ろうとしてたのを。それとも、玄関を破ろうとしてたんでしたっけ？」

「カンベンしてください」滋子は身を縮めた。秋津はまた可笑しそうに笑った。

「何にしても、タイミングがよかった。私の方は、これから時間がとれるんです。どっかお近くまで行きましょう。電話より会った方が話しやすいでしょう」

ホント、話が早いことは相変わらずの刑事さんだ。

「今、どこにいらっしゃるんです？」

秋葉原だという。

「じゃ、上野でいかがでしょう。わたしもすぐ家を出ますから、三十分もあれば着きます」

浅草口の改札で待ち合わせることになった。滋子は身支度も早々に出かけた。

八年ぶりの秋津刑事は、体格も血色もあのころと変わっていなかったが、若干、腹が出たように見えた。改札口の前で気さくに手を振っていた。

あらためて挨拶を交わし、おや？　と思った。ほんの少しだがアルコールの気があるようだ。滋子が気づいたことを、秋津もすぐ察したのか、頭をかいて笑った。

「帳場がひとつ終わったばっかりなんで」

帳場とは特別捜査本部のことだ。

「あ、じゃあ皆さんで乾杯を」

「ええ。新聞で見ませんでしたか。一カ月ぐらい前かな、駅前の雑居ビルの強盗殺人事件」

そういえばあったような気がする。

「犯人があがりましてね。殺された電気部品会社社長の、昔の部下でした」

だからこの午後は身体が空いていたわけだ。本当にいいタイミングだった。

土曜日なので、どこも混んでいる。静かに話せそうな店を探して、駅前からずうっと歩いた。歩きながら近況報告もしあった。

秋津は、あの連続殺人事件が終熄《しゅうそく》した後も、裏付け捜査に二年以上はかかりきりだったそうだ。そのほとんどが、〝山荘〟で発見された遺体の身元確認作業だった。滋子が最後に彼と連絡を取ったのは、犯人逮捕から二カ月後ぐらいだった記憶があるから、それから後も長いあいだ、秋津たちはあの事件に縛られていたことになる。

「それでもねぇ、とうとう一人だけ、身元がわからない仏さんが残っちゃったんですよ」

「家族が名乗り出てこなかったんですか」

「何か事情があるんだか、そもそも天涯孤独な女性だったのかね。ああ、性別ははっきりしてるんですが、年齢も大まかなところしかわからなくて」

やっとそちらのけりがつき、秋津は一度所轄署へ出たそうだ。いくつか役職を踏み、昇進もし、本庁に戻って四年。今は三係の副長だという。

「じゃ、じきに班長ですね。部下を率いるようになる」

滋子の言葉に、どうかなぁと秋津は唸った。

「そんな柄じゃないですよ。現場を歩き回ってる方が性に合ってるしね」

駅からだいぶ離れて、寂《さび》れた喫茶店を見つけた。こういうところの方がいいと、秋津がドアを押した。

寂れているのも道理で、やがて運ばれてきたアイスコーヒーは泥水みたいな味だった。が、すくなくとも空調はきいているし、静かなのがよかった。

「いきなりこんなことを言うのも何ですけど、実は驚いてます」と、秋津は切り出した。「前畑さんは、もう網川のことは忘れたいんじゃないかと思ってましたからね。我々の存在も含めて」

滋子はうなずいて、目を伏せた。

「長いこと、そういうつもりでした」

「あなたが証人として出たときの公判を、覚えてるかな、本部にいた篠崎《しのざき》って刑事が傍聴に行きましてね。あなたが怯《おび》えてたって、ずいぶん心配してました」

「そうですか……。お恥ずかしいです」

「恥じることなんかないです。怖くて当たり前ですよ。我々もビビッてたんだから」

遠いものを見る——というよりは、むしろ今でも視線で威嚇《いかく》しようとするかのように目を細め、秋津は呟いた。

「ありゃ、怪物です。願わくば、もうあんな野郎が出てこないことを願うばっかりですよ」

「本人は今、拘禁反応がひどいと聞きました」

「だいぶきちゃってるようですね」秋津は顔をしかめる。「捕まったときは、死刑になるまで何十年もかかるんだから、まだまだ世間を騒がしてやる、本を書くんだとか意気軒昂《けんこう》でしたがね。そうは問屋がおろさなかったわけだ。ガミさんは、あいつだって生身の人間なんだから、いつかは自分のやったことの毒が総身に回るんだって言ってたけど、ホントにそうだった」

ガミさん——と、滋子は思い出した。

「武上《たけがみ》さん、でしたか」

「そうそう。デスク担当のね。今じゃもう、捜査本部のなかにはデスクって仕事はないんですが。何でもコンピュータで整理できちまいますしね」

「武上さんはお元気ですか」

「元気ですよ。一昨年退官しました」

やはり九年の歳月は永い。

「お嬢さんが、さっき言った篠崎って奴と結婚しましてね。孫が生まれて、おもりで毎日まごまごです。現役時代より忙しいんじゃないですか」

「まあ、そうですか」

「親父が刑事で、亭主も刑事なんてねぇ。酔狂《すいきょう》な。うちのカミさんは、うちの娘はゼッタイ刑事のところになんか嫁にやらないって言ってる。私も同感ですよ」

滋子の記憶にある限りでは、あの事件当時秋津は独身だった。では彼も所帯持ちになったわけだ。

「なぁんてこと話してるのは愉快ですが」

口元に微笑を残しながら、秋津は真顔になった。

「前畑さんは昔話をしたいわけじゃないんでしょう?」

滋子は不味《まず》いアイスコーヒーのグラスを脇に押しやると、どう切り出すべきかちょっと思案した。秋津の顔を見ていると、次から次へとさまざまなことを思い出してしまい、何のために時間を取ってもらったのかわからなくなりそうだ。

滋子は二度、あの〝山荘〟を訪ねたことがある。一度はまだ事件の解決前で(直前と言った方が正しいか)、一人で乗り込んだ。二度目は、〝山荘〟の実況見分が終わり、取材陣に公開された後で、事件から二カ月が経っていた。そう、滋子がかけた秋津への最後の電話は、既にマスコミ関係者ではないわたしが、〝山荘〟を訪ねることは許されるかと尋ねるためのものだった。

——大丈夫ですよ。遺族が何組も訪れています。献花台もできました。

後日、滋子が昭二と二人で〝山荘〟を訪ねると、秋津が手回しよく警備の警察官に話を通しておいてくれたらしく、他の人たちと顔を合わせないで済むようにしてもらえた。

献花台に花を供え、昭二と並んで手を合わせた。二人ともまったく口をきかなかった。警察官に挨拶してそこを離れ、昭二の運転する車に戻ると、滋子は泣き出した。嗚咽《おえつ》するのではなく泣きじゃくるのでもなく、ごく静かに、ただ涙が出てきて止まらなかった。東京へ戻るまで、涙腺が壊れてしまったかのように、ずっと泣いていた。

その記憶、蘇《よみがえ》った想いは、目の前の事柄よりも遥かに鮮やかで力強く、滋子は思わず呟いた。

「――あの〝山荘〟は」

「はい」と、秋津はうなずく。

「どうなりましたか」

「地上からなくなりました。取り壊されて消えましたよ」

滋子を安心させようとするような口調だった。

「土台まで掘り起こしてきれいさっぱり清めて、更地になりました。今もそのままです。草ぼうぼうになってるんじゃないかな」

「そうですか……」

「土地と家の所有権は網川の母親が持っていたんですが――ああ、それを調べ出したのはあなたでしたよね」

と、秋津は軽く笑う。

「母親は網川に殺されていた。相続人が被相続人を殺害した場合は、相続権を失います。ほかには相続人がいなかったから、あの土地は国家のものになりました。でも、使いようがない。売りに出したって、買い手がつくわけもありません。遺族会の方から、資金を集めて買い取って、慰霊碑を建てたいという申し入れがあったんですが、別荘地の管理組合の反対が強くて実現しませんでした。もともと、遺族会の中でも意見が割れてたようだった」

みんな忘れたいということですよと、優しく言った。あなただけじゃありませんよ、前畑さん。

思い切って顔を上げると、滋子はバッグから萩谷等のノートを取り出した。あのページを広げて、秋津の前に差し出す。彼は素早くまばたきをした。

「子供の絵ですね？」

「ご覧になってみてくださいませんか」

すぐに、秋津はノートを手に取った。滋子はノートではなく、秋津の顔を注視していた。彼の反応を。

秋津の頬が強張《こわば》った。

「ちょっと失礼」

唐突にノートをテーブルに置くと、胸ポケットから眼鏡ケースを取り出した。銀縁の華奢《きやしや》な読書用眼鏡を鼻先に載せる。

「去年あたりから、老眼がきましてね」

「わたしなんか、もっと早いですよ」

「そうなんですか。うちは親父も早かったんですよ」

軽く受け答えしながらも、秋津はノートから視線を離さない。

「左下の隅を見てください」と、滋子は言った。「黒いクレヨンで描いてあるものがありますよね」

黙ってうなずき、秋津はノートに見入っている。

滋子は十数えた。それから問いかけた。

「どう思われます？」

「どう思うか」秋津は復唱し、やっと目を上げた。「どうもこうも、こいつは〝山荘〟だ」

「やっぱり」

「おまけにこいつは」と、秋津は太い親指で左下の隅を指した。「ドンペリの瓶だ」

「覚えていらっしゃいましたか」

「忘れるわけがないですよ。あいつらの立てた墓標です。ふざけた話だ」

滋子はずうっと体温が下がるのを感じた。あたしの見間違いではなかった。思い込みではなかった。

「誰がこの絵を描いたんです？　前畑さんじゃありませんよね」

「ええ、違います」

急に、秋津はひるんだようになった。「まさか――あなたのお子さんですか」

あまりにも予想外の質問だったので、滋子は噴き出してしまった。秋津は目を丸くしている。

「違いますよね？　違うんでしょう？」

「ええ、ええ。笑ったりしてごめんなさい。うち、子供はいませんから。あ、旦那とは円満ですよ」

「ああ、そうでしたか」

「秋津さんはお父さんになったんですよね。お嬢さんお一人ですか？」

「女の子一人と男の子二人です。下の二人は双子で」

「じゃ、子供でマゴマゴですね。大変だわ」

笑う滋子の前で、秋津は額を拭った。

「いやぁ、ヒヤッとした。教えてくださいよ。いったい、これは何の手品です？」

滋子は事情を説明した。萩谷敏子との出会いから、このノートブックの絵を発見するまでの経緯をすべて。

話しながら、もう一冊のノートも見せた。風見蝙蝠と灰色の肌の少女を描いた絵だ。そして最後に、やはり敏子から借り受けてきた等のスナップ写真をテーブルに載せた。

秋津はゆっくりとノートをめくり、ときどき滋子の顔に視線をあてて、口を挟まず聞いていた。語り終えると、滋子は待った。さあ、秋津は何を言うか。笑うか。それとも白けるか。超能力？サイコメトラー？　どうしちゃったんですか、前畑さん。

口の片端で、秋津はにやりと笑った。

「で、前畑さんが私に教えてほしいことというのは何です？」

昔と同じように、彼は実務的な人物だった。余計な感想など口に出さない。

滋子はふっと、肩の力を抜いた。思わず苦笑いを浮かべてしまった。

「このドンペリの瓶に関する情報が、あのあと、何かの形でメディアに出たことはあるでしょうか。その可能性だけでもあれば、教えていただきたいんです」

「つまり、もしもそういう事実があれば」確認するように言葉を切って、秋津は言う。「等君という子供が、それを見てこの絵を描いたという仮説が成り立つからですね？　いや、逆か。この子がテレビか新聞か、何らかの媒体によってドンペリの瓶の存在を知る機会があったなら、それによって、彼が異能者である可能性を否定することができるから」

どちらも同じ意味だったから、滋子はうなずいた。

「どうだったかなぁ」

わざとのように呑気《のんき》な声を出し、秋津は薄汚れた店の天井を仰いだ。

「あったかもしれないし、なかったかもしれない」

「テレビで報道された〝山荘〟内部の映像には、ドンペリの瓶は映っていませんでした。それはわたし、はっきり覚えています。それについてのコメントを聞いた記憶もありません」

「でしょうね。でも、あの事件についてはその後何冊も本が書かれたし、映画やドラマもできました。ご存知ですか?」

「存在は知ってます。読んでないし、観てないけど」

「私もですよ。網川を喜ばせるだけのような気がしましたからね」

滋子も同感だった。ただ、網川を喜ばせるというよりは、彼に加担するような気がして嫌だったのだ。

「ドンペリの瓶のことは、事件の大勢を左右するような情報じゃありません。我々も強いて隠していたわけじゃなく、嫌なトピックなんで進んで漏らすことはなかったというだけでした。遺族に報《しら》せたいことでもなかったし」

その気持ちはよくわかる。

「じゃ、外部に知られた可能性はあるわけですね」

腕組みをすると、背もたれに寄りかかり、秋津はしげしげと滋子の顔を見た。そして言った。

「やっぱり、終わってないんですね」

「え?」

「前畑さんのなかで、あの事件はまだ続いてるんだ。違いますか」

返事ができなかった。秋津も、滋子に答えを求めているのではないようだった。

「前畑さんは、要するに何をしたいんです?」

「何って――」

「この等君という子供が本当に何らかの特殊な能力を持っていたかどうか確かめたい。そうじゃないんですか」

「そうです。それが出発点でした」

「だったら、その材料は何もこいつに限りません」

言葉と共に、秋津は〝山荘〟の絵の縁を指でとんとんと叩いた。

「網川の事件は、なんだかんだ言ったって九年前の出来事です。ドンペリの瓶みたいな細かい情報の広がり方を、今から調べて洗い出すのはまず不可能ですよ。冷静に考えれば、あなただってすぐにそれとわかるはずだ」

「でも」

「でも、この絵にこだわってしまう」滋子の発言を制して、秋津は続けた。「この絵をひと目見た瞬間に、これに囚《とら》われてほかのものが見えなくなってしまった。そうでしょう？」

事実だったから、滋子は渋々ながらうなずいた。

「呪われてるんだ。未だにね」

「呪いだなんて！　わたしは――そんなふうには――思ってないけど」

「でしょうね。思ってはいない。だから呪いだというんです」

太い鼻息を吐いて、秋津は軽く笑った。

「我々みたいにそれを仕事としていても、ひとつの事件に長いこと憑《つ》かれてしまうってことはあります。ましてやあなたは文章を書く人で、捜査や犯罪には素人だ。それがあんな体験をしたんだから、簡単に終わらせることができないのは当然です。あるいは、一生引きずっていかなくちゃならないのかもしれない」

いいじゃないですかと言った。

「終わらないのなら、無理に終わらせることはない。そのままあなたの一部にしてしまえばいいんですよ。そうすれば、必要のないときは片付けておける。どうです、この案は」

ほかにどうしようもなかったから、滋子はちょっと笑って、そうですねと応じた。

「萩谷等君の能力について調査するなら、前畑さんが対象とするべき事案は、こっちです」

秋津は風見蝙蝠の絵のページを広げ、くるりと回して滋子の方に向けた。

「こっちはまだほやほやの、湯気が立っているような事件だ。細かい情報も取り易いし、関係者を探す手間もかかりません」

土井崎茜。その名を、滋子は心のなかで呟いた。

「等君はどうしてこの絵を描けたのか。なぜ描いたのか。それは通常の五感に基づく体験から得た知識が元になっているのか。それとも違うのか。私も少々気になります」

「秋津さんは、この件をご存知でしたか」

「報道された限りのことしか知りません。時効であることが、早い段階ではっきりしてましたからね。うちは出る幕がなかった。でも、知り合いをたぐっていけば、担当した刑事に渡りをつけることぐらいはできると思いますよ。千住南署ですよね」

「はい」

「そっちで手を打ちませんか。それとも、あくまで〝山荘〟にこだわりたいですか」

こうして解きほぐされてしまうと、急速にクールダウンしていくようだ。確かに、〝山荘〟の絵を見た瞬間から、滋子はある種の催眠術にかかったようになっていた。自分でもうすうすそれに気づいていたから時間を置いたのだけれど、催眠状態のままでは、どんなに冷却期間をとったって結果は同じだったのだ。

「いいえ。秋津さんがおっしゃるとおり、わたしは脇道にそれていたみたいです」

「それも無駄じゃないですけどね」と、秋津は破顔した。「話を聞くのに適当な人物を見つけたら、連絡します。この土井崎という夫婦は、弁護士を雇ってるんですかね」

「近所の人の話だと、そのようです」

「マスコミ対策に必要だったんでしょうね。だとすると、その弁護士にも一応、会っておいた方がいいような気がするな。事件のことを調べるわけじゃなくても、土井崎家と萩谷家のあいだに何らかのつながりがなかったかどうか調べるとなると、どうしたって踏み込まなくちゃならなくなりますから」

　滋子は急に、胃のあたりが重くなった。

「やはり、土井崎家の人たちに直にあたってみないといけないでしょうか」

「えらく気弱な発言ですね」

「正直言うと、気が進まないんです」

「しかし、萩谷家の側からだけ調べていったんじゃ、届かないと思いますよ」

「わたしは、案外簡単な結論が待ってるんじゃないかと思うんですよ。萩谷敏子さんが、何かの用事で等君を連れて土井崎家の近所へ出かけたことがあったとか」

「あるいは、萩谷敏子さんが土井崎家の誰かと知り合いだったとか?」

「ええ、そんなところです」

「それなら確かに、風見蝙蝠の説明はつきます。でも、茜の遺体が埋められていたことまではわからない。近所の住人だって、誰も気づいていなかったんだ」

　そう、茜の死は土井崎夫妻だけの秘密だった。妹の誠子でさえ、何も知らされていなかったのだ。

ふと、滋子の心の片隅が騒いだ。

本当にそうだろうか。土井崎誠子は何も知らなかったのだろうか。彼女は両親から、姉についてどんな話を聞かされていたのだろう。それを不審に思ったことはなかったのか。

「半端なアプローチなら、しないほうがましですよ、前畑さん」

秋津は痛いところを突いてくる。

「ノートを返して、萩谷敏子さんにこう言えばいい。わたしにはこういう調査はできません。どなたかほかの方に頼んでみる方がいいと思います、とね。あるいは、そもそもこういう調べごとそのものが難しいですよと言い聞かせてあげるのもいい。等君はもしかしたら、普通の人にはない能力を持っていたのかもしれない。お母様がそう信じるのならば、それが真実ですと。いちばん、いい供養だ」

滋子は微笑した。「秋津さんは変わりませんね」

「へ？　そうですか」

「現実派です」

「本当の現実派なら、そもそも超能力の可能性そのものを笑い飛ばすんじゃないですか」

二人で笑った。

「人間は、時にとんでもないことをやらかす生き物です」と、彼は言った。「普通の神経ではやれないことを、平気でやってしまうことがある。それもまた異能でしょう。だから私は、もっと別の種類の異能が、同じ人間という生き物のなかに隠されていても不思議はないと思います。科学者の意見は違うでしょうが、幸い、私はただの刑事なのでね」

「わたしもただの物書きです……」

「だけどどちらも、生身の人間と向き合わなくちゃならない商売だ」

秋津は一段と張りのある声で言い切った。

「嫌ならやめればいい。誰に遠慮することもありません。でも、ほんのちょっとでも気が動いたのは、この等君という子供が、前畑さんの心のなかの何かに触れて、それを揺り起こしたからだってことは、否定しないでほしい。それがまあ、なんといいますか、私の感想ですかね。あくまで感想。助言じゃないですよ」

グラスを持ち上げ、溶けかけた氷と一緒にアイスコーヒーを飲み干して、

「ところで、前畑さんも煙草やめたんですか」

「は？　ええ、三年ぐらいになります。秋津さんも？」

「禁煙六カ月目なんですよ。割とスムーズにやめられたような気がしてたんですが、こういうときは吸いたくなりますねぇ」

八年前、凍るような夜に〝山荘〟で出くわした時、秋津にもらい煙草をしたことを、滋子は思い出した。

秋津とは、また上野の駅前で別れた。滋子はそれから、特に目的地を定めるわけでもなく、小一時間歩いた。気づいたら秋葉原駅の近くにいたので、そこから電車に乗った。

歩いているあいだじゅう、思考はあちらへ揺れ、こちらに揺れ戻り、ときどき白紙になって、たまに止まった。スナップ写真の萩谷等の笑顔が浮かぶこともあれば、土井崎家の焼け跡の地面に、白く記された人形《ひとがた》を思うこともあった。

滋子は以前、野崎と恵に向かって、この調査は萩谷敏子の〝喪の仕事〟の手伝いだと言ったことがある。それはとてもきれいな説明だったし、事実その場の気持ちに曇りはなかった。が、こうして少し離れてみると、ずいぶんと言い訳くさい台詞《せりふ》だったなと思えてくる。事に深入りせず、同時に、敏子に対しても優しくふるまうことのできる、格好の口実だった。

本当は、そんなことは不可能なのだ。どんな形のものであれ、誰のものであれ、「死」を扱うとき、自分だけ傷つかないような距離を保つことなどできない。深入りしないやり方などない。秋津は、彼一流の軽い表現ではあったけれど、つまりはそれを示唆《しさ》したのではないか。

電車がひと駅進むと、帰ったら敏子に電話して、この調査は自分には難しくて引き受けられないと告げよう、と思う。次のひと駅進むと、そんなことをしたら絶対に後悔すると思い直す。それを繰り返した。

どうしてあたしは、この件に引っかかったのだろう。秋津は、萩谷等の何かが滋子の心に触れて、揺り起こしたのだと言った。それは何だろう。滋子のなかで、何が起き出してしまったのだろう。

降車駅で降りて、改札を抜けた。いつもなら立ち寄るスーパーも商店街もただ通り抜け、淡々と同じリズムで歩いた。

前畑鉄工所の看板と、工場の後方に隠れるように立っている我が家が見えてきた。

我が家。昭二と二人で家庭を営む、今となっては滋子の唯一無二の「家」だ。

足を止め、滋子は古い木造家屋の瓦屋根を仰いだ。

良い思い出も、悪い思い出も、等しくこの屋根の下に保管されている。昭二と過ごしてきた年月が、この家のなかにしまいこまれている。

土井崎家のあの家だって同じだったはずだ。土井崎夫妻の、土井崎親子の、土井崎姉妹の良い思い出と悪い思い出。

ただそこには、常に茜の死体も一緒にいた。

焼けて半壊したあの家は、何もかも知り、何もかも呑み込んでいた。

あたしは、それを知りたい。あの家が知っていたことを知りたい。唐突に、滋子は悟った。それがあたしを動かしているのだと。

土井崎家の人びとが、なぜその人生を選んだのか。なぜあんなことが起こったのか。あんなことが起こってもなお、刑事事件としての時効が成立するだけの年月、秘密を守り通せたのはなぜなのか。

そして、なぜそれを萩谷等が知り得たのか。

あたしは知りたい。謎を解きたい。そんな資格なんかない。権利もない。同じようなことをして、手痛い失敗をした過去もある。なのに、あたしはまだ懲《こ》りてない。

懲りてないことが恥ずかしいから、もっともらしい言い訳を必要としていた。

萩谷敏子のためなんかじゃない。自分のために、滋子は起きたのだった。

身勝手なものだ。恥ずべき野次馬根性だ。どうしてあたしはこんな厄介な性分を持ち合わせているんだろう。

夕焼け空の下、突っ立ったまま目をつぶり、滋子は深く呼吸をした。

仕方がない。もう一度、もういっぺん、この厄介な前畑滋子と付き合ってみよう。何が自分を動かしているのか知るためには、動いてみなくてはならない。

その晩、一人きりの簡単な夕食を済ませると、滋子は萩谷敏子に電話をかけた。

敏子は勤めから戻ってきたばかりだった。少し長いお話になるので、ご都合のいいときにかけ直すと言うと、かまいませんかまいませんとあわてる。

「先生、何かあったんでございますか」

「そういうわけではないんです。今後のことでご相談しようと思いまして」

萩谷さん――と、これがあらたまった話であることが伝わるように、滋子は声を強くして呼びかけた。

「等君が描き残した絵が何を意味していたのか、等君がどうしてあんな絵を描いたのか、今でも本当に知りたいと思っていらっしゃいますか」

いつもは滋子の言葉尻を追いかけるように返事を寄越《よこ》す敏子が、さすがに雰囲気の違いを感じ取ったのか、ためらうように間を置いた。

「と、おっしゃいますと先生」

「わたしは、等君の能力について本腰を入れて調べたいと考えているんです」

「それはとても、有り難いことです」

「でもそうなると、今までよりもっともっと詳しく、いろいろなことを伺わなくてはなりません。萩谷さんがお話しになりにくいようなことでも、質問することになると思います」

「それは……どうしてでございましょう」

滋子は説明した。等が土井崎茜の事件を描いたらしいあの絵、風見蝙蝠のついた屋根の下に眠る、灰色の少女の絵が鍵だということを。

「等君は何かしらの特殊な力を使ってあの絵を描いたのか。それとも、何かの理由で土井崎家のなかで起こったことを知っていたから、それを絵に描いただけだったのか」

事実はふたつにひとつです、と滋子は言った。

「でも、等君が亡くなってしまった以上、彼の特殊な能力を、実験や検査で確かめることはできません。わたしにできるのは後者の可能性――等君が土井崎さんのことを知っていたのではないかという可能性を調べることだけです」

案の定、敏子はつんのめるように言い出した。「先生、それはありません。事件が明るみに出たとき、等はもう死んでいました」

「わかっています。でも、事件が発覚する以前に知っていたのかもしれないでしょう？　茜さんが殺害されて埋められたのは、十六年も前のことなんです」

「そんな先生、等は小学生ですよ」

敏子は笑い出した。滋子はきっぱり言い聞かせる。

「もうすぐ中学生になるところでした。一年生や二年生の小児とは違います」

「だって先生、あの子は一人で遠出したこともいっぺんもなかったんですよ。いつもわたしが一緒でした。二人暮らしでしたもの、わたしよく知っています。わたしが知らないことを、等だけが知ってるなんて、そんなことあるわけがないです」

「あなたがそう思い込んでいらっしゃるだけかもしれませんよ、萩谷さん」

敏子は返事をしない。

「等君には、等君の世界があったはずです。等君だけの人間関係もあったはずです。そこには、母親であるあなたも知らない部分があった。親子ってそういうものじゃありませんか」

おろおろしている気配が伝わってくる。

「その部分に、等君が描いたあの絵の謎を解く鍵が隠されていると、わたしは思います。それを調べるためには、事の上《うわ》っ面《つら》を撫《な》でるだけでは足りません。時間も手間もかかりますし、さっき申しましたように、萩谷さんのプライバシーに踏み込むようなことも、わたしは伺わなくてはなりません」

決然と、わざと少しばかり脅《おど》しつけるような口調を、滋子は保った。

「それでもよろしいでしょうか。それでもまだ、萩谷さんはわたしにこの件を任せてくださいますか」

かなり長いこと、呼吸音だけさせて敏子は黙っていた。滋子も待った。

やがて、細い声でこう尋ねた。

「先生？」

「はい」

「そうしますと……あの、土井崎さんの、あの殺されたお嬢さんとおうちの方のことも、先生はお調べになるんですか」

「そうなります。彼らの誰かが、意外な形で等君とつながっていたという可能性が考えられますからね。あくまで仮説のひとつとしてですが」

「きっと……お辛《つら》いですね、土井崎さんのおうちの方は」

やっぱりこの人は優しい人だと、滋子は思った。

「そうですね。でも避けては通れません」

「先生もお辛くはないですか」

「わかりません」

あっさりとその言葉が口にのぼり、滋子は自分でも驚いた。

「無責任に聞こえるでしょうけれど、今はまだわからないです。正直に申しますと萩谷さん、わたしは今、中途半端な形でこの件から手を引く方が、辛いように感じています」

場違いにも、感じ入ったようなため息をついて、敏子は言った。

「先生はお仕事熱心なんですね」

滋子は笑ってしまった。「いえいえ、そういうことじゃないですよ。萩谷さん、わたしは等君のことで何か書いて発表しようとか、そんなことは一切考えていません」

「まあ、じゃあどうして」

「ただ知りたいんです。等君のことを。本当のことを」

「それじゃ、あの」

まごまごと言葉を選んだ挙句ではあるが、萩谷敏子は、彼女が世間で思われているよりも、彼女自身がそう思い込んでいるよりも、はるかに聡明であることを実証する言葉をぶつけてきた。

「もしもわたしが、そんな大変なことになるならわたしはもう先生に何もお頼みしませんと申しましても、先生は調査をお続けになるんでございますね？」

はい——と、滋子は答えた。

「ですから、さっきの質問は撤回です。それでもお任せくださいますかではなくて、それでも協力していただけるでしょうかとお尋ねするべきでした」

意外なことに、敏子はやわらかく笑った。

「わたし、昔先生のお書きになったものを読んで、同じ女なのに、なんとまあ頭のいい人だ、勇気のある人だと思ったものです」

「痛み入ります」

「少し恐れ入っておりました」

「それは買い被《かぶ》りですよ、萩谷さん」

口調のなかに笑みを含んだまま、敏子は言った。「先生、わたしには難しいことはわかりません。けども、わたし――バカな母親だとお思いでしょうけれども、等のこと、まだ思い出していたいです。いろいろ、思い出していたいです」

お察ししますと、滋子は心のなかだけで言った。

「ですからあの、どんな理由でも、先生が等のこと考えてくださるなら、わたし、先生のお手伝いをしたいです。このお返事でいいんでしょうか。これで伝わりますか」

「充分です。ありがとうございます」

敏子の声が、涙で割れた。

「等のこと、わたしも知りたいんですよ、先生」

敏子は今きっと、仏壇に目をやっているはずだ。

「思い出せることはみんな思い出したいし、あとからでも知ることがあれば、みんな知りたいです。でも、なかなかそうはいきません」

泣き笑いになっている。

「わたし今でも、等のこと、よく話すんですよ。スーパーでも話しますし、近所の人との立ち話でも、ついつい口に出しちゃうんです。皆さん、聞いてくださいます。でもね先生、やっぱりそれは死んだ子の歳を数えることで、皆さん、顔にそう書いてあるんですよ。ああ気の毒だなぁ、だけどしょうがないよなぁって。今はまだそれでもよくってもね、日が経つと、わたしだんだん、パート先や近所の皆さんの迷惑になるんでしょう。けども先生、わたしまだまだ、等のこと思い出すの、やめられないんです。ずっとやめられないです」

滋子は黙って受話器を握り締め、聞いていた。もしもそばにいるなら、敏子の肩を抱いてやりたかった。

「やめられませんから、先生のこと、お手伝いします。させてください」

「萩谷さん」

「はい？」

「ありがとうございます。でも、いつかそれが辛くなるときが来たら、遠慮しないでそうおっしゃってください。約束ですよ」

「はい、わかりました。お約束いたします」

電話の向こうで、敏子が洟《はな》をかんでいる。彼女が落ち着くのを待って、滋子は呼びかけた。

「萩谷さん、いろいろお伺いすることがあるんですが、今はひとつ、簡単な質問をさせてください。等君を連れて、土井崎家の近くへ行ったことはありますか。北千住の駅から歩いて二十分ぐらいの場所です。あの辺りへ、いつでもいいです、等君と出かけたことはありますか」

まったく迷うことなく、敏子は答えた。「ありません」

「ではもうひとつ。あなたご自身が、土井崎家の誰かと知り合いであるとか、昔何かの形で知っていたとか、そういうことはありませんか」

今度も即答だった。「ありません、先生。そんなことがあったなら、わたし覚えています」

「蝙蝠の形をした風見鶏を見たことはありますか。どこでもかまいません。お店で見かけたというだけでもいいんです」

「ございません。風見鶏というものの、本物を見たことはないように思います」

「わかりました。遅い時間にすみませんでした。どうぞお寝みになってください」

先生も——と言って、敏子が先に電話を切った。

滋子はゆっくり風呂に入った。出てきて髪を拭いていると、電話が鳴った。昭二からだった。何も変わったことはないかというので、何もないよと、明るく答えた。そっちはどうと、しばらく他愛ないことをしゃべった。


次の一週間ほどを、滋子は、本格的な調査の準備作業に費やした。

まず真っ先にやるべきは、滋子が萩谷等問題にかかずらうことでノアエディションにかけてしまう時間的・物理的迷惑を、できる限り縮小するための手当てをほどこすことだった。具体的には、野崎と恵に、これまで滋子が請け負ってきた業務の一部を引き渡す相談である。

二人とも、嫌な顔をせず相談に応じてくれた。おかげで滋子は、週に最低でも一日は、自由に調査活動をする時間を工面《くめん》することができるようになった。

「何か知らんけど、えらく闘志を燃やしてるね」

野崎はそう言って滋子をからかった。少し案じているようにも見えた。

「あたしにできることがあれば、何でもやりますよ！」

恵は、滋子の分の仕事を代わるだけでなく、調査の方も手伝うと言い出した。

「やめときな。かえって迷惑だ」

「え〜、どうして？」

「どうしてなんて訊かなくちゃわかんねぇなら、なおさらだ」

「わがまま言って申し訳ありません」滋子は二人に頭を下げた。

「別にいいよ。ただ、調査の方が興に乗ってきたからって、うちを辞めないでくれよ。それだけは勘弁な」

釘を刺しはしたものの、野崎はそれ以上何も尋ねようとしなかった。

次に滋子は、大まかなスケジュール表をこしらえた。萩谷等についての調査を、どの角度からどう進めるか。まず何をやるべきか。何を調べ、誰に会うべきか。最初は思いつくそばから書き出してゆき、ある程度書き尽くしたところでそれを整理する。

カレンダーを横目でにらみながらの作業となったのは、滋子が仕事を持つ女性であると同時に家庭の主婦でもあるからだ。仕事と取材活動をしながらでも、衣替えはしなくてはならない。

そして三番目が、基礎知識を得ることだった。「サイコメトラー」という言葉でネットの検索をかけてみると、思わずのけぞるほど多数のページにヒットした。そのなかには、ちらっと見ただけで必要ないと判断できる種類のものもあったが、この分野にはほとんど素人の滋子には、貴重な情報が多かった。下準備で読んだ本ではカバーしきれず、参考文献としてあたらねばならない書籍や雑誌のバックナンバーを書き出してゆくと、長いリストになった。入手の容易なものもあれば難しいものもあり、やっと手に入れたのに、読んでみたらはずれというものもあった。

できれば会って話を聞いてみたい人物のリストも作った。こちらはほんの数人だった。全体として、初めてここに踏み込んだ滋子が抱いた印象は、サイコメトラーであれ何であれ、一般に「超能力」と称される人間の特殊能力について、まとまった科学的実験や実証・研究は、ほとんどなされていないらしいというものだった。

出張から帰ってきた昭二には、「今までよりちょっと気合いを入れて」等君のことを調べるからねと説明した。簡略に過ぎる説明ではあったが、彼には充分通じたらしい。何より、滋子が二階の書庫を書斎として使い始めたことと、そこに積み上げた目新しい本や雑誌のコピーのファイルを見ただけで、昭二は納得したらしい。

「ま、ガンバレや」と鷹揚《おうよう》に言った。

上海土産だと、彼は滋子にチャイナドレスを買ってきた。今回同行した通訳の女性が、滋子の年齢とだいたいの体型、容姿を聞いた上で選んでくれたのだという。

が、残念ながらそのドレスは滋子には小さすぎた。昭二は大いにがっかりした。

「駄目かぁ～。ゼッタイ似合うと思ったのによ」

「ごめんね。でも昭ちゃん、あたしの体型に幻想を抱いてない？」

「ンなことあるかよ。俺はちゃんとスリーサイズを言ったんだ」

「いくつ？」

「だからさぁ」もごもごと昭二が並べた数字は、滋子の十年前のサイズであった。

「時は流れるんだよ。無常だよ、昭ちゃん」

でもとても美しいドレスなので、滋子はそれを大事に箪笥《たんす》にしまいこんだ。ダイエットの目標にしよう。いつかダイエットをするときが来たらの話だが。

秋津からは、水曜日に連絡をもらった。

「メモ取ってくださいよ」という。彼の背後には何やらにぎやかな人の声が入り乱れていた。

まず、千住南警察署刑事課の野本《のもと》という刑事。

「土井崎夫妻の取り調べにあたった担当官の一人ですよ。偶然ですが、うちの班の若いのと警察学校で同期だっていうんでね。ちょうどよかった」

「じゃ、この野本さんもまだお若い方ですか」

「三十歳になったかならないか」と言って、秋津は電話口を離れ、その場の誰かに大声で呼びかけた。

「おい、マサル。おまえいくつだった？」

少し離れたところから、秋津より若い声がこう応じるのが聞こえてきた。

「二十七ですけど」

「――だそうです」秋津が電話口に戻ってきて言った。

「ぴちぴちですね」

「ヒヨコですよ、ヒヨコ。先方にはもう話を通してあるんで、都合がつけばいつでも会ってくれるはずです。もっとも、詳しい事情は話してないので、前畑さんが何のために調べてるか聞いたら驚くでしょうけど」

土井崎夫妻が雇った弁護士もわかった。新橋に事務所を持つ高橋雄治《たかはしゆうじ》という弁護士で、所属は第二東京弁護士会だという。

「名簿を見ると、我々と同年代の先生ですよ。写真の感じでは、私みたいに腹の出たおっさんじゃなさそうです。でも気の毒なことに額があがってる。つるっとね」

「時は流れます。無常ですよ、秋津さん」

「それだと、中年の嘆きも高尚に聞こえるなぁ」

高橋弁護士には、千住南警察署の誰も接触していないそうだ。土井崎夫妻が弁護士を頼んだのは、警察が手を引いた後の取材攻勢を切り抜けるためだったことが、ここからもわかる。

「だから、この先生のことはサツ廻りの記者から聞いたんです。けっこう手強かったらしいから、心してかかるんですな」

滋子は野本刑事と高橋弁護士の名前を、取材スケジュールの上部に書き入れた。

しかし、いの一番に時間を取るべき対象は、やはり萩谷敏子である。出発点に戻って再スタートだ。

今度こそ萩谷家のすべてを、くまなく知る必要がある。とりわけ、等の出生について尋ねなくてはならない。血縁はイコール人間関係だし、等がどういう子供だったのか、できるだけ正確に知るには、避けて通れない事柄だ。

敏子に気持ちを固めてもらうため、滋子は事前に電話でその旨を説明した。

「萩谷さん、これまでお伺いした限りでは、等君のお父さんのことについては、何かご事情があるのか、あまりお話しになりたくないようにお見受けしたんですが、それはわたしの勘違いでしょうか」

いいえ――と、敏子は弱い声で答えた。

「いろいろと、ございまして」

「申し訳ないのですが、これからはお聞かせ願うことになります。もちろん、けっして他言はいたしません」

「必要なんですものね？　そうですよね先生」

「はい、必要です」

滋子はきっぱり言った。ここで手加減してはならない。

「萩谷さん。あなたと等君の戸籍と住民票はどのようになっていますか」

「どのようにとおっしゃいますと」

「住民登録は、今お住まいの住所になっているんですよね？　市や県からいろいろな通知が届くでしょう？」

「あ、はいそうです」

「戸籍もそこで登録を？　あるいはほかの場所ですか」

「たぶん――ここになってると思います」心もとない口ぶりである。「そのはずです。わたしら、あの、家の方には置いてもらえませんでしたから」

　確かに、「事情」がぷんぷん臭う。

「それでしたら、お気が進まなければわたしには見せなくても結構ですから、あなたのご記憶を確かにできるように、戸籍謄本と除籍謄本と住民票を取っておいていただけませんか。除籍というのは、亡くなった等君の戸籍もそうですけれど、今の場所に移す前の籍のことです。ですからあなたご自身のものもあるはずです。本当に申し訳ないのですが、あなたの血縁やご親族にどんな方がいて、等君と接触する可能性があったのか、わたしは詳しく知らなくてはなりません。お願いします」

　わかりましたと、敏子は消え入りそうな声を出した。市役所の窓口で、過去に住んでいた場所を全部確かめたいんだと言えば、係員が申請書の書き方を教えてくれるからと、滋子は彼女を励ました。

　こうして、仕切り直しの第一歩の会見に、滋子が萩谷敏子のアパートを訪ねたのは、さらに翌週の月曜日のこととなった。関東地方は梅雨に入り、傘を手に船山駅に降りた滋子の肩に、ＩＣレコーダーと取材帳の入ったバッグが重かった。

　敏子は、心配していたほど困ったり怯《おび》えたりした様子ではなく、むしろさっぱりしたような顔で滋子を迎えてくれた。

「必要な書類は、みんなもらえました。窓口の女の方がとても親切で」

滋子がまだ腰をおろさないうちに、市役所名の入った封筒をいくつか持ってきて、嬉しそうに見せた。それからあわててアイスコーヒーをいれてくれた。

聞き違いを防ぐためだと録音機を見せても、敏子はもう怯《ひる》まなかった。滋子は、等の仏壇に手を合わせながら、お母さんには何か心境の変化があったのかしらと、こっそり問いかけた。ごめんなさいね、お母さんを悩ませるようなことを持ちかけて。でも、これはまだ始まったばっかりなのよ。

「わたしのことも等の生まれのことも、お話ししにくいのは、みっともない身の上話になるからなんです」

少しうつむいて、敏子はとつとつと言った。

「けども、そんなこと気にしてたら、先生にお頼みした甲斐がありませんものね。先生みたいにちゃんとした方から見たら、わたしの人生なんか、何から何まで恥ずかしいことばっかりですから、今さら決まり悪がったり隠したりしたってしょうがないって、等に笑われてるような気がしまして」

「わたしの人生だって、ゼンゼンちゃんとなんかしてませんよ。大きな失敗もありましたし」

「でもほら、先生はお仕事なすってるでしょう。世の中のためになるような立派なお仕事です」

それにも異論があったが、滋子は微笑《ほほえ》んで何も言わないことにした。

「等には、父親がおりません」

きちんと正座し、両手を膝に置いて、敏子は始めた。

「あの、それはもちろんいるんですけれども、認知してもらえなかったんです。といいますか先生、本当のところを申しますと、父親が誰だかわからないということもございまして」

驚いて問い返したり、驚きを顔に出すことそのものも控えようと構えていた滋子だが、これにはさすがにちょっとたじろいでしまった。

「おわかりに――ならない？」

「はあ。ホントに恥ずかしいことで」

荒れた手を、敏子はもじもじと動かしている。

「わたし、生まれたのは板橋です。父親があちらで商売をしてまして、でもあんまり上手くいきませんでね。わたしが二歳だか三歳だかのときに、父の実家を頼って行徳《ぎょうとく》へ移ってきたんです。そのころはまだ、あのあたりは夏になると潮干狩りのできるようなところで、父の実家というのは小さい食堂でしたけれども、わたしそこで、中学を出るまで育ちました」

萩谷敏子は一九五二年の生まれである。一九五〇年前後の板橋区の様子など、滋子にはとんと見当がつかない。現在のような住宅地ではなかったろうと想像するのが精一杯だ。

「これがその、板橋の方の除籍謄本です」

戸籍上の住所の表記は登記簿などと同じ住居表示なので、少し読みにくい。それに、滋子は住所よりも、敏子に四人の兄弟姉妹《きょうだい》がいることに目を惹かれた。兄が一人、妹が二人、弟が一人。敏子は五人兄弟姉妹の長女なのである。

「どのあたりになるんでしょうか」

「川越街道沿いの、あの、環七との交差点の陸橋のあるところがありますよね。あの近くだったらしいんです。わたしは何しろ小さいときに離れてしまったんで、よく覚えてないんですが」

「当時はまだ、今のように住宅が建て込んでいるような場所ではなかったでしょうね」

「はい、野っぱらも畑もありましたねぇ」

「そこでお父様はどんなご商売を」

「何ですか、燃料の方の――」

「燃料？　川越街道ということなら、たとえばガソリンスタンドみたいなものでしょうか」

「さあ……」敏子は困ったように首をすくめた。「すみません、わたしは覚えていないんです。それで失敗したのは、父にとってはよっぽど悔しいことだったみたいで、家のなかで当時の話が出ることもめったになかったんですね」

滋子は目を細めて謄本を見た。老眼鏡の出番だ。

敏子の父親は萩谷義一《よしかず》という。一九三〇年の生まれだ。母親は和子《かずこ》。夫より二歳年下である。

「父には兄さんと姉さんが一人ずついたんですが、わたしはどっちも知りません。兄さんは南方で戦死して、遺骨も戻らなかったそうなんです。姉さんは戦後間もなく病気で死んだとかで。栄養失調だったかもしれないです」

二人とも出来のいい人たちだったらしいんですよと、敏子は苦笑いをして身を揉んだ。

「兄さん――わたしからしたら伯父さんですけども、学問にできたそうで、どんな偉い学者になるかって、お祖父《じい》さんはえらい期待してたみたいです。けども戦争でとられてしまって、そりゃがっかりしてましたねぇ。うちの父は学校の方はぜんぜん駄目だったんで、おまえなんかが残ったってしょうもねぇって言われてました」

自分のことのように恥じ入って、敏子は手で口元を押さえる。

「お祖父さん、酔っ払うとよく繰り言言って、しまいにいつも父と喧嘩になってました。二人の折り合いは良くありませんでした」

現在五十三歳の萩谷敏子から一代遡るだけで、太平洋戦争が残した爪痕《つめあと》がひょっこり出てくる。戦後どころか、昭和さえもう遠くなったというのは錯覚に過ぎない。

「父が行徳の家を出て自分で商売を始めたのも、お祖父さんへの面当てっていうんですか。今に見てろってのがあったんだろうと思うんです。もちろんわたしは知りませんから、後になって母や兄から聞いたんですけども」

祖父の名は萩谷巌《いわお》だ。頑固そうな名前である。

「それにしても思い切って違う場所に行ったものですね」

敏子は笑い出した。「でしょう？ 母が言うには、騙《だま》されたんだって」

「騙された？」

「はい。これから板橋の方はひらけるよって、誰か口の巧《うま》い人にね。ほいほいそれに乗っちゃったんでしょう。わたしは覚えてませんが、兄が言うには、最初のうち、誰か一緒に商売やってた時期もあったみたいですし」

「お仲間ですかね」

「はい。父は尋常小学校しか出てませんし、帳簿の付け方もわかりません。実家に戻ってからも、とうとう覚えませんでしたね。そういうことは全部母がやってました。だから、一人でイチから商売始めるなんて、無理だったろうと思います」

責めるような口調ではなかった。懐かしそうな目をしている。

「父は戦時中こそ軍需工場で働いてたらしいんですけど、だいたいが怠《なま》け者でね。骨惜しみせずに働くって人じゃなかったんです。何かこう、ぱあっと儲《もう》けることばっか考えてました。そういう人ってのは、旨《うま》い話に弱いでしょう。ああ、これも母がこぼしてたことですけども」

「お母様、和子さんですね」

「はい。喧嘩ばっかりしてる夫婦でした。わたしらの年代の親は、おおかたそんなもんだったかもしれないですけどね。生活がきゅうきゅうでしたもの。お金持ちのところは別なんでしょうが」

ちょっとまばたきをして、照れ笑いの顔になった。

「あらまあ、こんなことしゃべっても、何の役にもたちませんわね。とにかく、わたしら父の実家に戻って、食堂を手伝ってました」

そちらの商売はそこそこ成功しており、夏場には潮干狩り客のための海の家を開いて、大勢の客が集まったことを、敏子は覚えているという。

「上の兄――あ、この松夫《まつお》という兄です」

長男・萩谷松夫。一九五一年生まれだ。

「よく手伝ってましたよ。かき氷をつくったり、イカを焼いたり」

「あなたもお手伝いをしたんですか」

「忙しいときは総出でした。昔は、子供もよく働いたもんでした、先生」

滋子と敏子はちょうどひとまわり歳が違うのだが、話だけ聞いていると、敏子がひどく年長に感じる。

不本意ながら、ほかに詮方《せんかた》もなく実家の食堂を営む萩谷義一は、それでも今度は商売を仕損じることはなかったようだ。

「貧乏でしたけど、わたしら五人の子供をちゃんと育ててくれたんですから」

役に立たない話だと言いながらも、スイッチが入ったのか、ひとしきり敏子は昔話をした。萩谷の家は、そもそもは木更津《きさらづ》の漁師で、祖父の巌が行徳へ移ったのは戦後のことだという。

「食糧難のころでしたから、最初は食堂なんかじゃありませんわね。闇屋ですよ闇屋。こっちでいろいろ仕入れて、東京へ売りに持ってってって。担いでね。食べ物商売は、朝鮮戦争の始まったころですか、世の中がだんだん落ち着いてきて、景気もよくなってからですね、まあ売り物があるんで、ついでに始めたんだって聞いてます。ですから、割と早いうちからお酒も出してました」

「食堂というか居酒屋というか」

「そうですね」敏子はうなずく。「お祖父さんは、自分で飲む方も多かったですけど」

威張り酒だったと、笑いながら言い足した。

「酔っ払うと、萩谷の家系を自慢するんですよ。うちはただの漁師じゃねぇ、もっとうんと遡ると、祖先は房総の郷士というんですか、その土地の武士で、領地を持っていて」

「はい、はい」

「名字も〝矢作《やはぎ》〟だったっていうんですよ。それがまあ、江戸時代になって戦《いくさ》がなくなって、網元というんですか、そういうのになるときに、武器つくりの名前ってのは恐れ多いから、はぎやに変えたそうです。萩谷っていうのはそこに後からあてた字だから、本当ははぎたにって読み方も違うんだって。どっちにしたってお祖父さんの話だけで、系図も何もあるわけじゃないですから、どこまで本当かわかりませんけど」

「そういうお祖父様だから、戦死したご長男の学問ができたことも自慢だったと」

敏子は大きくうなずいた。「いっつも比べられて、うちの父は可哀相だったかもしれないです。死んだ人には勝たれませんものね、誰も」

萩谷巌が食堂を始めたのが朝鮮戦争勃発のころだとすれば、一九五〇年である。義一の長男の松夫が五一年、長女の敏子が五二年に生まれ、そのときはもう義一と和子夫婦は板橋にいたというのだから、つまり義一は、父親の食べ物商売をやる気がなくて実家を出たという解釈ができるが、自分の商売は失敗に終わり、すごすご戻ってきて、結局は手伝うことになったわけだ。

滋子は乏しい現代史の知識を絞った。一九五〇年というと――昭和二十五年。当時の大蔵大臣だった池田勇人が、「貧乏人は麦を食え」という有名な失言をしたころじゃなかったか。この国はまだまだ復興の途上にあった。が、いわゆる朝鮮特需で、日本経済はここから急速に勢いづいてゆく。

配給制度も、そのころはもうなかったか。外食券は要ったか。もうちょっと身を入れて、自分の親の昔話を聞いておけばよかった。それにしてもさっきの、「燃料の商売」と聞いて「ガソリンスタンドか」と問い返したのは間抜けだった。一般向けの燃料といったら、あの当時なら木炭だの練炭だろう。大型トラックによる運輸運送業が花開くのも、マイカー・ブームも、まだまだ先の話なのだから。

何となく、目に浮かぶような気がした。戦争が終わり、社会が立て直されてゆくなか、もう漁師に戻る気はさらさらなく、闇屋の延長線で、まあこれからやるなら食い物商売が安全だろうという父親と、もう少し野心を抱いていて、これから必ず大きな需要を得るであろう家庭用燃料の商いに手を出そうとした息子と。しかもこの息子は、父親にバカにされ続けてきた屈折を抱えていた。

しかし、試みはあっさり失敗した。実際、萩谷義一は彼よりもっとずる賢い誰かに騙されたのかもしれない。起業詐欺はいつの時代にも存在するが、社会が一新され、これからはすべてが右肩上がりになってゆく、我々が右肩上がりにしてゆくのだという、誰もがいわば青雲の志を抱いていた昭和のあのころには、その盛り上がる機運に付け込む悪い奴らが大勢いたはずだ。

両親の住む実家に妻子を連れて戻った義一は、いっそう複雑に入り組んだ怒りと挫折感を抱いたことだろう。

萩谷食堂がどんな献立を出したのか、想像すると可笑しいような悲しいような。やがては海水浴客や潮干狩りを楽しむ人びとが押し寄せるようになる土地に、食べ物商売は存外正解だったわけだけれど、お客でにぎわう海の家を営みつつ、義一はそれを喜んでいたろうか。

「そうすると、お父さんの義一さんは、お祖父《じい》さんに頭が上がらなかった感じですね」

敏子はぽんと手を打った。「ええ、はいそうでした。先生のおっしゃるとおりです」

「で、奥さんの和子さん——あなたのお母様は、そういうお父様と喧嘩ばっかりしていた、と」

「父は母にも頭が上がらなかったんです」と、敏子は笑み崩れた。「板橋の方で失敗して、そりゃもう母には苦労をかけましたし、どうやら失敗の尻拭《しりぬぐ》いも、ぜんぶ母にやってもらったみたいだったんですよ。ですから、ねぇ。いやもう、母は気の強い人でしたし。でも、父もけっこう、そういう母に頼ってました」

滋子はふと、以前取材で会ったある人物の言葉を思い出した。人間の幸福も不幸も、本人が決めるのではない。まわりにいる者が決めるのだ、と。

そこそこ目端《めはし》は利くが、経験がないから足元の危うい義一には、気丈なしっかり者の妻がいた。さらには、図抜けた商才はなくても、身体で商売を学んできた父親もいた。義一はその二人のあいだに狭まって人生を送った。幸せも不幸せも、決定権はとうに彼の手のなかから取り上げられていた——。

そういう両親のもとに、敏子たち五人の子供は生まれ育ったわけだ。謄本を見て彼女の兄弟姉妹の名前と生年月日を確認し、今現在の年齢をメモしてみた。

長男　松夫　五十四歳
長女　敏子　五十三歳
二女　孝子《たかこ》　五十歳
三女　光子《みつこ》　四十七歳
二男　高志《たかし》　四十六歳

彼らの近況と敏子との付き合いがどうなのかは、おいおい尋ねることにして、

「お祖父様の巌さんは、さすがにもうご存命ではありませんよね？」

なぜかしら一瞬ためらってから、敏子はうなずく。

「一九六五年だったですかね、六年だったかしら。わたしらが行徳へ行って、十年は経ってたと思います。卒中でした。大酒飲みでしたから、先生」

一方、祖母が亡くなったのは二〇〇〇年秋だという。

「お祖母《ばあ》様は、じゃあ相当な長命で」

「はい、百歳ちょうどでした」

敬老の日に、自治体からの祝い金をもらった直後に倒れて入院し、数日後に亡くなったそうだ。

「老衰でした。もらうものはちゃんともらってから死ぬなんて見上げた根性だって、ご近所で感心されたり笑われたり」

滋子は謄本を見た。「萩谷ちゃさん。この方ですね」

「そうです、はい。亡くなる四、五年前から身体が弱って、寝たり起きたりでしたけれども、頭

は最後まではっきりしてました」

「刀自《とじ》さんですね」

敏子はきょとんとする。「は？　何ですか先生」

「あ、ごめんなさい。とじ。家政を仕切るご婦人のことですよ」

「ああ～」軽く拳《こぶし》を握り、それを口元にあてて、敏子は考える。

「そうですねぇ。お祖母ちゃんが仕切ってたですかね。ええ、そうだったかもしれないです」

一人でうんうんとうなずいている。滋子はふと、敏子の恥ずかしがっていた「事情」の一端――その始まりのようなものを、その仕草から感じた。考えすぎかもしれないから、早合点はいけないが。

滋子の方から問うまで、祖父の巌の話はよく出ても、ちやという祖母は名前も出てこなかった。そこにも何かありそうだ。萩谷敏子は、自分の語りにくいことについては（おそらく本人も意識しないうちに）、語らずに通り過ぎてしまうクセがあるようだ。

「あなたのお父様とお母様はお元気ですか。等君のお祖父ちゃんとお祖母ちゃんですよね」

話が昔に遡ったきりになっているので、現在に戻すために、滋子はわざと等の名前を出したのだが、「お祖父ちゃんとお祖母ちゃん」という言葉に、敏子は妙にビクリと反応した。

「いいえ、あの、二人とももうおりません」

まだ七十歳代半ばのはずだ。

「二人とも早かったんですよ。父は五十五で亡くなりました。母はえーと」

指を折り、空《そら》で勘定をする仕草をして、

「五十八でしたか。父の七回忌を済ませたら、その後すぐに」

「やはりご病気で」

「え、ガンでした。父と同じです。父は胃ガンで、母は子宮ガンで。今でしたらね、早いうちに検査で見つかるし、薬もあるし、助かったんでしょうけども」

萩谷義一の没年は一九八五年。和子は九一年ということになる。

「家の商売の方は、兄が継いだんです。松夫です。といいますか、兄は高校出るとすぐにうちを手伝い始めて、何年かするともう父よりバリバリやってました。母も父より兄の意見を聞いてるくらいで。父が亡くなったころには、兄はもう所帯も持ってましたから、そのままですね、はい」

「現在もお兄様が？」

「はい」返事はすぐ来たが、敏子の表情の動きは急に鈍くなった。「おかげさまで手広くやってます」

昭和四十年代も半ばになると、東京近郊の宅地開発が盛んになる。行徳の地も例外ではない。松夫という人は、そういう時代の動きに敏感であったらしい。

「このままここで居酒屋や海の家やってても、先は見えてるって。そのうち海っぺりはみんな埋め立てられて、このあたりも住宅地になっちまうよって言いましてね」

「慧眼《けいがん》ですね。ああ、目が鋭いという意味です」

「はあ……そうでしょうかねぇ」

言葉の意味はわかったはずなのに、敏子は不得要領な返事を寄越した。また何か語られざるものがあるのを、滋子は感じた。

「それであの、移ったんですよ、浦安に」

昭和四十七年、一九七二年だ。義一は四十二歳、松夫はまだ二十一歳である。高校を出てたったの三年だ。

「お兄様の意見を聞いて、ですか」

「はい」

「働き盛りのお父様は、反対なさらなかったんですか。行徳のお店にも家にも愛着があったでしように」

ええ、それがあのと、敏子は言いよどむ。

「お祖母ちゃんが――兄の肩を持ちまして」

刀自の萩谷ちやである。そういえば敏子は、ちやのことを「お祖母ちゃん」と呼んでいる。

「地下鉄が通るとか、そういう現実的な目もありましたから、大きな駅の近くに行こうっていう考えもあったと思うんです。かといって国鉄の船山駅の近くじゃ、もう土地がそこそこ高くて手が出ませんでしたし、ですから浦安っていうのは、まあ、兄としては何か考えがあったにしろ、あてずっぽうのところも多かったはずなんです。けども、お祖母ちゃんが――」

松夫の言うとおりにしろと言ったそうなのだ。

「萩谷家を仕切っておられたお祖母様ですものね。その意見には重みがあったと」

「はぁあ、そうなんですけども……」

どうにも言いにくいらしい。

「ほかに何か理由があるんですか」

敏子を促すつもりで、滋子はやんわり問いかけた。敏子はぽっちゃりと太い腕を組み、しばらく逡巡《しゅんじゅん》してから、ため息をついた。

「何ですか、嘘っぽいと申しますか、先生、お笑いになるんじゃないかと思いまして」

「笑ったりしませんよ。おっしゃってください」

「そうですか。できすぎだって感じがしましてね。わたし、気が引けまして。なにしろ話が話ですから」

そこまで言いよどむ、何があるのだろう。

「お祖母ちゃんて人は……あの……ちょっとこう、神がかったようなところのある人だったんです」

ははあと、滋子は合いの手を入れた。それだけでわかったような気がした。なるほど！

「それこそ千里眼、ていいましょうか」

滋子の機嫌を覗《うかが》うように、敏子は上目遣いになる。

「拝み屋さんみたいなことも、ずっとやってたんですよ。よくあたるって、評判だったんです」

笑わないと言ったにもかかわらず、滋子は笑ってしまった。敏子が小さくなる。

「ねぇ、先生お笑いになりますでしょう」

「ごめんなさい。なるほど、等君のひいお祖母ちゃんは、そういう人だったわけですね」

敏子はあわてて両手をひらひらさせた。「ですけど先生、だから等も、だなんて、わたしは考えてないです。そんなこと考えて、等のことで先生にお会いしにいったわけじゃないです。ですから言いにくくって。作り話みたいに聞こえますでしょう？」

いえいえと、滋子も手を振る。「そんなことはありません。わたしも先入観を持たないようにしますから、安心してください」

要するに、萩谷家とその商いの浦安への移転は、ちやの〝ご託宣〟に裏付けられたものだったのだ。

萩谷義一は、強い父親に頭を抑えられ、気丈な妻の尻に敷かれていただけでなく、巫女《みこ》のような母の言葉にも逆らえない立場にいたわけだ。

「さっきは申し上げられなかったんですが、父が板橋の方に、その、商売に行ったときも」

「ええ、はい」

「お祖母ちゃんは、上手くいかないからやめとけって言ったそうなんです。わたしは直に聞いたわけじゃないですから、また聞きですから、わかりませんよ。でもそう言ったって、母が申してました。義一、あんたは騙されてるよ、むしられて放り出されるよって」

それは千里眼がなくても、世間知があればできる予測だろう。

「ほかにもそういうことがありますか？」

「あの……松夫兄にですね、その、兄に味方したときにですよ、その、移転のね」

敏子はしどろもどろしている。

「お祖母ちゃんが言ったっていうんです。松夫、おまえの父ちゃんと母ちゃんはそう長生きできない、還暦前に死ぬから、今からおまえがしっかり商売を握っとれ、父ちゃん母ちゃんの言うことなんか、相手にせんでいいからって」

うーんと、滋子は唸った。

「これはわたし、松夫兄から直接聞きました。兄も、そりゃあびっくりしたそうです。でも、父が本当に五十五で死んで、母も還暦が迎えられなくて、それが本当に驚きで」

「じゃ、松夫さんはちやさんの眼力を信じておられた？」

きっぱりと、敏子は深くうなずいた。「それはもう」

「ええ、信じております」

一瞬、敏子の目に強い光が宿り、それがすうっと薄れて消えた。表情が翳《かげ》った。滋子は、このちやという刀自の存在が、まず間違いなく敏子と等の人生にも影を落としているはずだと思った。

この昔話は、けっして無駄話ではない。「わたしと等は家に置いてもらえなかった」という言葉が、ちらりと頭をよぎる。

「先生、東京ディズニーランドへいらしたことおありですか」

滋子はまばたきした。「え？　はい、何度か」

「凄い遊園地ですわねぇ。あ、遊園地じゃなくてテーマパークとかいうんですか」

「等君はお好きでしたか」

「いっぺんしか連れてってやれなかったんですが」

寂しそうに微笑んで、敏子は続けた。

「浦安に移って、間もなくですかね。お祖母ちゃんがね、十年もしないうちに、この近くに大きな遊園地ができるって言ったっていうんですよ。誰も見たことないような、夢のようにきれいな遊園地で、人がたくさん来るよ、日本中から来るよって。だからそのチャンスを逃がさないように商売するんだよって」

「それも、松夫さんが聞いたんですね」

浦安市に東京ディズニーランドがオープンしたのは、一九八三年のことである。萩谷家の移転から十一年後だから、「十年もしないうちに」ではない。

でもまあ、実際にオープンするはるか以前から、土地買収の話は起こっていたろうし、地元では大きなトピックとして取り沙汰《ざた》されたことだろう。

ＪＲ京葉線が開通するまでは、公共交通機関を利用してディズニーランドへ行くには、皆、浦安を通らなければならなかった。それがあの街を大発展させる契機になったことも間違いはない。しかし、そうなるという予想は、それもまた何も千里眼を持ってない人間にだってできたはずだ。商売人ならば。

「それを聞いたからかどうかわかりませんけども、結局、松夫兄はたいそう、商売であてました」

「お父様より、ずっと大きく成功されたわけですね」

「はい。レストランとかスーパーとか、何軒も持ちましてね。今では浦安だけじゃなくて、都心にも店を出してます。たいそう羽振りがいいんです」

兄のために喜んでいるようではなく、妹として兄を自慢しているようでもない口調だった。

滋子はＩＣレコーダーのカウンターを確かめ、取材帳のページをめくった。敏子はそれを不安そうに見ている。

「お話が戻りますが、その移転があったころ、あなたはちょうど二十歳ですね。最初に伺ったお話では、あなたは中学校を出るまで行徳の実家にいらしたということですが――」

「はい、わたしは兄とは違って高校には行きませんで、中学を出ると就職しました。寮のある会社だったんで、ずっとそこにおりましたんです」

厚木にあった、大手の自動車工場だという。

「学校からの斡旋《あっせん》で就職したんです。ベルトコンベヤーの前で、一日立ちっ放しの仕事でした。おかげで足腰が丈夫になりました」

敏子が就職したころは、まだ父・義一が食堂を営んでいた。彼は、年頃の娘がこういう店での仕事しか知らないのは良くない、お前は堅い勤めをして、身持ちの堅い会社員と結婚しろと勧めたそうだ。

「それに、わたしが勤め始めたころは、松夫兄はまだ学生でしたし、下の妹たちも弟も食べ盛りでしたし、ですからわたしがお給料いただいて――」

「仕送りをして、家計を助けておられたんですね」

「大した額じゃございませんでしたが、はい」

滋子はにっこりしてみせた。「お勤めされているうちには、ご結婚の話もあったんじゃ？」

「はい……縁談をいただいたりしました。ちょうどあの、みんなが浦安へ移ったすぐ後ぐらいでしたかね」

上司から見合い話を持ちかけられたという。

「お見合い、なさったんですか」

敏子はゆっくりかぶりを振った。ちやが反対したのだ、という。

「またお祖母様のご意見ですか」

危うく〝ご託宣〟と言いそうになって、直前で言い換えた。

「敏子は勝手に結婚させるな、ろくな男をつかまんからって」

「ちやさんには、本当にそれがわかったんでしょうか」

「さあ……」

「お父様もお母様も、ちやさんのそういう意見に反対されることはなかったんですか。お兄様だって」

あ、そうか。松夫は駄目だ。ちやを信じているわけだから。

「両親は――わたしにはわたしの好きなようにさせてやってくれって、頼んでくれたこともあるんですけどもね。でも、萩谷の家ではお祖母ちゃんの言うことは絶対でしたから、はい」

「お兄様は何と」

「ばあちゃんの言うとおりにしとけって」

結局、それから二年ほどして、敏子は勤めを辞め実家に戻ることになった。

「いよいよ商売の手を広げるんで、手伝ってくれって、兄が申しましたんで」

敏子はその要求に、素直に従ったわけである。

「で、それからはずっとご実家に」

はいと返事したものの、またぞろ敏子の口は重くなってきた。滋子もそろそろ要領がわかってきたから、具体的な質問をいくつか重ねて聞き出すように試みた。

そうしてわかってきたことに、呆《あき》れずにはいられなかった。何のことはない、敏子は仕事を辞めさせられ、呼び戻されて、実は家事ばかりさせられていたのだ。

長男の松夫は家業に邁進《まいしん》している。両親はそれを手伝っている。妹たちや弟は順番に学校を卒業、それぞれ社会に出てゆくが、敏子だけは実家に釘付けだ。

さらにもうひとつ、敏子には「重要な」役目が割り振られていた。ちやの世話である。

敏子が実家に戻った時点で、ちやは七十代半ばである。まだ介護が必要なほど弱ってはいなかったが、老齢であることには間違いはない。何かと手が要った。しかもちやは、行徳でやっていたのと同じように、浦安でもまた「拝み屋」をしており、それが徐々に評判になり、人が集まるようになってきたので、そちらの手伝いも必要だったのだそうだ。

滋子はちょっと身を乗り出し、少しばかりおどけるつもりで敏子に囁《ささや》き尋ねた。

「そんなにあたったんですか。ちやさんのご託宣は」

敏子は大真面目に困っている。

「あたる、というんです。見てもらいに来る方は」

「どんな人たちが来るんです？」

「先生は、町の拝み屋さんてご存知ないですか」

「わたしの育った町にはいませんでしたねぇ。いたとしても、うちの親はそういうところに頼るタイプじゃありませんでしたから、知らなかったんでしょう」

仕事で霊感占い師を取材したことならあるが、あれはまた別物だという気がする。

「いろんな人が、いろんなことを聞きに来ますんです。子供の喘息《ぜんそく》が治らないんだけども、何が悪いのかとか、家を建て直したいんだけどもいつがいいかとか、縁談の良し悪しとか、引っ越しの時期とか」

「はあ。そうすると、方位なんかも見たりするわけですね」

「はい、見ます。赤ん坊の名前もつけてました」

「神主さんみたいですね」

「あ、そうですね。ほとんどそうです」

「じゃ、ちやさんは、そういう依頼を受けてお答えするとき、やっぱり白装束になったりするんですか」

「いえいえ」敏子は笑った。「そんな大げさなことはしません。お客さんはお祖母ちゃんが使ってた座敷に来て、お茶なんか飲みながら話すんですよ」

「何か書いたりなさいました？」

「こういう」敏子は手で三十センチ四方の四角い形をつくってみせた。「木でできた盤を持ってましてね。そこにいろいろ書いてあるんです。木とか金とか土とか、あとは干支《えと》のあの、丙午《ひのえうま》とかいう字がずらっと」

それも神社の暦を見るようだ。

「それがこう、ひとつひとつ動かせるようになってるんですね。札になってて。それをあっちこっち動かしまして、何か計算するんです。でもほとんどは、お祖母ちゃんの夢見で決まってました」

「夢見？」

「はい。先のことが夢に出てくるって言ってました」

予知能力というわけか。

「失せ物捜しもなさいました？」

「しました。それがいちばんよくあたったとか」

敏子の言葉に力がこもる。

「ずいぶん感謝されてましたんですよ、先生」

「松夫さんにアドバイスしたときのように、商売のことで相談に来る人もおられました？」

「お祖母ちゃんの卦《け》はよくあたるって評判になってからは、けっこう来ましたねぇ。選挙の先行きを見てくれって、議員さんが来たこともありました」

「占いとは違うんですか。ちやさんはそういうことを何と呼んでらっしゃいました？」

「卦を見る、とか」

「け？　八卦のケですか」

「いえ、でも八卦見とは違うんです」

「字は同じ？」滋子がノートの端に書いてみせると、敏子はうなずいた。

「そういう字です。でも先生、よく駅前とかに出ている、ああいう八卦見じゃないです。筮竹《ぜいちく》も使いませんでした」

あくまでも、ちやの能力頼みということだ。

「やっぱり先生、嘘くさいと思われますでしょう」

後ろめたそうな敏子の顔を見ながら、滋子は尋ねた。

「あなたご自身はいかがでした？　ちやさんのそういう力を信じておられましたか」

予想外の質問だったのか、敏子は目をまん丸にしてしまった。

「わたしがですか、先生」と、指で自分の鼻の頭を押す。

「はい」

「わたしは、でも」

「あのね敏子さん。わたしがあなたの立場だったら、絶対に反発したと思うんですよ」

滋子は努めてくだけた態度をとった。初めて「敏子さん」と呼びかけたのも、そのためだ。

「だって、ずいぶんじゃないですか。さっきの縁談の話にしてもね、まあ、たまたまその縁談が気に入らなかった、相手の写真を見たら好いたらしい顔じゃなかった、経歴が不足だとか、そういうことならまだわかります。でも、ちやさんは、もっと踏み込んだことを言ってますよね？

敏子は勝手に結婚させるな、ろくな男をつかまん、なんて。わたしだったら怒っちゃいますよ。

あなた、腹が立たなかったんですか？」

敏子はぺっしゃんこに萎《しお》れてしまった。

「そういうもので……ございますかね」

「そうですよ！　あなた、言い返してやらなかったんですか。自分の人生は自分で決めるから、放っといてくれって」

ものすごい難問を投げかけられたというように、敏子は身をよじるようにして悩んでいる。

「わたしは……だって先生、わたしは先生みたく頭が良くありませんし」

「そんなことありませんよ。ちゃんと会社勤めだってなさってたんです。等君を一人で育てたんだって、立派なことです。わたしにはとてもできません」

「それは、ですから」敏子は笑った。今までの笑顔とは少し違い、打ち解けている。

「先生だっておできになりますよ。赤ん坊が生まれれば、女なら誰だって育てられます。そういうふうにできてるんですもの」

「昨今は、できてない人がいっぱいいますよ。子供を放ったらかして死なせちゃったり、虐待したり、嫌なニュースが多いじゃありませんか」

はあとかええとか呟き、敏子は立ち上がった。アイスコーヒーを入れ替えにかかる。

「そういうこと、考えてもみなかったですねぇ、わたし」

「ご自分の人生を？」

「はい。毎日毎日忙しくて――兄は商売商売でもう寝る間も惜しんでる様子でしたし、父も母も兄と一緒になって頑張っておりましたしね。わたしができることと言ったら家のなかのことだけで、せめてそれぐらいね、ちゃんとしようと思って」

「でも、それとこれとは別でしょう。ちやさんのご託宣を信じて、言いなりになるかどうかってこととは」

　冷たいアイスコーヒーを満たした新しいグラスを運んできて滋子に勧め、腰をおろすと、敏子はこちらを覗《のぞ》き見るような顔をした。

「でも先生、立派な仕事を持っておられる先生だって、ご主人のためにおうちのなかのことをなさるでしょう？　家で商売していて、みんなが忙しければ、誰かが掃除だの洗濯だの、ご飯つくったり布団干したり、しないとならないですよね。わたしはそれ、嫌なことだなんて思ったことありませんでしたし、ましてや自分の人生がどうのこうのなんて」

　と、気弱な笑いを浮かべると、

「そんな難しいことを、晩御飯のお菜のことと、並べて考えてみたことなんかなかったんです」

「でも、たとえばあなたがあなたの家庭を持つことをお考えになったことはあるでしょう？　ご結婚を」

　いえいえ、と首を振る。

「どうしてです？」

「相手がおりませんもの。家で忙しくしてるうちに、気がついたら三十近くになってまして、また忙しくしてるうちに、次に気がついたら三十五を越えていて、とうに適齢期を過ぎていた、という感じで」

「そのあいだ、ご兄弟姉妹《きょうだい》はそれぞれ自立してゆくわけですよね？　ご家族は何もおっしゃらなかったんですか。あなたにだけ済まないとか」

　敏子が困ったようにうなだれる。滋子は察した。

「ははあ。先ほどのちやさんの、〝敏子は勝手に結婚させるな〟というご託宣は、その場限りじゃなくて、ずっと有効だったんですね」

そういうことですかねぇと、敏子は首をかしげる。何とも歯がゆい。

この歯がゆさは滋子が外部の人間であるからで、萩谷家のなかでは意識されることもない類の感情だったのではあるまいか。敏子は家にいる。敏子が何でもやってくれる。敏子姉ちゃんあれやって、これやって。敏子姉ちゃんの人生？　だって祖母ちゃんが言ってるからいいじゃない、敏子は家におれって。

「そうしますと、ちやさんの影響力というのは、あなたのお父様やお兄様だけじゃなくて、ご家族皆さんに及んでいたんですね」

どうでしょうかと、敏子は呟くだけだ。

「弟さんや妹さんたちはいかがでした？　就職や結婚のときに、自分の希望するところをちやさんに反対されて、反発したりなさいませんでした？」

「あの子たちには、お祖母ちゃんはほとんど何も申しませんでしたから。言っても、いいことばっかりです」

「じゃ、いろいろ干渉されたのは、あなただけ？」

「妹たちはしっかりしてましたし、弟は勉強がよくできて、いい大学を出ました。ですから心配なかったんです。ちゃんとしてましたから」

わたしが言うのも何ですがと恐縮してみせてから、

「孝子と光子は器量もいいんです。大学生のときには、ミス何とかとかいうのに選ばれたくらいで」

ミス・キャンパスか。それともミス千葉か。それにしたって、おとなしい気質で、長女らしい面倒見のよさを持ち合わせた長姉に、家のなかのことを全部押しつけていいわけがない。

面倒なこと――と考えてみて、ふと気づいた。そういうお気楽な妹たちも弟も、やがては独立して家を離れてゆく。長兄は所帯を持つ。両親は亡くなる。全体として家族の構成メンバーは減っていくし、一方で長兄の妻という新しい主婦も現れる。その分、敏子の負担は軽くなっていくはずなのに、それでも彼女がまったく家から離れられなかったのはなぜか。

また、ちや刀自だ。敏子はちやの世話を一手に引き受けていたのだろう。

「ちやさんの介護はあなたが？」

尋ねると、案の定、何のためらいもなく敏子はうなずいた。

「ご両親が病気のときにお世話したのもあなたですね」

「みんな忙しく仕事してましたから」

「そういうことについて、ほかの意見は出なかったんですか。どなたかが手伝うべきだとか」

滋子から見ればまったくお人よしとしか思えないが、敏子は誇らしそうに顔をほころばせた。

「お祖母ちゃんが決めたんです。家のなかのことは敏子に任せろ、それで萩谷家は安泰だ、敏子でいいって」

「敏子でいい」は、「敏子なら安心だ」の意味もまったくないわけではなかろうが、それ以上に「敏子にやらせときゃいい」ではなかったのか。もちろん、高齢になればなるほど身の回りの親身な世話が必要になるちやには、敏子ほど頼りになる家族はいなかったろうし。

どうしても、憮然《ぶぜん》とした思いが顔に出てしまう。敏子がそれを不思議そうに見ている。

ちやは萩谷家の女家長であり、暴君である。〝託宣〟という理屈抜きの武器を使って、ちやは萩谷家を支配していた。全ては萩谷家の繁栄のためだと。

但《ただ》し、その支配には、巧妙というよりはむしろ安易な部分がある。商才のある長男への対処はともかくも、美人で頭がいい二女三女、秀才の二男には、最初から距離をおいている。そういう子供たちには、強い自我があるからだ。コントロールしにくいとわかりきっているからである。彼らには美味《おい》しいことだけ言っておき、平凡でおとなしくて何でも言うことをきく長女にツケを持ってゆく。何のことはない、ちやにとって敏子がいちばん扱いやすかったから、「敏子でいい」だったのではないのか。

滋子の目には、こういうやり方も一種の〝虐待〟に見える。子供から人生を取り上げ、自身の意志を持つことを禁じ、労賃なしのお手伝いさん扱いするのだから。

今の世の中にも、まだこんな家があるのか。

もちろん、敏子の年代は考慮に入れなくてはならない。が、萩谷家のケースで何よりも特殊なのは、ちやが常人にない能力を持っていると自称し、その力から生まれる託宣を行使することで権力を握っていたという事実だ。

だとすると、構成メンバーの数が少なく、そのほとんどが血縁者ではあるが、これは、古いタイプの家父長制の歪《ゆが》んだ残滓《ざんし》ではなく、いっそカルトだと言った方がいいのかもしれない。

千里眼の教主と、その信者たち。

滋子は取材帳のページをめくった。

「それでは、わたしもお伺いしにくいし、敏子さんもおっしゃりにくいでしょうけれど、すみません、等君の出生のことについて教えていただきます」

はいと小声で応じて、敏子は背を丸めた。

「等君の父親はわからないとおっしゃいましたが、それは文字通りの意味に受け取っていいんでしょうか」

敏子は片手を顔にあてると、さらに小声になった。

「松夫兄の――レストランで働いていた人で」

「はい」励ますつもりで、滋子はうなずく。

「兄とたいへんウマが合うと申しますか、兄が目をかけていた人がいたんです。奥さんと離婚して、十歳になる男の子を一人で育てておられました。大上《おおがみ》さんという方です」

男手ひとつで育ち盛りの男の子を食わせるのは大変だ、うちに飯を食いに来いと、萩谷松夫はよく大上父子《おやこ》を連れてきた。そこで供される食事はむろん、敏子の手料理である。自然、大上とも面識ができる。

「レストランでは経理をやってる人でした。真面目で几帳面で、ですから兄は頼りにしてたんです」

照れる敏子に、滋子は助け舟を出すことにした。

「その大上さんがあなたに好意を持った。あなたも大上さんをいい人だと思った。で、お付き合いをしたということなのですね」

敏子の頬が赤らんだ。はい、と身体ごとうなずく。

「素敵ですね。大上さんはおいくつぐらいの男性です？」

「あのころで四十二、三でしょう。わたしは四十になったところでした」

交際するといっても、昨今のティーンエイジャーのカップルではないし、そもそも敏子は気軽に家を離れられる立場ではなく、大上には仕事があり子供がいる。彼から見れば、敏子は社長の妹だという遠慮もある。

「最初のデートは、どちらにいらしたんです?」

わざと冷やかすように尋ねると、敏子は嬉しそうに手をよじった。

「映画に連れてってもらいました。いつも美味しいものをご馳走になりますから、お礼ですって言ってくださいまして」

「お二人が親しくなるのを、お兄さんはご存知でしたか?」

「はい。大上さんはそういうところも生真面目な方で、兄に話してくださったみたいです」

「お兄さんは何と」

敏子の丸顔から、楽しい思い出を語る喜びが、ふっと消えた。

「最初のうちは喜んでくれていたんです。後で聞いた話ですけれども、実は兄は、最初からそのつもりで大上さんをうちへ連れてきたようなんですね」

妹に引き合わせたかったのだ。萩谷松夫は彼なりに、家族の世話を焼くことで青春時代を費やしてしまった妹を、不憫《ふびん》と感じていたのかもしれない。敏子には敏子の幸せをつかんでほしいという願いもあったろう。何といっても血を分けた兄妹なのだ。

「わたしにこっそり——コブつきのバツイチだけど、悪くないよな、なんて言ったこともあったですから」

いい話ではないか。なのに、なぜ敏子の表情が翳るのか。予想は簡単についたが、滋子は段階を踏んだ。

「じゃ、結婚のお話まで進んだんですね?」

「はい」

「でも実らなかった」

今度は黙ってうなずく。

「どなたかが反対されたわけですか」

まるで叱られるのを恐れるように上目遣いになり、敏子は蚊の鳴くような声で答えた。

「お祖母ちゃんが……」

使用人の男を萩谷家に入れるわけにはいかない。あの男は萩谷の財産狙いだと言ったという。

「あなたがお嫁に行くんだもの、問題ないですよね？」

「でも……」

「それはちやさんの意見ですか。それともご託宣ですか」

「とても良くない将来が見えると、言いました。大上さんが萩谷家に連なると、人死《ひとじ》にが出るような羽目になる、それでいいのかって」

意見なら議論の材料になるが、託宣はならない。ちやの言葉がそのまま決定事項だ。

ところが当時、松夫は初めてちやに逆らったそうである。あまりに敏子が可哀相だと。

「でもお祖母ちゃんは頑として聞いてくれませんでした。こっぴどく兄を叱りつけまして。おまえ、誰のおかげでここまで商売大きくできたんだって申しましてね。兄も負けてませんで、大声で言い合いをしたりして」

ちやは、便利な敏子を手放したくなかったのだ。松夫にも、ようやくそれが見えたのかもしれない。

「今まで、うちではそんなこと、いっぺんもありませんでしたからね。わたしらも驚いたですけど、誰よりもお祖母ちゃんがいちばんビックリしたんでしょう」

思いがけない反撃に衝撃を受け、ちやは寝込んでしまったそうだ。体調が悪くなっただけでなく、心のバランスも崩れたらしく、徘徊《はいかい》したり奇声を発したり、認知症めいた状態に陥ってしまった。

「それでとうとう入院させることになりまして……」

「そのとき、あなたが大上さんとお付き合いを始めて、結婚話が出て、どれくらい、経っていました？」

敏子は少し考えた。

「さあ、半年ぐらいでしたでしょうか」

結局、ちやは一カ月間入院した。身体に大きな病気は見つからず、認知症に似た状態からも、入院すると早々に回復したのだが、高齢ということもあり、また本人が家に帰りたがらなかったので、大事をとったのだそうだ。

「ちやさんが家に帰りたがらなかった？」

「はい。自分の言うことに逆らうなんて、萩谷の家はもうおしまいだって言いまして」

わがままな子どもと一緒だ。苦笑しそうになるのを、滋子はきゅっと呑み込んだ。ちんまりと座った敏子の顔の翳りが、さらに濃くなってゆく。

「わたしも……お祖母ちゃんがこんなに言うなら、やっぱり諦めた方がいいかなぁと」

敏子もまた、ちやを教主としたカルトの構成メンバーであったことに違いはないのだ。

「松夫さんはいかがでした？　妹さんたちと弟さんは」

松夫は依然、頑張っていた。根競《くら》べだ。そのうち祖母ちゃんも折れると、敏子を励ましたそうである。当時すでにそれぞれ結婚していた妹たちと弟、それと松夫の妻の武子《たけこ》は、敏子の結婚に反対だった。祖母ちゃんの言うことが、今まで外れたためしがない。おとなしく聞いておいた方がいいと、口を揃えて敏子に意見したという。

　彼らの本音はわからない。それぞれのちやに対する〝信心〟の度合いで異なるだろう。が、少なくとも兄嫁の武子の心情は、滋子にも容易に推察がついた。敏子が家を出てしまえば、ちやの世話と家事は、一気に彼女の肩にかかってくることになる。今さら冗談じゃないわという気持ちはあったことだろう。

「大上さんは？」

「ああ、本当にいい人でしたから」

　敏子は不意に懐かしげに瞳を潤ませた。

「わたしの迷惑にはなりたくないけども、とにかく今は時間をおきましょうって言ってくれました」

　彼の一人息子も、敏子には懐いてくれていたそうである。父親の再婚に、けっして難色を示してはいなかった。

「大上さんが先妻さんと離婚したのは、あの子が五歳のときだったそうです。まだお母さんに甘えたい時期でしょう。だから、捨てられたような気持ちがずっとあったんでしょうね。わたしは何の取り得もないですけども、あの子は寂しかったから、甘える相手ができて嬉しいのかなって、ちょっと思っておりました。わたしも嬉しかったし」

　ならば、この結婚の障害はちやの〝ご託宣〟だけなのである。いや、だけのはずだったのだが――。

「お祖母ちゃんが入院している間に、困ったことが起きまして……」

　これまでに輪をかけて話し辛《づら》そうに、言葉に詰まりながら敏子は説明した。

ちやの信者の一人に、地元の実業家でいわゆる名士の人物がいた。当時、すでに六十を過ぎた男である。

日頃から、何かというとちやの託宣を聞きに来ていた男だから、ちやの入院を聞いて驚き、見舞いに訪れた。それはいいのだが、ちやは病院にいるとわかっているのに、留守宅にも何やかやと口実をつけては顔を出す。

松夫の妻の武子は、夫の仕事を手伝って働いているし、顔が広いわ趣味も多いわで外出がちだったという。夫妻の子供たちも昼間は学校へ行っている。

自然、留守を預かるのは敏子一人になる。そこへあがり込むのだから、最初から下心があったに違いない。

ちやが入院して二週間目に入ったころ、敏子はこの男に乱暴された。

顔が見えないほどうなだれてそれを語る敏子を、滋子は声もなく、ただ見つめることしかできなかった。

やっと、こう尋ねた。「暴力をふるわれたんですね?」

敏子はかすかにかぶりを振る。

「叩いたりとかは、されませんでした」

「脅されたりは?」

また首を振る。「ただ、あの……」

「いいんですよ、無理に言わなくて」

うなずいて、敏子は息をつく。「なにしろ地元じゃ力のある人ですから、松夫兄もずいぶんお世話になってましたし、銀行とかにも顔が利いて、ですからわたし」

それだけで充分である。

「萩谷の家に、けっして悪いようにはしないから、と言われました」

一度限りではなかった。臆面《おくめん》もなく頻々《ひんぴん》と、男は萩谷家を訪ねてきたそうである。

敏子は、誰にも言えなかった。

やがてちやが退院してきた。気力も体力も取り戻して。

「松夫兄はまだ諦めてなかったみたいですけども、大上さんとのお話は、わたしの方からお断りしました」

それでも、なぜ断るのか理由は言わなかった。兄にも、大上にも。

「お祖母ちゃんには逆らえないからって言ったら、兄も仕方がないという顔をしておりました」

「大上さんは？　何かおっしゃいませんでしたか」

滋子には、彼の反応の方が気になる。敏子から言い出した別れを、ハイそうですかと納得したはずはなかろう。理由を知りたがったはずだ。あるいは、それまでの経緯と敏子の様子から察するものもあったかもしれない。

敏子は身を縮め、消え入りそうな声を出した。「大上さんにも、同じように言いました。あの人もうちのお祖母ちゃんのことを知っていましたから、お祖母ちゃんがダメだと言えばダメだって――わたしがそう思ってしまうなら、無理をしてもいいことはないって」

萩谷家における、ちやの暗い威光。誰もそれには太刀打ちできない。できないと思い込んでいた。

「残念だけど諦めるしかない、縁がなかったんですねと言ってくれました」

だけど子供が寂しがる、とも言ったそうである。

「わたしも、ホントに心残りでした。もう、ご飯をつくってあげられなくなるなぁって」

身体の奥底から掘り出してきた思い出が、敏子の喉に詰まってしまった。滋子は黙って見守っていた。敏子はハンカチを取り出して顔を拭いた。

「すみませんでした」

ちやが萩谷家に戻ると、名士の男は敏子を外に呼び出すようになったそうだ。ちやを一人にするわけにはいかないからと、敏子は断る。そうすると男が家にやって来る。と、ちやは、彼が敏子を連れ出すのを、理由を尋ねることもなく、止めもせずに見ていたという。

不穏な憶測が、滋子の心を黒く侵食し始めた。

ちやは知っていたのではないのか。そもそも、ちやが仕掛けたことではないのか。敏子の結婚話を潰すために。口には出せずに、滋子はじっと固まっていた。

「お辛《つら》かったですね」

滋子がようやく見つけ出した拙《つたな》い慰めの言葉に、敏子は深く頭を下げた。

敏子が妊娠していることに気づいたのは、ちやの退院から二カ月ほど経ったころのことだった。

「わたしはあの、大上さんとも……」

「大人のお付き合いですからね」

敏子は今度は赤くならず、ただ恥じ入ったように目を落とす。

「ですから、どちらの子かわからなかったんです。日付をこう……たどってゆくと……すみません、こんなお話で」

「いいんです、気にしないで」

「大上さんの子だとは、ちょっと難しいというか。でもはっきりとは決められませんで」

敏子はまず、名士の男に打ち明けた。と、男は絵に描いたような対応を見せた。逃げたのである。何が「悪いようにはしない」だ。

「どうしようもなくて、兄に相談するしかありませんでした。兄は真っ青になるくらい驚いて、なんでもっと早く言わないんだって、わたしはさんざん叱られました」

ひとつ呼吸をして、滋子は尋ねた。「ちやさんにはお話しになりましたか?」

「松夫兄から……」

「何とおっしゃいました」

だから、敏子はろくな男をつかまんと言っただろうと、ちやは笑ったそうである。捨てられた挙句、てて無し子を産む羽目になりよって。

あまりに腹が立ち、それを無理に抑え込んだものだから、滋子は冷や汗が浮いてきた。

「わたし、子どもは産みたかったです」

ぽつりと謝るように、敏子は呟いた。

「どうしても産みたかった。ですから兄に、手をついて頼みました。一人でちゃんと育てるから、産ませてくださいって」

松夫は許した。おまえ一人で育てることはない、うちで育てるんだと言ってくれたという。武子も反対しなかったそうである。

どうせ、無給のお手伝いさんである敏子に去られては困るからだとばかり言い切るのは、武子に厳しすぎることになるだろう。ここはやはり、母親である武子には、授かった赤ん坊を産みたいという敏子の切実な気持ちが通じたのだと思いたい。

「ちやさんは?」

この名を口にするのも嫌な気分だった。

「産むのは勝手だけど、大上の子を萩谷家に入れるわけにはいかない、産むなら出て行けと怒っておりました」

例の名士の男の件は、松夫と敏子兄妹二人だけの秘密だった。ならば、表面上は、敏子のおなかの子は大上の胤《たね》だということになる。だからちやはそう主張したわけだ。

武子と、敏子の妹たちと弟は、なるほどそう考えても仕方あるまい。が、ちやは別だ。子供が大上の子ではない可能性が大いにあることを、ちやは絶対に知っていたはずだと思えてならない。

それなのに、なんと白々しい非難の台詞だろう。滋子は、どうしても声が尖《とが》るのを抑えることができなかった。「それで皆さん、結局は今度もまた、ちやさんの〝ご託宣〟に従っちゃったんですか。ちやさんが反対するからあなたに結婚を諦めさせ、ちやさんが反対するから、妊娠したあなたを家から追い出した。そういうことだったんですね？」

滋子の剣幕に、敏子は怯《ひる》んだようになった。

「妹たちも高志も――あの、もう自分たちも子供がおりましたし、ですからお祖母ちゃんの言うとおりにした方がいいのはわかるけども、それじゃ姉ちゃんが可哀相だって、ずいぶん困っておりました……」

うんと困っていいのだ。萩谷家の皆にとっては、困って困って、そろそろ自分たちの頭で考えることを始めるいい機会だったのだ。それまで、ちやの託宣にすべてを預けて思考停止してきたのは間違っていたと、目覚めるチャンスだったのだ。

そうだ。自分の頭でものを考えることのないよう、永い年月をかけて馴《な》らされてしまったのは、敏子ばかりではない。萩谷家全員がそうだった。ただ一人、ちやという権力者を除いて。

「松夫兄と武子義姉《ねえ》さんも、いろいろとりなしてくれたんです。わたしはそれまで、義姉さんのことを、どっちかっていうと情の強《こわ》い人だと思ってたんですけども、あのときは本当に優しくしてもらいました」

形勢は、ちやには不利だった。そのままいけば、敏子は兄夫婦の保護のもとで出産することができたろう。

だが、ちやには悪魔が味方していた。

そんなこんなで萩谷家が揉めている最中に、松夫夫婦が経営するスーパーの一軒が、深夜の不審火で焼けた。調べてみると、漏電が原因だった。電気工事に些細《ささい》な不備があったらしい。さして古い建物ではなかったそうだから、実に不運な出来事だった。

途端に、ちやは鬼の首を取ったようになった。

そら見ろ、だから言ったのだ。大上なんて男を近づけるから、こんなことになる。敏子はあの男にかかわって、赤ん坊までこしらえて、萩谷家に災厄を呼び込んでしまったのだ、と。

驚いたことに、ちやのこの主張に、萩谷家の面々は大きく動揺した。とりわけ、それまで松夫ほどにはちやの託宣に傾倒していなかった妹たちと弟が、真っ先に呆気なく陥落したそうだ。火災という災難を目の当たりにして、彼らは本心からちやの眼力に恐れをなしてしまったらしい。皮肉な話だ。

風向きは、一気に変わった。敏子は出産前に家を出されることになった。

それでも松夫は、たった一人だけ真実を知っているということもあってか、火災の件で激しく動揺しながらも、ちやと妹弟たちの目を盗み、親身になって敏子の世話を焼いてくれたという。最初のアパートを借りてくれたのも松夫だし、等が託児所に預けられるくらいになるまでは、生

活費も全て出してくれた。多額ではなかったが、

「そのお金を工面するのだって、松夫兄は苦労したと思うんです。帳簿は武子さんも見てますし、光子の旦那が兄の会社で専務をしておりますから、兄もそうそう勝手なことはできません。自分のポケットマネーをやりくりしてくれてたんじゃないかと思います」

さらに松夫は、あの名士の男の目も憚《はばか》らなくてはならなかった。

「松夫兄は本当にあの人のお世話になっていて、頭が上がらないんです。板ばさみで苦しかったんだろうと思います」

「だけど逆じゃないですか？　相手は逃げちゃったんですよ。お兄さんは、あなたと等君を養うことで、逃げた男の責任を肩代わりしてやってるようなものじゃないですか！　それをなんで遠慮しなくちゃならないんです」

自分が叱られているかのように、敏子は首を縮める。

「先方としては、わたしと等が兄のそばにいると、兄に弱味を握られてるような気分になるんじゃなかったんでしょうか。だから兄を責めるんでしょう。本当に俺の子かどうかわかったもんじゃないのに、騙して押しつける気か、何が狙《ねら》いだって、何度も問い詰められたそうですから」

盗人猛々《ぬすっとたけだけ》しいにもほどがある。

「資産家で名士っていってもピンキリだと思いますけど、その男、ホントにそんな大物だったんですか？」

首をかしげて、敏子は少し考え込んだ。

「等が小学校へあがる年でしたか、事業に失敗したとかで会社を手放して……」

いい気味だ。天罰じゃないか。

「それから間もなく脳梗塞《こうそく》で倒れたそうです。ずっと入退院を繰り返す状態で、ずいぶん弱って亡くなったと聞いております。三年ぐらい前ですかね」

ですから、もうあんまり悪く言うのは――と口ごもる。

だからあなたはお人好しだっていうんですと一喝しようとして、滋子はひゅっと考え直した。どんな酷《ひど》い男であれ、等の父親であるかもしれない人物だ。等は彼の血を引いている可能性がある。滋子が怒って糾弾《きゅうだん》すればするほど、敏子は切なくなってしまうだろう。

心のなかで振り上げた拳をそろそろ降ろし、勢いよく取材帳に書きなぐった。二人の父親候補のうち、一人は既に没。だが、がっかりすることはない。等の顔を見たこともない人物では、彼の能力の片鱗《へんりん》を見聞きしているはずがない。最初から除外だ。

それに――もしも等が特殊な能力を持っていたとして、それが遺伝的な要因を持つものなのだとしたら、根っこは明らかに母方にある。現にちやが存在しているのだから。父方はあまり重要視しなくていい。

滋子がにわか勉強した限りでは――急いで漁《あさ》ったその種の書物に記されている限りではという意味だが――いわゆる千里眼やサイコメトラーなどの能力は、確かに遺伝するらしい。ただ、親↓子ではなく祖父母↓孫のケースが多い。隔世遺伝だ。萩谷ちやと等は、曾祖母↓曾孫だから、もう一世代分ひらいている。

もっともこれも、ちやが〝本物〟でなくては話にならないわけだが。

萩谷家に君臨したご当人は鬼籍に入っている。死人に口なしだ。言い回しとしては間違っているが。

怒りは何とか抑え込んだが、気が立っているので字がやたらに大きくなる。滋子はどんどんページをめくり、まっさらの見開きを出して顔を上げた。

「ご実家の皆さんとは、今ではどんな関係になっているんでしょう」

ちやは五年前に死んだ。敏子と等を追い出した張本人はもういないのだ。松夫夫婦が名実共に萩谷家の長になった以上、敏子だってもう遠慮しなくてもいいだろう。

が、意外にも彼女はゆっくりとかぶりを振った
「松夫兄は、今でもときどきお金を送ってくれますし、連絡もとれます。携帯電話は便利ですね。兄に直接かけられますから」

「ほかの皆さんは？」

「ずうっと縁が切れたきりです」

「どうしてです？　ちやさんは死んだのに。まだ何か文句があるっていうんでしょうか。今度は誰か別の人がご託宣を始めたんですか？」

両手を膝に、敏子はしょんぼりとうつむいている。すみません、と頭を下げる。

「謝ることなんかないですよ。どうしたんです」

「先生のような方には――わたしらのような者の考え方は、ナンセンスというんですか、バカみたいに見えるっていうのは、わたしにもわかるんです」

滋子はやっと気づいた。先ほどからずっと、自分のちやに対する口調が攻撃的であること、ちやの託宣に右往左往する萩谷家の人びとに対して批判的な態度をとっていることが、敏子の口を重くしているのだ。

「敏子さん、お気を悪くしたならごめんなさい。わたし、少し言葉が過ぎたようです」

これまでのパターンどおり、滋子の謝罪にまたぞろ敏子は過剰反応した。いいえそんな先生に

謝られるなんてと、身体全体で大騒ぎをする。

滋子は軽く乗り出し、敏子の手の甲の上に掌《てのひら》を重ねた。ぽっちゃりとした見た目に反して、彼女の手の皮膚は乾いて荒れていた。指の関節のごつごつが、掌を通して伝わってきた。

「萩谷家の皆さんの歴史を、バカらしいなんて、わたしは思っておりません。ただ少し風変わりだし――そう、あまり合理的ではないなと思われます。でも、だからといって軽んじるつもりはありません。そのように聞き取れる言葉があったなら、軽率でした」

泳いでいた敏子の瞳が、すうっと落ち着いた。目尻に涙が溜まってきた。

「五年前お祖母ちゃんの葬式に、等を連れて行きましたんです」

静かに滋子に手を預けたまま、敏子は言った。

「それまで、等の顔を見たことがあるのは松夫兄だけでした。みんな、等が生まれたことは知っていたでしょうけれども、どんな子なのか知らなかったんです」

「あんな可愛いお子さんですもの、皆さん驚かれたでしょう」

「はい」うなずくと、涙が膝に落ちた。敏子はそれでも微笑んだ。「よく一人で立派に育てたねって、武子義姉《ねえ》さんはわたしを褒めてくれました。お行儀のいい子だって、等の頭も撫でてくれました。等は初めて従兄弟《いとこ》姉妹たちに会いました。お互いに目を丸くして、様子を見合ってるところが可笑《おか》しくて」

しかし――

「お焼香の最中に、お祖母ちゃんの遺影が倒れて、祭壇から落っこちてしまったんです」

遺影を収めた額のガラスにひびが入った。

とんでもない不祥事だ、まことに申し訳ありませんと、葬儀社の担当者は平謝りだったそうだ。

しかし、通常考えられることではない。地震があったわけでもないのに、なぜこんなことが起こるのか。

「みんな、すぐ口に出したわけじゃありません。でも、顔には書いてありました。お祖母ちゃん、まだ怒ってる。敏子を許していないんだ」

敏子と等は出棺を見送っただけで、アパートへ帰った。

ちやの骨を拾ってはいない。

一族の和解と関係修復の芽は摘み取られてしまった。

いい執念深い。滋子は心のなかで思った。萩谷ちやはまだ生きている。子を孫を、手中に収めて支配したいという彼女の思念は、身体が滅した後も残っていた。

この部屋の空気まで冷えてきたようだと、滋子は感じた。そんなはずないのに、ちやの魂がここに降りてきて、二人のやりとりに耳を澄ませているような気さえした。

「それっきり、納骨にも三回忌にも呼ばれませんでした」

仕方がないと思います――と、敏子は言う。

「それに、わたしは等と二人で暮らして、とても幸せでしたから。今さら実家に帰るつもりもありませんでしたね、先生」

「でも、そんなことがあっても、松夫さんは経済的な援助だけは続けてくれた。それはよかったですよね?」

「はい、助かりました」

しかし、昔よりもさらに彼の置かれている状況は厳しいという。

「わたしが家を出たころは、さっき申しましたように、松夫兄の会社で給料をもらっていたのは、三番目の妹の光子の旦那だけだったんです。もともとこの人は、松夫兄の会社の社員でしてね。でも、この不景気でしょう。孝子の旦那も高志も、勤め先が倒産したりお給料がざっくり減らされたりして、この四年ぐらいのあいだに、結局はみんなで松夫兄に頼るようになってしまいました」

ポケットマネーからの融通も、年々難しくなっているらしい。

「幸い会社は上手く行ってるんですけど、養う口が増えたんで、自分の小遣いも足りないくらいなんだって、わたしにこぼしておりますから」

笑って立ち上がり、敏子は涙を拭き洟をかんだ。

「松夫さんは、何度ぐらい等君に会ったことがあるんでしょう」

「さあ……」

「あなた方を訪ねてみえることはありましたか」

「そうですねぇ。前のアパートとここと合わせて、四、五回ぐらいでしょうか」

松夫はたいそう等を可愛がってくれたそうだ。

「あとは、あの——お葬式のときです、等の」

等の葬式には、松夫と武子が二人で来たという。

「等君も松夫さんに懐《なつ》いていました？」

「ええ、伯父さん、伯父さんて」

「わたしも一度、松夫さんにお目にかかりたいのですが」

敏子はとっさに、象のように小さな目を瞠《みは》ったが、すぐうなずいた。

「等のことを訊くんですよね、先生」

「はい」

「そうですね、妹たちや高志は、何も存じませんから。松夫兄に訊くのがいちばんです。わたしの気づかなかったことも、兄なら気づいていたかもしれないです。わたしより、ずっと頭のいい人ですから」

連絡してみますと、約束してくれた。

「今日は長時間、すみませんでした。最後にもうひとつだけ」

指を立てて、滋子は敏子の顔を見た。

「大上さんとは、その後お会いになっていないのですか」

座り直して、敏子はかぶりを振った。

「これまで、一度も？」

「はい、結婚話がなくなった後、すぐ兄のレストランを辞めてしまわれました。やっぱり気まずかったんでしょうね。それからどこでどうしておられるのか、わたしはまったく存じません」

あらためてフルネームを問うと、大上満夫《みつお》だと、はにかみながら教えてくれた。子供の名は義《よし》美《み》だそうだ。

大上満夫は、ひょっとしたらもう一人息子がいたかもしれないと知ったら、何を思うだろう。敏子に甘えていたという大上義美は、もう立派に成人しているはずだ。その青年も、あなたには弟がいたかもしれない、その子は十二歳で死んだと聞かされたらどう感じるだろう。

萩谷家の者たちは、松夫を除けば、等の生にも等の死にも背を向け、目をそらす道を選んだ。しかし大上父子は——彼らだけは、等の生と死を知る機会さえあれば、きっと敏子のもとを訪れ、この小さな仏壇に手を合わせてくれるのではないか。滋子はそんな気がした。所詮は願望が入り込んだ観測だが、いいじゃないか、心で思うだけなら。

思うだけ？

敏子には内緒で、彼らを捜し出して会ってみることは、けっして不可能ではない。大上家の側にも誰かしら、不可思議な能力を持つ人間がいたかどうか確かめるためにだけでも、その必要が――。

滋子はあわてて思考にストップをかけた。ちやがいる以上、父方の血筋に重きを置くことはないと考えたそばから、何だ。だいたい、敏子に断りもなく大上父子に等の存在を報《しら》せるなんて、とんでもないお節介じゃないか。何を空回りしているんだろう。

「まあ、本当にもうこんな時間」

敏子が壁の時計を見上げて目を丸くする。

「先生、お疲れになったでしょう」

「敏子さんこそ。長々とすみませんでした」

狭い玄関先で滋子を見送りながら、敏子はしみじみと噛み締めるように言った。

「おかげさまで先生、わたし今日は、昔のことをたくさん思い出しました」

「思い出したくないことも多かったでしょう」

「いえいえ。今となっては懐かしいです。久しぶりに、親や兄弟姉妹《きょうだい》みんなに会ったような気分です」

駅まで向かう道、滋子はわざと脇にそれて、等が通っていた船山市立さくら小学校に寄ってゆくことにした。すでに時刻は午後六時に近く、学校の正門は固く閉ざされ、校庭にも児童の姿は見えない。

等はこの校庭を走ったろう。サッカーも鉄棒もしただろう。それを想像しながら、滋子はそっと呼びかけた。

――今日は、いろいろとごめんね。

等は知っていたろうか。葬儀の最中に遺影が倒れるという、まったき物理的なアクシデントの故に、彼が血縁の人びとから疎《うと》まれたということを。知恵もあり、世間知に長《た》け、この合理主義の世の中を生きる立派な大人たちが、たったそれだけの出来事に深い意味を見出し、ひとつの物語を編んで、血を分けた者を遠ざけることもある。その理不尽を、たとえ〝第三の眼〟を持っていたとしても、等の歳では理解できただろうか。

断章②

あの四角い家の前を、一人で通ったんだよというだけで、ミキちゃんはびっくりした。それだけじゃない、玄関のドアの内側を見たよ、あの家に入ってゆくおばさんも見かけたんだよ。すると、今度は泣き出しそうになった。

「やめなよマコちゃん。ホントこわいんだよ。そんなことしちゃいけないよ。お母さんが、ゼッタイにちかよっちゃいけないって、いっつも言ってるんだもの」

「ミキちゃんはこわがりだねー」

少女は気分がよかった。ミキちゃんはやっぱりいくじなしだ。あたしの方がおとなだってことだ。それに、ミキちゃんを怖がらせるのも面白かった。

ミキちゃんと一緒に帰るとき、わざと腕を強く引っ張って、あの家の前を通ろうとしてみた。ミキちゃんはバカみたいにジタバタして逃げ出した。あんまり可笑《おか》しいので、次の日もやってやった。

と、ミキちゃんは怒ってしまった。もうマコちゃんとは一緒に帰らない、という。

「なんでそんなイジワルするのよ」

「マコちゃんが先にイジワルするからじゃない」

「ミキちゃん、おおげさなんだよ」

ミキちゃんは、鼻先をツンと上に向けた。

「それにわたし、これから塾が、週に三回になるの。だからもうマコちゃんとは帰れないんだ」

ミキちゃんのお母さんは、本当に塾の回数を増やしたのだ。

「そんな塾ばっかり行ってると、ともだちができないよ」

「ともだちなら塾にもいるもの」

ミキちゃんは、大きな口をにいっと横に広げて笑った。「ともだちがいないのは、わたしじゃなくマコちゃんじゃない」

少女はぐさりと傷ついた。ミキちゃんのいうとおり、少女には友達があまり——ほとんど——いなかった。いつだってミキちゃんだけだった。ミキちゃんが一緒に帰ってくれなくなったら、少女はまるっきり独りぼっちになってしまう。

じゃあね、バイバイ。ミキちゃんはあっさりと言った。憎らしいくらい得意そうだった。少女は、あたしは本当はミキちゃんが嫌いなんだと、もう一度思った。

少女は一人で帰った。ミキちゃんがいないと、あの四角い家の前を通るのも、急に、そんなにスリルのあることではないような気がしてきた。

それでも、意地になって毎日通った。ただ通り過ぎるだけではなく、足を止めて家を見上げた。家は何事もなく立っていた。窓も玄関のドアも、何事もなく閉まっていた。このあいだのおばさんが出てくることも、帰ってくるところに行き合わせることもなかったけれど、あのときおばさんの乗っていた自転車は、家の前にとまっていることもあれば、まったく見当たらないこともあった。

それでも、少女は足を止める。

何かが起こりそうな気がして。何かが起こることを期待して。

ちょっとでも何か起こったら、それを学校でミキちゃんに教えてやろう。ミキちゃんはまた怖がるだろう。でもいつも、怖がるくせに知りたがっていたような感じもしたから——だって、いっぺんも耳をふさいで「やめてよ！」って言わなかったもん——それをきっかけに仲直りしてくれるかもしれない。近頃では、教室でも独りぼっちで淋しいのだった。誰の目にも、独りぼっちでいることが丸見えなのが、悔しいのだった。

毎日足を止めても、四角い家は何もしなかった。

つまらない。どうして誰も出てこないんだろう。

少女が家を見上げる時間は、日ごとに、少しずつ長くなっていった。

そしてある日、不意に後ろから声をかけられた。

「ちょっと」

少女はぎょっとした。背中のランドセルのなかで、教科書とノートが飛び跳ねた。あわてて振り向くと、すぐ後ろの家のアルミサッシの引き戸が半分ほど開いて、お母さんと同じくらいの歳の女の人が、そこから顔をのぞかせていた。

「四小の子なのね？」

女の人は、少女の胸の名札を見ていた。「市立第四小学校、四年二組　さとうまさこ」と書いてある。

少女はあわてて、手で名札を隠した。女の人は、ちょっと眉を動かして、嫌そうな顔をした。お母さんがよくする顔だ。嫌ね、どうして言うことをきかないのと叱るときの顔だ。

「あらまあ」

女の人は引き戸から外に出てきた。うちのお母さんより太ってると、少女は思った。おなかがでっぱってる。みっともない。なんでダイエットしないんだろう。

「ねえ、あなた」太った女の人は腰をかがめ、膝に手を置いて少女に話しかけてきた。「毎日、学校の帰りにここを通ってるよね。でもって、立ち止まってあの家を見てるでしょう」

女の人は顔を上げて、さっと目線で向かいの四角い家を指した。長くは見ようとしない。ほんの一瞬だ。

「何か、あちらのおうちに用事があるの？」

少女は口をぎゅっと結び、下を向いた。と、そのとき、太った女の人のすぐ後ろに、別の足が見えることに気がついた。運動靴を履いた足だ。

そうっと目玉だけ動かして見上げると、女の人の背中に隠れて、男の子が顔だけのぞかせていた。

太った女の人は、ちょっと笑って後ろを見た。

「うちの子なの。あなたと同じ四小よ。三年生だけど」

男の子はメガネをかけていた。レンズの奥の目がやけに大きく広がって見えた。まじまじと少女を見つめている。

「何も用事がないのなら、まっすぐおうちに帰りましょうね」

それだけ言うと、太った女の人は引き戸を閉めて家のなかに入ってしまった。男の子の姿も見えなくなった。

少女はあらためて、その家を見上げた。横幅はやけに広いけど、ボロっちくて安い家だと思った。

ただの家ではなかった。ひさしの上に看板が出ている。「法山《のりやま》新聞販売店」。新聞屋さんなのだ。だから、道に面していきなりサッシの玄関があるのか。

アルミサッシの窓には、広告みたいなものがいくつも張ってある。少女にはひらがなしか読めなかった。国語の成績はよくなかった。

何度も通っているのに、ここに新聞販売店があるなど、まったく気づかなかった。引き戸もいつも閉じていたような気がする。きっと儲かってないんだと、意地悪く考えた。

見も知らない大人に、しかもあんな太ったみっともないオバサンに注意されたことが、すごく癪《しやく》に障った。何かやり返してやりたくてウズウズする。だから、少女はまだぐずぐずしていた。

と、アルミサッシの引き戸がまた開いた。今度は戸口いっぱいに開き、そこからあのメガネの男の子が出てきた。自転車を押している。サッシの敷居をまたぐのに手間取っている。

「気をつけてね」

姿は見えないが、さっきの女の人の声だけが、家の奥から聞こえてきた。

メガネの男の子が自転車を道路に出し終えるまでに、少女は引き戸の奥をぐるりと観察することができた。少女の家の近くの新聞販売店と同じで、作業場のようになっており、コンクリートのだだっぴろいところに、自転車が揃《そろ》えて何台も止めてあった。

自転車の前の荷籠《かご》に、黄色と白の、よく目立つステッカーが張ってある。「〇〇パトロール中」という字が並んでいた。〇〇のところは漢字で、読めなかった。

メガネの男の子は、少女なんかそこにいないみたいに無視していた。自転車は大人用で、サドルは男の子の腰より高く、だからとても不器用によじ登るようにして乗ろうとしている。

「そういうの、いけないいんだよ」

きつい声を出して、少女は咎《とが》めた。メガネの男の子がぎくりとしてこちらを見た。ほっぺたが妙に赤い。

「子供は子供の自転車に乗らなくちゃいけないいんだから。お巡りさんにつかまって、怒られるよ」

男の子は黙ったまま自転車から降りると、ハンドルを両手で支えて押し、歩き出した。少女もそれについて歩き始めた。

「それ、配達に使う自転車なんでしょ」

お店が儲かってないから、この子は自分の自転車を買ってもらえないのだ。そうに決まってる。

「かわいそう。あんたン家《ち》、お金ないんでしょう」

男の子は歩き続ける。背中にリュックを背負っていた。

「ねえ、そうなんでしょ。ビンボウなんでしょ」

にやにや笑いながら、少女はしつこく言い続けた。男の子は振り返りもせず、歩調も変えずに歩いて、次の角を出た。信号が赤だ。

男の子は振り返った。「毎日、何してんの」

少女はちょっと驚いた。「何って、何よ」

「三和《みわ》さん家《ち》、見てるじゃん」

あの四角い家に住んでいる人は、三和というのか。

「あんたン家、三和さんに新聞配達してんの」

男の子は返事をしない。信号が変わった。男の子は角を右に曲がった。少女は、家に帰るなら直進しなくてはならないのだが、男の子の後にくっついて曲がった。

「三和さん家って、ケイサツのお世話になったことがあるんでしょう」

男の子は、今度は肩越しにちらっと少女を見た。歩き続けている。「なんでそんなこと知ってんの」

「有名だもん」

「だから、三和さん家を見にきてるの？　毎日？」

「そんなの、あたしの勝手じゃん」

つっかかるように言ってやった。どうだ、言い返してごらんよ。

男の子は言い返さなかった。こっちを見もしない。

「ヘンな自転車」と、言ってみた。今度は反応があった。「これ？」

「それもヘンだけど、配達用の自転車。あれ何？　カゴにステッカーが張ってあるじゃん」

「あれは〝ちいきパトロールたい〟のしるしだよ」

男の子は言って、またちらりと視線を寄越した。

「みんなでつけてるんだ」

「そんなの知らない。何よ、パトロールって」

男の子の足が速くなった。少女も早足でついてゆく。

「ついてこないでよ」

「あたしもこっちへ行くんだもん」と、笑ってやった。

「ねえ、三和さんてどんな家？　おばさんがいるでしょ。なんでケイサツのお世話になったの？

あのおばさんが悪いの？　女の子にヘンなことするって、どんなことするの？」

男の子は次の角を左に折れた。車輪がからからと軽やかに鳴る。

その道筋に面して立つ外壁の白い四階建てのビルの前まで来ると、男の子は自転車を停めた。

少女はビルを仰いだ。「田島そろばん塾」の看板がある。

「あんた、そろばんなんか習ってんの　ふるーい。英会話とか水泳、習わないの？　やっぱビンボウなんだ」

男の子は自転車をビルの脇の自転車置き場に入れた。くるりと向き直り、真っ直ぐに少女に言った。

「イジワルだね」

背中のリュックをひと揺すりして、ビルのドアを開けてなかに入っていってしまった。

「バーカ」と、少女は言って、ベロを出した。

第四章　見えざるもの

　今年の梅雨はムラ気だった。まとまった雨が降ったかと思うと時おり晴れ上がる。おかげで蒸し暑い。

　萩谷敏子からの長時間の聞き取りから日を置かずして、滋子は放課後の船山市立さくら小学校を訪ねていた。五年生と六年生で等を担任していた伊藤先生に会うためである。

　事前に電話で約束を取り付け、こちらの身分についても明らかにしておいたのだが、会見の雰囲気は最初から険悪だった。

　伊藤先生は、敏子も言っていたとおり、見るからにベテランという印象の女性教師である。歳は四十代後半というところか。夏物の上着とシャツにスラックス、足元は運動靴で、髪は潔《いさぎよ》いほど短く切ってある。薄いくちびるが開くと、言葉が弾丸のように飛んできた。

「ご用件は」「調査の目的は何ですか」「萩谷さんの意を受けているのですか」

　何度説明しても、繰り返し同じことを問い質《ただ》される。明らかに、滋子を疑わしい人物と決めつけていた。

　いきなり「サイコメトラー」などと言い出しては、イタズラに話が混乱するだけだから、滋子は「萩谷敏子さんの依頼を受けて、等君について文章を書くことになった。ついては学校での彼の様子について教えていただきたい」と話した。これ自体は、そんなに怪しまれる筋合いの申し出ではないはずなのだが、伊藤先生はなぜかしら強硬で、ほとんど忌《い》み嫌ってでもいるかのように滋子を退けようとする。

「生徒のプライバシーについて、教師が勝手に情報を漏らすわけにはいきません」

とうとう、その一点張りで断られてしまった。

職員室を出て廊下を引き返しながら、滋子は頭をかいた。萩谷敏子は、「伊藤先生は、等のこと、問題児だとおっしゃっていました。かなり厳しく叱られたこともあります」と話していたではないか。どういう「問題児」かはさておき、萩谷敏子と円滑な関係ではなかったのだ。あのやみくもな警戒は、あるいはそこに根を持つものかもしれない。もうちょっと迂遠《うえん》なアプローチをするべきだった。

――あたしも焼きが回ったかな。

事務室に寄り、丁寧に頭を下げて、図画工作の先生にお会いできないかと申し出てみた。対応に出てきた女性事務員は、萩谷等の名前を聞くと、すぐにわかったらしい。

「ああ、交通事故で亡くなったお子さんですね」

「はい。ご記憶でいらっしゃいますか」

生徒は大勢いるし、事務員は日常、直接的に子供たちに接触するわけではないのに。

女性事務員は頰を緩めた。「萩谷君は、とても絵が上手でしたから。よく廊下やホールに張り出されていましたよ」

図画工作担当の花田早苗《はなださなえ》先生は、二階の図画工作室で美術クラブの指導中だという。滋子は階段をのぼった。

花田先生は若かった。まだ二十三、四歳に見える。目元の明るい美人で、少女のようにほっそりとしている。画家より、むしろモデルのようだ。

内線電話で話を通してもらっていたので、先生は図画工作室の出入り口で滋子を待っていた。室内では、十人ほどの子供たちが真剣な様子でスケッチブックに向き合っている。おしゃべりしたり、そわそわしている子はいない。紙の上を鉛筆が走る音と、子供たちの息遣いが聞こえるだけだ。

「あと三十分ほどで終わるんですが」

花田先生は、声の音色もやわらかかった。

「お待ちします。みんな一生懸命ですね」

今日のスケッチの題材は、窓際に置いたリンゴとバナナのようだ。

子供たちの気を散らしてはいけないので、準備室の方で待たせてもらうことにした。窓からは、校舎の裏手の通用門と庭が見えた。これもスケッチの題材になるのか、変わった形の花瓶や、可愛らしい木彫りの人形などが、棚に並んでいる。画集も何冊か見えた。北向きの部屋だが、室内の雰囲気は雑然としていながらも温かく、独りで座っていても、滋子はくつろいだ気分になった。

やがて隣室でにぎやかな子供たちの声がはじけた。

「センセイ、さよならー」

花田先生が顔をのぞかせ、どうぞと滋子を教室に招き入れた。滋子は、さっきまで子供たちの一人が座っていた場所に腰をおろした。急に視界が低いところで開けた。小学生たちの机と椅子だ。

「驚きました。あのくらいの歳の子供たちだと、まだまだ集中力が足りないだろうとばかり思っていたんですが、甘く見てはいけませんね」

花田先生は笑って首を振る。

「授業だと、こうはいきません」

美術クラブは強制的な課外活動ではない。絵を描いたり工作したりするのが好きな生徒が集まり、週に一度、ここで創作を楽しんでいるサークルだそうだ。

「もともと好きな子供たちが参加してきていますから、みんな熱心なんです。授業とはそこが違います」

「やはり騒がしいものなんですか」

「なかなかまとめるのに苦労します」

特にわたしはまだ新米ですからと言い添えた。

滋子は、彼女を訪ねた事情を説明した。伊藤先生のときと同じことを言ったが、萩谷等の遺した絵をすべて見せてもらい、感心したことは付け加えた。

「ほかの先生方にもお会いになるんですか」

問われて、思わず苦笑した。「先ほど伊藤先生をお訪ねしたんですが……」

断られてしまった旨を話すと、花田先生はとりなすような口ぶりになった。

「伊藤先生は指導力のある優秀な先生です。わたしなど、教えていただくことがたくさんあります」

「ベテランだそうですものね」

「経験豊富で、熱心で、本当に頼りになる先生ですよ。ただ、そういう先生ほど、今の学校では辛《つら》い立場に立たされることが多くて」

　今時の保護者のなかには、些細なことでも先生の指導に不満があったり、自分の子供が損をしたと感じると、前後の事情もよく確かめないうちに（つまり子供の言い分だけ聞いて）、すぐ抗議に及ぶ人たちがいるのだという。それも、当事者の先生をすっ飛ばし、いきなり校長や教育委員会のところへ行く。

「伊藤先生は、確かに児童の指導に――学校生活をしてゆくうえでの躾《しつけ》の部分も含めて、厳しい先生です。それは当然の教育の一部だとわたしは思いますが、わかってもらえない場合は大変です」

　いくつか、かなり深刻なトラブルがあるという。先生受難の時代である。

「それじゃ、わたしみたいな者が警戒されても仕方ありませんでしたね」

　滋子は名刺を出した。それを手に、しばらく見つめてから、花田先生は顔を上げた。

「失礼ですが、前畑さんのお名前とお顔に見覚えがあるような気がするんです。あの……連続誘拐殺人事件の取材をなさっていたのではありませんか」

　滋子は驚いた。その手の質問は過去にも受けたことがあるし、まったく予想外ではない。が、花田先生はこの若さだ。滋子が網川浩一の事件にからんでメディアに露出していたころ、この人はまだ中学生か高校生だったはずである。

「おっしゃるとおりです。でも、よくご存知ですね」

　滋子は素直に認めて、話した。

「やっぱりそうでしたか」花田先生はうなずいた。「もちろんわたしも、リアルタイムで事件を知って、細かく覚えていたわけではないんです。割と最近に、あの事件の記録映画を観たものですから」

「映画ですか」

思わず顔をしかめた滋子の様子に、花田先生は少し急いで言い足した。

「インディーズの作品で、広く公開されたものじゃありません。ほとんど知られていないと思います。わたしの学生時代の友人には、映像方面で仕事をしている人も多いので、そういう作品を観る機会もあるんです」

その記録映画には、当時のどんな映像が使われていたのだろう。どのように切り取られていたのだろう。

すべて自分のしたことだ。どう解釈されても仕方がないと、覚悟を決めてはいるつもりだが、やはり平然としてはいられない。

「『死の山荘』という、九十分ぐらいの作品です」

網川の事件は、本来は一般名詞を繋げただけの言葉であるはずの「連続誘拐殺人事件」と呼ばれることが多い。それで通じてしまうほどの極北の事例だからだ。ほかに呼びようがないということもある。数があまりに多いので、特定の被害者の名や属性を冠することはできないし、「網川浩一事件」では、二重三重に屈折して複雑な関わり方をした共犯者の存在が抜けてしまうが、稀《まれ》に、「死の山荘事件」と呼ばれる場合があることを、滋子は知っていた。その記録映画も、そちらを踏襲したのだろう。

「いかがでしたか。どんなふうに思われました?」

滋子は穏やかに尋ねた。あれに、ああいう形で関わった前畑滋子という人間と向き合っていてよろしいですかという問いかけも含めたつもりだ。

花田先生は、すんなりと長い指を口元にあてて、しばらく考えた。使い古された喩《たと》えだが、まさに白魚さながらの美しい指だ。この人は子供たちに人気があるだろうなぁ。小学校の教師でよかった。中学や高校だと危険だ。いや、何がどう、どちらに危険なのかはともかくも。

「恐ろしかったです」

初々《ういうい》しい女性教師は、童女のようにあどけない言い方をした。

「この世に——あんな恐ろしい絵があるものかと思いました」

「恐ろしい絵？」

「あの山荘の姿です。映画の最初と最後に映りました。特にラストシーンは、山荘のアップから始まって、カメラがずうっと引いてゆくんです。あの三角屋根が、別荘地のある山の森に隠れて見えなくなってしまうまで」

滋子はそれを想像してみた。

「ですから五月か六月か、うららかな日差しのなかで憩《いこ》っているような緑の山の景色になって、映画は終わるんです。でも、観客の目のなかからは山荘が消えません。それがそこにあることがわかります。感じられるんです。画面が暗くなってクレジットが流れ始めても、まざまざと見えるんです」

「それが——恐ろしかったんですか」

何度かまばたきをしてから、花田先生はうなずいた。瞳のなかに蘇《よみがえ》ってきた映像を、長い睫毛《まつげ》で拭い落としたかのようだった。

「大学の先輩が、卒業制作で、あの事件からインスパイアされた作品を描こうとしたことがあるんです。写真を取り込んだりする斬新な手法で日本画を描く人でした。あの山荘も、素材のひとつとして使うつもりだったんでしょう」

が、十カ月も悩み苦しんだ挙句、結局描くのをやめてしまったのだという。

「とても描けない、普通の人間には絶対に無理だって。それで留年してしまいました。わたしはその先輩から、あれがどういう事件だったのか詳しく教えてもらいまして——先輩は当時もう高校生だったそうですから——なんという酷《むご》い事件だとあらためて思いましたけど、でも、絶対に描けないというのはどういう意味なのか——」

『死の山荘』を観て、ようやくわかったという。

「先輩が描きたかったのがあの光景ならば、描けなくて当然だと納得しました。描けてはいけないんです。普通の人間に描けるようなものではないのだと思いました」

花田先生は強く言い切り、ひたと滋子の目を見ると、尋ねた。

「網川という犯人には、絵の心得がありましたか?」

今まで、こんな質問を受けたことはない。

「いえ……ないと思います。絵画鑑賞が好きだったかどうかまでは、わたしにはわかりません。でも、少なくとも画家を志したということはなかったはずです」

網川は被害者たちを写真やビデオに撮って遺していましたからねと言うと、花田先生の黒い瞳の焦点がすっと鋭くなった。

「ああ……そうですよね。そちらへ流れたんでした。あの男のなかには何か……捩《ねじ》れて歪《ゆが》んではいたけれど、芸術への志向があったような気がしてならないんです。わたしはそれが恐ろしくて」

指を組んで、固まっている。滋子はバッグから萩谷等のノートを取り出した。

会う早々にこんな話になったのは、けっして理由のないことではない。これは導きだ。この先生には、最初からすべてのカードを開いて見せよう。

「これをご覧いただけますか」

等の描いた〝山荘〟の絵を広げてみせた。

花田先生は目を瞠《みは》った。きれいな頬の線がピンと張り詰める。

「前畑さん、これは」

彼女を制して、滋子は問いかけた。「先生は、サイコメトラーという言葉をご存知でしょうか」

おもむろに説明にとりかかる。風見蝙蝠《こうもり》のある家の絵を見せるときには、土井崎家の事件を報道した記事のスクラップも一緒に並べた。話の途中から、花田先生は小さく首を左右に振り始め、たまりかねたように滋子の話を遮《さえぎ》った。

「ちょっと待ってください。いえ、サイコメトラーという能力について、わたしはけっして詳しくありません。そういう特異な、まあ超能力というのですか、そういうものが実在するかどうかについても懐疑的です。というのは」

と、ちょっと笑って、

「世の中にはある種の勘のいい人というのがいるものでしょう？　他人が気づかないものに気づき、他人が見ないものを見る。ほかの人が聞き取れない音や気配を感じて、これを表現することのできる人たちです」

「はい、わかります」

「そういう人は、わたし自身も絵描きですから身びいきになるみたいですが、やはり、芸術家に多いように思います。それを〝才能〟と呼ぶのかもしれません」

つまり、超能力という表現を使わなくても、こうした事象は説明がつくと思う、というのだ。

「他人よりも少し鋭い勘と、いくつかの偶然が重なると、あたかも不可思議な能力が発揮されたかのように見えるということです」

滋子もにっこり笑い返した。「教育者にふさわしい、理性的で穏当な説ですね」

「保守に過ぎるでしょうか?」花田先生ははにかんだ。「わたしは、異能者というものは確かに実在すると思います。多くの芸術家がそれを証明していますもの。ただ、それはけっして物理法則に逆らう存在ではありません。あり得ませんよ。ですから、派手にものを動かしたり壊したりするタイプの超能力というのは、やっぱりトリックだろうと思いますが、サイコメトラーというのはその手のものではありませんよね?」

滋子は同意した。

「そうですね。能力の種類が違います。サイコメトラーとはあくまでも、物に〝残っている〟記憶を読み取ったり、人の心——これが記憶なのか意識なのか難しいところですが——を読んだりする能力を示すようです。透視、もしくは遠隔感知とでもいいますか、失踪者の居所を言い当てたり、殺人事件の犯人や未発見の被害者の遺体を捜し出したりするというのは、最近流行《はや》ってるようですけどもね、その能力の実践的応用でしょう。ただ実際には、それに成功したと喧伝《けんでん》されている派手な事例でも、詳しく検証してゆくと、実はあたっていなかったという反証が見つかることが多いんです」

花田先生は華奢《きゃしゃ》な肩を軽くすくめた。「そうでしょうね」

「少なくとも、わたしが現時点で調べて知った範囲内ではの話ですが。これから未知の事例が出てくるかもしれませんからね」

「萩谷君がそうかもしれないという意味でしょうか」

そう呟《つぶや》いて、花田先生は風見蝙蝠のある家の絵に目を落とした。じっと見つめる。

「子供は勘が鋭いものです」

確信に満ちた言い方だった。体験による裏打ちを、滋子は察した。日々子供たちの創作に接して、この若い先生が驚いたり感動したりする様が目に浮かぶようだ。

「萩谷君もそうでした。特に鋭い子でした。だからこそ、あの子はとてもいい絵を描きました。もちろん、技術力も高かったからです。ですから前畑さん」

風見蝙蝠の家と〝山荘〟の絵を左右に並べて、それぞれの端に手を置き、花田先生はゆっくりかぶりを振る。

「わたしには信じられません。これは何かの間違いではありませんか？　萩谷君はこんな絵を描きません。あの子の表現力は、小学生のレベルを超えていました。ましてや、こんな幼児画の段階はとっくに卒業していました。超能力云々というお話以前に、わたしには、そもそもあの子がこの絵を描いたとは思えません」

滋子は嬉しくなった。思わず膝を打ちそうになった。

「それをお聞きしたかったんですよ」

萩谷等は、本人が言うところの「ちゃんとしている絵」と「ちゃんとしていない絵」を描いた。

花田先生は、文字通り呆気にとられたようだ。口がぽかんと開いている。

「二種類の絵を描き分けていたということですか」

「お母さんの敏子さんの話によると、そうです。そしてこのことは、お母さんと僕だけの内緒にしておいてと頼んだそうですよ」

少々乱暴な手つきになって、花田先生は風見蝙蝠の家の絵を取り上げた。食い入るように見ている。

「彼には高い技術があったとおっしゃいましたね？　わたしみたいな素人にでも、彼が学校で描いた作品をいくつか見るだけで、それはよくわかりました。それなら、わざと下手に描くこともできたんじゃないでしょうか」

滋子の質問に、即答はない。美人の先生は、にわかに歯が痛くなったかのような顔つきだ。

「先生にはおできになるでしょう？　意図的に〝手を下げて〟描くということが」

「できる……とは思いますが」きっと目を上げる。「そんな必要が、どうして萩谷君にあったんでしょう？」

滋子は素直に手を上げた。「わかりません。それが必要なのか、必然だったのかも今はまだ判別がつかないんです。ですから先生のお力をお借りしたいんです」

萩谷等が苦手としているタイプの絵はなかったろうかと、滋子は尋ねた。

「彼はスケッチが上手でしたよね。目の前にモデルを置いて、それをよく見て描くことは、対象物が何であれ、すべて得意だったんでしょうか。出来栄えにムラはありませんでしたか」

「とおっしゃいますと？」

「静物なら素晴らしいんだけど、景色はちょっと出来が落ちるとか」

生徒用の小さな椅子の背もたれに寄りかかり、花田先生は腕組みをして考えた。

「萩谷君に限っては、そういう傾向があったとは思えません。ここでリンゴを描いても、校庭でこの近所の家並みを描いても、同じように正確でした。遠近感が適切で、ものの質感をきちんとつかみ、表現していました」

「人物画はいかがです？」

ちゃんとしてない絵に登場する、棒のような手足を持つ人物と、スケッチブックに残された自身の素描との差はあまりにも歴然としている。

花田先生はふふっと笑った。「小学生は、人物画は苦手なものなんです。あの子たちの人物画のモデルは、両親であることが大半ですから、本人たちが苦手だと意識するという意味ではありません。お父さんやお母さんのお顔を描きましょうと言えば、嬉々《きき》として描きますよ。なかには、保護者会でお会いするとびっくりするくらいよく特徴をつかんで描く子もいます」

等が萩谷敏子を描いた絵を、滋子は思い出した。

「ですから巧拙ではなくて——何と言ったらいいかしら」

右手を拳《こぶし》に、口元にあててまた考える。

「あの子たちはまだ、親から完全に分離していない年頃でしょう？　もちろん自我は芽生えていますし、日々成長しています。でも、第二次性徴期以前の児童というのは、まだ〝個〟として固まり切っていません。どこかで親と一体感があります。親の方にもそれがあります。ですから、絵の題材として客観視しきれない、と言ったらわかっていただけるでしょうか」

両手をさっと動かし、空《くう》に壁を描いて、

「母の日や父の日になると、デパートやお役所で、お父さんお母さんを描いた子供の絵がたくさん張り出されたりしますよね？　ご覧になったことがありますか」

「ええ、あります」

「ああいう場所に展示されるくらいですから、それぞれ個性的で、よく描けている絵ばかりです。でも、ある共通したトーンがあるでしょう。パターンというか。画材が共通だという要素もありますけれど、ぺたっと平らな感じがしませんか？」

言われてみれば、そうかもしれない――かな。

「かなり素描の上手な子でも、お父さんお母さんを描きなさいというと、ああいう絵になります。ただ手が幼いからではなくて、リンゴやバナナや近所の家の屋根と同じようには描けないからです。彼我《ひが》の区別がつききっていないからです。そうした人たちは、その年齢よりも高い表現力を持つ子供たちにとっても、平面的なパターンを破った描写をすることのできる対象となるほどには、まだ離れていないんですよ」

滋子はちょっと乗り出した。「感情が入るということでしょうか？」

うーんと、若い先生は唸《うな》る。

「それだけではありません。もちろん感情も入りますよ。だからこそ、児童の描く絵から家庭内の状況を推察したり、問題を察したりすることができるわけですから。極端なケースでは、子供の絵から虐待や養育放棄《ネグレクト》の可能性を見て取ることもできます。でも、わたしが言うのはそういう意味じゃなくて」

じれったそうだった。

「小学生ぐらいまでの子供たちにとっては、親がまだ完全に〝外の世界〟の存在ではない、という表現しかないかしら。人間は、一度対象物から外に出ないと絵を描くことはできません。冷静に観察できないからです。優れた画家とは、そうやって外に出た自分を、敢《あ》えてもう一度世界の内部に戻して、それでも世界に呑み込まれずに描くことができる人たちなんです」

ああ、ごめんなさいと、片手で顔を押さえて笑い出してしまった。

「わたしの言うこと、とことん抽象的ですね」

「いえいえ、わかりの悪い生徒で、こちらこそごめんなさい」

滋子も笑った。二人の声が教室の天井に響く。

「でも、少しわかりかけてきたようです。等君がお母さんを描いた絵も、とてもよく描けていましたけど、先生がおっしゃるとおり、〝僕のお母さん〟の平均的なパターン内に収まる絵でしたよね」

少なくとも、あのスケッチのような精密さは欠いていた。そうなる理由は、技術力の表現力だけにあるのではない、ということなのだろう。自我の境界線の問題があるのだ。お母さんはリンゴではない。

「そうです。子供の自我が、まだ親の自我のなかにすっぽりと内包されていることを示す、平和で温かなパターンです。だからこそ、父の日や母の日に展示されるああした絵は、見る者の心を等しく癒やすんじゃないでしょうか。疲れた大人たちがみんな持ち合わせている、胎内回帰願望に触れるんですよ」

考えてみたこともなかったけれど、滋子は納得し始めていた。いつか子供の絵を見て、昭二が涙ぐんだことも、あれは自分の子供を持てない寂しさのせいばかりではなく、その絵の発する温もりが、彼に、亡くした両親との絆を思い出させたからだったのかなと、ふと思った。

「逆に、中学生や高校生の、将来は絵を描く仕事に就きたいという夢を持っているような子供たちに、ご両親の肖像を描きなさいというと、たいていは嫌がります。描きたがりません。それでも強いて描かせると——技術力がついてきているだけに——凄い絵が出てきますよ」

花田先生は、教師としては小学校で教え始めてまだ二年だが、学生時代に絵画教室でアルバイトの助手をしていたことがあるという。そこでの経験だそうだ。

「ミドルティーンからハイティーンの子供たちというのは、わたしが自分自身を振り返っても思い当たりますけど、人生のなかで、もっとも自我が活性化している時期です。親の自我という重力を振り切って脱出するために、尖《とが》っています。だから、今度はいわば突っ放し過ぎてしまうんですね。客観視が行き過ぎるというか」

その絵画教室は、彼女の大学の指導教授が自宅で開いていたものだった。生徒は大人と子供が半々。子供を教える方が楽しかったし、刺激があったという。

「わたしの先生は、中高生にそういう凄い両親の肖像を描かせて、こう言うんです。この絵をずっととっておきなさい。これが、あなた方の若い魂が今現在認識している世界の姿です。そして、いつかこの絵を一抹《いちまつ》の含羞《がんしゅう》と深い愛情を持って眺められるような大人になりなさい」

滋子は微笑《ほほえ》んで、尋ねた。「画家になるならないとは関係なしに？」

花田先生も微笑んでうなずいた。「はい。人は誰でも絵を描きながら生きていますから。たとえ絵筆は持たなくても」

それもまた、滋子が今まで思ってもみなかったことだった。人は誰でも己の絵を描いている。

「話が脱線してしまいましたけど――」

花田先生は背中を伸ばして座り直した。

「前畑さんが疑問に感じておられる事柄が、わたしにも少しわかってきた気がします。前畑さんは、萩谷君がある種の題材や手法を苦手にしていて、それを描くとき、〝ちゃんとしていない絵〟だと表現していたのではないかとお考えなんですね」

「そうですね、ええ」

「苦手だから下手になった。幼稚になったと」

「はい。たとえば彼が、その場で見たものを描くのは上手だけれど、お手本なしに、後で思い出したり想像したりして描くのは上手くなかったという可能性はありませんでしょうか」

即座に、花田先生は否定した。「ありません。それに、こちらの絵も、けっして下手ではありませんよ」

解《げ》せない。明らかに稚拙ではないか。しかし花田先生は自信たっぷりに続けた。

「下手ではありません。きれいに塗れていますし、必要な線は適切に引かれています。人物も、頭と手足のバランスが取れています。遠近感はほとんどありませんし、物の大きさも正確に写し取られていませんが、それでも、これが何であるかはわかります。家は家。木は木。車は車です。何を描いたのかわからないものは、ひとつもありません。けっして下手ではないんです」

「じゃ、この絵のどこが〝ちゃんとしていない〟んでしょうね？」

「おわかりになりませんか」

花田先生は、大きな瞳を滋子に向ける。

そういえばこの人は、これまで一度もわたしに訊《き》かない。あなたのお子さんはどんな絵を描きますか。わたしに子供がいないことがわかるのかしら。

つと揺れた滋子の心をよそに、彼女は続けた。

「萩谷君の言う〝ちゃんとしてない〟絵は、退行してるんです」

たいこう。滋子は声に出して確認した。

「そうです。幼稚園児の絵ぐらいにまで戻っています。さっき〝幼児画〟と申しましたけど、まさにそのとおりなんです。それで正解なんです。そう思います」

答えは最初から目の前にあった、と。

「そして幼稚園児の絵としては、これは技術的には上手な絵です。最初にこれを見せられたとき、あの萩谷君が幼稚園で描いた絵ですと言われたなら、わたしは何も不思議に思わなかったことでしょう」

今度は滋子が腕組みをする番だった。

「なぜ、そんなことが？」

わかりませんと、花田先生は首を振る。

「ただ、一般論なら申し上げられます。あくまでも新米教師の常識的な考えですが」

慎重に前置きし、しかし次の言葉は強かった。

「子供が、怖い思いをしたときです。自分の手には負えない、理解できないものに直面したときです。小さく、幼くなって、そこから逃げようとするときです」


さくら小学校からの帰り道、文具店を見つけて、滋子はスケッチブックを一冊買った。S2の鉛筆もひと箱買った。

家に帰ると、夕食の支度を整えておいて、鉛筆を丁寧に削り、真新しいスケッチブックを広げた。

最初のうちは家のなかのものを描いた。醤油さしやスリッパ。出窓に飾ってある造花を挿した花瓶。大雑把にばんばん描いた。

どれもヘタくそで笑ってしまった。

スケッチブックなどというものとは縁のない生活を、何十年も続けてきたのだ。下手で当然だ。笑いながら手当たり次第に描いた。

昭二が疲れた声を出して帰ってきたときには、ちょうど彼の肖像を描いていた。

「何だそりゃ。宇宙人か？」

滋子の肩越しにのぞきこんで、昭二はそう言った。

「これ、昭ちゃんだよ」

それからが大騒ぎだった。昭二はさんざん抗議したり笑ったり怒ったり鏡を見たりして、滋子はそれを見て笑い、しまいには昭二が鉛筆を握り締めてスケッチブックに向かった。五分としないうちに描いたページをこちらに開いてみせて、

「これが滋子だ」

ロングヘアの〝へのへのもへじ〟だった。

「夕飯、食べさしてあげない」

「待て待て！　早まるな！　描き直す！」

何度描いても結果は同じ。二人とも絵心がない。からっきしダメだ。仲良くビールと焼酎を飲んだ。

「思ったより難しいもんだな」

昭二は自分の太くて短い指をつくづくとあらためる。

「滋子の顔なんて、隅から隅までよく知ってるつもりなんだけどさ。いざ絵に描こうとすると、わかんなくなっちまう」

「知ってることと、知ってることを表現できることは別なのよ」

「また小難しい言い方をする」

滋子は昼間の花田先生との話をした。最初のうち、昭二が話の内容よりも、彼女が若くてほっ

そりしていて美人であることにばかり興味を示すので、バツとして二本目のビールを差し押さえた。

「退行ってことだけどさ」

昭二も経験があると言う。

「小学校の四年か五年のときだったかな。近所に野良犬がうろうろしてたんだよ。ていうか、うろついてる野良犬を見たって近所の人が、何人もいたんだよ」

痩《や》せて毛並みが悪く、口から泡を吹いていたのだという。

「もしかして狂犬病？」

「だろ？　そう思うだろ？　大変だろ？」

町内パトロール隊をつくって周回するほどの騒ぎになったのだが、結局、問題の犬は見つからなかった。

「見間違いか、ホントにそんな犬がいたとしてもどっか他所《よそ》に行っちゃったんでしょうってことに落ち着くまで、三日ぐらいかかったかな。俺、そのあいだ寝小便するようになっちゃったの。おっかなくてさ」

滋子は横目で夫のいかつい顔を見た。

「それ、退行じゃないんじゃない？」

また大騒ぎになった。滋子は昭二が開けた新しい缶ビールを避難させ、自分はレモンサワーを飲んだ。

「俺はな、寝小便は小学校にあがった瞬間に終わってたの！　だから、今頃になっていったいどうしたんだって、おふくろも心配したんだよ！」

滋子は仏壇に呼びかけた。「おかあさーん、そう言ってますけど本当ですかぁ?」

「あ、おまえ酔っ払ってるぞ。ピッチ早過ぎだっての。ビールかサワーかどっちかにしろ」

昭二は缶ビールを取り返す。滋子はグラスに残っていた分を一気に飲んでしまった。

「昭ちゃん、犬は嫌いじゃないよね。なのに、そんなに怖かったの?」

「ただの犬じゃねえだろうが。狂犬病だぞ。今だって怖いよ、そんなことがあったらさ」

「そうだね……」

滋子が急におとなしくなったので、昭二がのぞきこんできた。

「何だよ。気持ち悪くなったのか?」

「ねえ昭ちゃん」滋子は本当に酔っていた。テーブルに片肘をつき、片手をひらひらさせて言った。「一緒に住んでもう十年になるよね?」

大好物のカリカリベーコンのサラダを頬張りつつ、昭二は几帳面に訂正した。「別居期間もあったけどな」

「そんな長いあいだじゃなかったじゃん」

「まあ、な」

「何も言わなくても、あたしの考えてることがわかるとき、ある?」

サラダを噛《か》みながら、昭二は訝《いぶか》しげに目を細めて滋子を見た。そして訊いた。「おまえはあるか?」

「ある」滋子はしゃっくりした。「——ような気がする」

なぜかしら昭二はぎくりと強張る。「どんなとき?」

「昭ちゃんが隠し事してるとき」

「オレわぁ、隠し事なんかぁ、しないよ」

「ウッソだい」

滋子は声をたてて笑った。昭二は本気で心配になったようだ。

「悪酔いしてるぞ」

しゃっくりが止まらない。

「マジで訊いてるの。あたしが考えてることがわかる時、ある？　昼間嫌なことがあったとか、書いたものを褒められたとかさ」

「仕事で褒められたときは、滋子、すぐ口に出して言うじゃねえか」

そうだった。嬉しくて黙っていられないのだ。

「失敗したときは黙ってるよね、あたし」

「でも、そういう時も顔に出るからわかる」

単純なのだ。

「あたしはね、昭ちゃんが会社のことで悩んでるときは、隠されても、たいていわかる。わかるつもりよ」

昭二は茶碗を置き、少し真顔になった。「最近、そういうことあるか？」

「ないね。調子いいんでしょう」

「うん、おかげさまで」

滋子は彼のグラスにビールを注いだ。

「ほかのことは、どうかな。昭ちゃんが浮気したら、あたしわかるかな」

「試してみようか？」

「やってみ。許す」

昭二は手を伸ばし、滋子の頭をごりごりと撫《な》でた。

「おまえ、今日はアウトだ。ブレーカーがあがっちゃったな。昼間、よっぽど神経使ったか興奮したんだろ」

大丈夫だよと言いながら、滋子はテーブルにぺたりと半身を伏した。片方のほっぺたがつぶれる。

「考えてたら、怖くなっちゃったんだ」

「何を」

「親しい間柄だと、気配とか雰囲気だけで、何を考えてるのかわかるってことはあるよね？ ね？　親子や夫婦でさ」

「あるよ。認める」

「でもそれは、あくまでも気配や雰囲気。形のあるものじゃない。見えないよね」

それが見えちゃったら怖くない？　と、滋子は訊いた。

「ましてや、それが知らない人のだったら、なおさら」

けっこう長いこと、昭二は黙っていた。滋子は彼の方に顔を向け直して、またテーブルに伏せた。目だけ動かして夫を見上げる。

「ね、怖くないかな」

昭二は口をへの字に曲げていた。「等君には、そういうものが見えてたって言いたいのかい」

「自分だってそう言ってたじゃん。第三の眼だって」

空《から》になったご飯茶碗に急須から茶を注いで、昭二は旨《うま》そうに飲んだ。亡くなった舅《しゅうと》がよくこれをやっていた。滋子には馴染《なじ》めない習慣で、嫌だった。だけど昭二もやっぱり同じことをする。父子だ。

「言ったけど、さ」と、彼は口ごもる。「決めつけるのはまだ早いんじゃなかったのか？　それを考えすぎて一人で怖がって、酔っ払ってりゃ世話ねえぞ」

「そうだね。ごめん」

滋子はふらふら立ち上がった。でも怖いよね？　椅子の背につかまり、もういっぺん訊いた。怖いよと、昭二は答えて平手で滋子の尻をぶった。いい音がした。

「早よ寝ろ」


同じ週の半ば、滋子は再び北千住を訪れた。梅雨の晴れ間の好天で、まだ昼前だというのにむんむんと蒸し暑い。

今度は真っ直ぐ、小牧精米店に向かった。インターフォンを押すと、タイミングよく直美の声が応じてくれた。

「あら！　いらっしゃい」

直美はエプロンがけで、額にチェックのバンダナを巻いている。そこに汗が滲んでいた。

「ちょうど掃除が終わったところなんです。どうぞ」

滋子が何も言わないうちに、てきぱきと奥のリビングに通してくれた。広い洋室で、明るい色合いのソファと肘掛け椅子が並んでいた。隣の和室に通じる引き戸が開け放ってある。和室では直美の父親が、彼女の双子たちの相手をしていた。

滋子が挨拶すると、特に意外そうな顔もせず、小牧氏は愛想よく挨拶を返してくれた。直美から話を聞いているのだろう。風通しのよさそうな家族だから。

「お祖父《じい》ちゃん、ちょっとお願いね」

直美は父親に声をかけ、引き戸を閉めるついでに、そこらじゅうに散らかしたソフトビニールのブロックで機嫌よく遊んでいる双子に、いないいないばぁというような仕草をした。双子が喜んできゃっきゃと笑う。

「お米を買いにきた――わけじゃありませんよね？」

おどけた口調で言って、直美は滋子の向かいに腰をおろした。

「何かわかったんですか。それともまた何か質問ですか」

口調から、先日の初遭遇のときの、疑い深い意地悪さは消えていた。ああいう経緯《プロセス》を踏んで、結果的には良かったのだろう。

「萩谷等君の写真を持ってきたんです」

滋子はバッグから、等のスナップ写真のコピーを一枚取り出した。

「――可愛い子ね」

直美は両手で写真を受け取り、ひと目見て大きく笑みを咲かせた。

「お母さんは自慢だったでしょうね。先立たれて辛《つら》いでしょうに。お気の毒だわ」

二人の子持ちには見えない若々しい顔が、母親らしい心痛と同情で曇った。

「等君の顔に見覚えはありませんか」

彼が何らかの形で直接的に土井崎家の隠された事情を察知する機会があったのではないか。具体的に言うなら、この近くを訪れたことがあるのではないか。それを探っていることを、滋子は説明した。

直美は写真から目を離さずにかぶりを振った。

「ないなぁ。このへんで見かける子供たちは、地元の子だけですもん」

写真をテーブルに置くと、目を上げた。

「この子がこのへんに来てたって——一人で来てたってことでしょう？　お母さんは連れてきたことないっておっしゃってるんだから」

一度もないと、萩谷敏子はきっぱり言っていた。

「ほかの誰かに連れられて来たという可能性もあります。その誰かが、土井崎さんと知り合いだったとか」

首をかしげながら直美はバンダナをはずし、エプロンのポケットに突っ込んだ。

「そんなこと、あるかしら、子供会の遠足とか？　だったらもうちょっとそれらしい場所に行くでしょう」

いずれにしても見覚えはない、という。

「とっても可愛い子だから、見かけたら覚えてると思います。まして一人でうろうろしてたりしたらね。このへんはまだ近所付き合いがある土地柄だから、そういうことがあったら、必ず声をかけますよ。ボク、どうしたのって」

滋子は大きくうなずいて、今度は写真のコピーの束を取り出した。

「実はそれでお願いがあるんです。ご近所の親しい方や、こちらのお得意さんに、このコピーを配っていただけないでしょうか。ついでの折で結構なんですが」

直美は目を見開いた。「あ、なるほど」

「お手間をおかけして申し訳ないんですが」

「ンなことはありませんよ。お安い御用です。この子を知ってるって人が見つかればいいんですよね？」

コピーの裏には滋子の携帯電話の番号が入っている。直美はそれを見て、やっぱ手回しいいですねと笑った。

「あんまり期待できないと思うけど、カッちゃんとこも行きます？」

「はい、同じようにお願いしようと思っています」

ちょっとそっくり返って、直美は言った。「小牧米店と今井クリーニングを押さえときゃ、万全です。同級生とかにも見てもらうようにしますよ」

玄関で物音がし、すぐに小牧氏と同年配の女性が廊下からリビングに入ってきた。直美の母親だろう。ただいま、と言って、滋子に気づいて立ち止まる。

「お帰り。今日は早かったね」

直美は滋子の方にさっと手を振った。

「お母さん、こちら前畑さん。ホラ話したでしょ。セイちゃんとこの——」

滋子は黙って頭を下げた。小牧夫人はしげしげと滋子を観察し、

「テレビに出てた方ですよねぇ」と、感心したような声をあげる。

「ずいぶん以前のことですが、はい」

「直美がお世話になります」

頭を下げ返して、小牧夫人は隣の和室へと移動した。手に袋を提げている。孫たちが嬉しそうな声をあげた。バァバ、バァバ。

「血圧が高いんで、病院へ薬をもらいに行くんです」

説明というふうではなく、直美が言った。

「歳とるって、不便なもんですよね。父は脚が悪いし。病院通いするだけでもけっこう忙しくて」

確かにそうだろう。でも、小牧夫妻は幸せだ。娘夫婦と孫にかこまれ、にぎやかな老後をおっている。

土井崎夫妻とは対極にある。

直美も同じことを考えているのだろう。だからこその、今の台詞《せりふ》だったのかもしれない。続けてこう呟くと、

「そのくらいのこと、文句言ったらバチがあたるけど」

小さく肩をすくめた。

「等君の描いた絵をご覧になってみますか」

直美が「必要ない」と言ったら、見せるつもりはなかった。

「いいんですか、あたしが見て」直美は驚いたようだった。「セイちゃん家《ち》を——描いた絵でしょ？」

何も言わず、滋子はノートブックを取り出してページを開き、直美の目の前に差し出した。彼女が受け取ろうとしなかったので、テーブルに載せた。

しばらくのあいだ、直美はまばたきもしなかった。風見蝙蝠のある家のなかの、灰色の少女を見つめて。

「これ、本当にこの子が描いたの？」

等の写真のコピーに、そっと指で触れて問いかけた。

「そうです。とても絵の巧い子だったんですが、この種の絵はタッチが違います。幼いんですね」

「だけどこれ、セイちゃん家《ち》ですよ」

直美の声は低くかすれていた。震える指先が、絵のなかの灰色の少女に触れかけて、宙で止まった。

「――これは茜さんだし」

「そう思われますか」

きっと顔を上げ、直美は声を尖らせた。「どうして？　どうして誰も知らなかったことを、この等って子は知ってたんです？　あたしたちも知らなかった。セイちゃんさえ何《なん》にも知らなかったんですよ。なのに、どうして他所《よそ》の土地の子が知ってたんです？　なんでこんな絵が描けたのよ！」

引き戸が開いた。小牧夫人がびっくりしたような顔を出す。「何よあんた、お客さんにお茶も出さないで、大きな声で」

「お母さん、これ見てよ！」

直美は母親の袖を引っ張り、隣に座らせた。滋子を尻目に早口で説明を加える。小牧夫人は顔をしかめて等の絵を見ている。

「ヘンでしょ？　ね、ヘンだよね？」

直美は母親をゆすぶって問い詰める。話に聞いていたのと実物を目の当たりにするのでは、やはり衝撃の度合いが違うのだろう。動揺していた。

「ちょっとあんた。とにかくお茶をいれてきてよ」

渋る直美を台所へ追いやり、小牧夫人は座り直すと、

「すみませんね、うちの娘は気が短くて」

「いいえ、こちらこそお邪魔しまして」

小牧夫人は絵の隣のコピーに目をやった。

「このお子さんですか」

労《いたわ》るような優しいまなざしだった。

はい、と滋子はうなずいた。

「可哀相にね、交通事故なんて。まだ小さいのに」

お話は娘から聞いておりますと、少しあらたまった口調になった。

「土井崎さんのお宅のことは、そりゃもうビックリした事件でしたけども、わたしどもでお役に立てるようなことはないと思うんです。ただ、うちの娘は土井崎さんとこの誠子ちゃんと仲がよかったんで、今でもとっても心配してますし、事件のこととなると、すぐピリピリしてしまうみたいで」

「よくわかります」

この場からはじかれてなるものかと言わんばかりに、盆の上の茶器をがちゃがちゃ鳴らしながら、直美が凄い勢いで戻ってきた。

「こんなことがあると思う？　あたし信じらンない！」

「うるさいわねぇ」

タイミングをはかったように、隣室で双子たちがぐずり始めた。母親の動揺を察するのだろうか。

「ホラ、呼んでるわよ」

「ン、もう！」

直美が席を離れて、「はいはい、なーに？」と飛んでゆく。不謹慎ながら、滋子は思わず微笑《ほほえ》んでしまった。ふと見ると、小牧夫人も笑っている。

「ホント忙《せわ》しなくて」

「お幸せですね」

「どうにかこうにか、ですよ」

小牧夫人はちょっと身を乗り出すと、口元を手で覆って小声になった。「あれで直美も、一時はグレてました」

「まあ」

「どうなることかと、わたしもお父さんも心配したんですよ。茜さんみたいになっちゃうと困るから」

何気ない言葉で、だが目はしっかりと滋子を見ていた。

「よくご存知でしたか？」

「まあ、評判は」と、ため息をついた。「お世辞にも、可愛いお嬢さんとは言えませんでしたよ。いいえ、顔は可愛かったんです。美人でした。でも、ね」

わかるでしょう、という表情だ。

「素行が良くなかったという話は聞いています」

「不良でしたよ。非行少女。それこそ絵に描いたようでした。中学のときから髪を染めて、化粧して、ぎょっとするような派手なカッコしてね。学校にも行ったり行かなかったり。先生方も手を焼いてたんじゃないですか」

直美が置き去りにしていった急須に湯を注ぎ、滋子にお茶を出してくれた。いい香りが漂う。

「土井崎さんとはお親しくされていたんですか」

「いえ、いえ」強く首を振る。「あのご夫婦は、あまり近所付き合いはありませんでした。おとなしい方たちで、揉《も》め事を起こすこともありませんでしたけど、誰かと格別親しく行き来するなんてこともなかったです」

影みたいでした、と言い足した。

「いるんだかいないんだかわかんないという感じでね。いつもひっそりしてて。元気なのは誠子ちゃんだけでした」

「誠子さんのことは、よく」

「知ってました。いい娘さんですよ。直美とはずっと仲良しで、結婚披露宴にも招《よ》ばれました」

茜の遺体が発見され、両親が彼女の殺害について自白したとき、土井崎誠子は新婚三カ月だったのだ。

ひと口お茶を飲むと、騒がしくなった引き戸の向こうへ目を投げてから、小牧夫人は滋子に向き直る。

「茜ちゃんと誠子ちゃんは、確か六つぐらい歳が離れているはずです。茜さんが姿を消して――失踪《しっそう》っていうんですか。もう十五年前ですかね」

「十六年目になります」

彼女が殺害されたのは、一九八九年十二月八日のことである。

ずいぶん経ちますよねと、小牧夫人は呟いた。

「当時はわたしら、みんなあの娘《こ》は家出したんだとばかり思い込んでましたけど、まあそういうことになったとき、誠子ちゃんと直美は八つか九つぐらいでしたよ。ですから、直美は茜さんのことはほとんど知らないと思います。物心つく前の出来事ですからねぇ。むしろわたしや主人の方が、茜さんの悪い評判を聞いていたんじゃないですか」

それだってあくまでも近所の噂のレベルで、土井崎夫妻から直《じか》に聞いたわけではない、と念を押す。

「だから茜さんが家出したんだというのも、ただの噂で耳にしただけですよ。でもあの娘なら不思議はないという感じで、誰も気にかけてませんでした」

土井崎夫妻は、三日後の十二月十一日に警察へ捜索願を出している。それが噂になったのか。

「ご存知の限りで、誠子さんがお姉さんについて何か話していたことはありますか」

ありません――と、すぐに返事がかえってきた。

「直美も何も知らないと思います」

うちの娘をこのことに関わらせないでください。言外に、その意図が伝わってきた。

「茜さんのことなら、中学の先生に訊くのがいちばん早いと思いますよ。千住南中学。このへんの子はみんなあそこへ通います。直美も誠子ちゃんもそうでしたけど、でも、さっきも言ったとおり歳が離れてますから」

滋子は先回りした。「はい。学校で茜さんの家出が話題になることもなかったでしょうね」

一瞬、小牧夫人は険しい目つきで滋子を見た。わかっているならなぜここでグズグズしているのか。とっとと学校へ問い合わせに行けばいいでしょう。

「はいはい、行ってらっしゃーい」

バイバイと笑顔で手を振りながら、直美が引き戸から出てきた。

「お祖父ちゃんが公園に連れてってくれるって」

やれやれ片付いたという感じで、直美は母親の隣にすとんと座った。小牧夫人がたしなめる。

「あんた、自分が休みたいとなるとすぐお祖父ちゃんにおっつけて」

「いいじゃない。友も朋もおサンポ大好きだし。お母さんも一緒に行ってきたら？」

今度は娘が母親をこの場から遠ざけようとしている。

「ね、それでどうなるんです？　この子、やっぱり超能力者なの？　この絵はその証明なのよね？　だってそうでなかったら筋が通らないもの。ヘン過ぎるもの」

熱心に話を続けようとする。滋子は慎重に言葉を選んだ。「それは可能性のうちのひとつですね」

「ほかに何があるって？」

「ですから、誰かが土井崎茜さんのことを知っていて、その誰かが等君にそれを教えたか、等君が偶然知ったという可能性があります」

直美はまたキッとなる。「誰も知らなかったのよ。さっきから何度も言ってるじゃない」

そういうことじゃいけないの？　と、小声になった。

「いいじゃない、それで。そういうことにしておきましょうよ。調べなくっていいじゃない」

そうなのだ。それでいい。誰が困るわけじゃない。

でもわたしは知りたいんですよと、滋子は心の内で思った。厄介な性癖です。

直美は急に髪をかきむしると、母親に向けて口を尖らせた。「もう！　お母さんが余計なこと言うから、あたし自分が何考えてるんだかわかんなくなっちゃったじゃない！」

「なんでお母さんのせいなのよ」

「とにかくそうなのよ！」

滋子はノートブックをしまい、腰をあげた。

「すっかり長居してしまいました。すみません。これで失礼いたします」

直美がぽかんと口を開ける。帰るの？　もう話はないの？　玄関まで追いかけてくる。

「ね、待ってよ。あたし――」

言いかけて、困っている。混乱しているのだ。

「ごめんなさいね。お母さんと喧嘩《けんか》しないで」

「え？　ああ、いいのよあんなの。いつものことだから」

リビングにいる母親の耳を気にして、声を落とす。

「コピーのことは、引き受けた。ちゃんとやるからね」

「――ありがとう。でも」

「いいからいいから。カッちゃんにも協力させる。あたしからもよく言っとく」

微笑《ほほえ》ましい。今でも仲良しだ。

「なんかあたし、フクザツなのよ。ごめんね」

「わかります」

「誰かが――茜さんのこと知ってたなんて、思いたくないの。どうしてだかわかんないけど、あたしに関係ないんだけど、思いたくないの。どうしてだろうね？」

子供のように無心に、自分の心の動きの矛盾を不思議がっている。可愛い人だと、滋子は思った。

「だってさ」直美の声が、ちょっと嗄《か》れた。「一生懸命——隠してたんでしょ。土井崎のおじさんとおばさん。ずっとフタをしてさ、長いことしまいこんで。自分たちだけで背負《しょ》い込んで。セイちゃんにさえ言えなくて」

「そうね……」

「それ、誰かが知ってたなんて、酷《むご》いじゃない」

共感を求める言葉ではなく、思わず溢《あふ》れた心情だ。

「直美さんは、茜さんのことはよく知らなかった？」

急に彼女が親《ちか》しく思えて、滋子はフランクに問いかけた。

「うん。やっぱり歳が離れてるからね。接点がなかったもん。だから家出のことも、セイちゃんからちらっと聞いただけ」

「誠子さんから」

「うちのお姉ちゃんは、お父さんお母さんと喧嘩して家出しちゃったんだよって。それもいっぺん聞いただけだったと思うのよ。話題に出なかったもんね、茜さんのこと」

茜のことは、むしろ事件が発覚して後に、彼女の素行や評判について聞き知った、という。

「よっぽど悪かったんだろうねって、カッちゃんとかとも話したのよ。あのおとなしい土井崎さんがそんなことするなんてさ。フツーじゃ考えらンないもの」

なおのこと、土井崎家に同情してしまうのだろう。

「あれから、誠子さんとは連絡がとれた？　やっぱり携帯はつながらないままかしら」

元気に満ちて、美人というよりは美少年の風情のある直美の顔が、痛みに歪んだ。

「うん……」

「そう。心配でしょう」

「前畑さん、セイちゃんに会うつもり？」

滋子は正直に答えた。「会いたいとは思います。でも無理はしません」

「そうしてあげて、セイちゃん、いい娘《こ》なのよ。あたしが今まで知り合ったなかで、いちばん優しい人よ」

いちばんのところで、両腕をよじった。

「もしもセイちゃんと連絡がとれたら」考え込むように額に手をあてて、「あたしたちが心配してるって、伝えてくれる？　セイちゃんとは今も友達だって。身体に気をつけるんだよって」

「必ず伝えるわ。お邪魔してごめんなさい」

ドアを開けて外へ出ようとする滋子を追い、直美は靴もはかずに玄関から降りてきて、袖をつかんだ。

「さっきの、等君」

「はい？」

「あの子のお母さんに、お悔やみを言ってね」

滋子は直美の顔を見直した。目が潤んでいる。

「子供を亡くすなんて、自分が死ぬより辛いもの。友や朋にそんなことが起こったら、あたし、絶対に生きていかれない。あの子のお母さんを慰めてあげてよ」

直美の目の底には、同情と痛みだけでなく、恐怖も浮かんでいた。この子に何かあったらどうしよう。今まで思ってもみなかったけれど、現実に子供を失う母親はいるのだ。自分の身にも、そういう不幸が起こらないとは限らない。

滋子は直美の手をそっと握った。

「そうするわ。できるだけ力になりたいと思ってる。だから安心して」

「うん」

「友ちゃんと朋ちゃんには、けっしてそんなことは起こらない。だからそれも安心して」

目を潤ませたまま、直美は苦笑した。「そう思いたいけど、さ」

「そうなのよ。そういうことは起こらないの。安心して。もうそんなことは考えないで」

握った手に一度だけ力を込めて、直美にうなずきかけてから、滋子はドアを閉めた。

ゆっくりと今井クリーニング店を目指した。

今の滋子にとっては幸いなことに、今井勝男は配達に出ていて留守だった。彼の母親がカウンターの内側にいて、滋子を見て笑顔になった。いい人たちだ。こんなあたしを笑って迎えてくれる。

今井夫人には等の写真のコピーを見てもらっただけで、絵の方は見せなかった。夫人も、等の顔には見覚えがないと言った。

「近所の子供たちの顔ならよく知ってるけど……」

と、直美とほとんど同じようなことを言った。

「おたくの調べ物、うまくいきそうなの？」

「まだ雲をつかむようです」

「だろうねぇ。土井崎さん家《ち》のことは昔の話だし」

赤いエナメルの目立つ髪をちょっと撫でつけて、

「何だっけ、超能力？　そんなのはたいていインチキだしね。あ、ごめんなさいよ、インチキなんて言って」

「土井崎さんは、こちらのお客さんでしたか？」

滋子の問いに、今井夫人が心のなかで亀のように首を引っ込めるのがわかった。

「たまぁにね。あんまりクリーニングを出してくれなかった。あの旦那さん、背広着て会社に通うような仕事じゃなかったんじゃないかしら」

「亡くなったご主人は、土井崎さんのご主人と飲み友達だったということですが」

そんな話、したっけ？　余計なことを言ったものだという表情が、今井夫人の頬のあたりをかすめた。

「うちのは大酒飲みでしたからねぇ。土井崎さんだけじゃなかったですよ、仲間は。だから何にも知らないわね」

知ってたらタイヘンだったわよと、わざとのように豪快に笑った。滋子も深追いするつもりはなかった。挨拶して別れた。

気が引けて訊きにくかったから、千住南中学の場所は、通りがかりの人に教えてもらった。すぐ近所だった。

予想していたことではあるが、学校はガードが固かった。事件の取材がやかましかった際に、経験を積んだのだろう。事務室を訪ねたのだが、土井崎茜をよく知る当時の担任教師の名前さえ教えてもらえなかった。やりとりのあいだに、どうやらその先生はもうこの学校にはいないということが察せられただけである。

まあ、それはまた別の手で調べればいい。茜が、誠子が、直美と勝男が通った校舎をしばらく眺めて、滋子は踵《きびす》を返した。

その週を二日も自分の取材に費やしてしまったので、平日の残りはノアエディションの仕事に励んだ。

一度だけ、萩谷敏子に電話をかけた。ほかでもない、昭二が等のスケッチを気に入ってしまい、学校の近くの町並みを描いた一枚を、コピーをとって額に入れ、会社の事務所に飾りたいというので、その許可をもらうためである。

敏子は喜んだ。コピーでなくて現物でもいいという。それは丁重に遠慮した。等の作品はすべて敏子のものだ。

「先生、いただいたお電話ですみません。松夫兄に話してみたんですが……」

叱られたと、元気ない声で言う。

「知らない人間に頼んで等のことを調べてもらうなんて、おまえは何をやってるんだと」

そうとう厳しくやられたらしい。こちらは前途多難だなと、滋子は覚悟した。

「お兄様のおっしゃることは、ごく常識的なことです。当然ですよ。どうしても難しいようなら、無理は申しませんから」

それでも抜け目なく、萩谷松夫の会社の連絡先と、彼の携帯電話の番号を教えてもらった。これで、敏子を通さず奇襲することだってできる。等を可愛がり、敏子と等の生活の面倒をみていた萩谷松夫なら、よく話せばきっとこちらの気持ちを酌《く》んでくれるはずだ。易々《やすやす》と諦めるつもりはなかった。

敏子の許可がとれたので、等のスケッチブックを持って事務所へ行った。昭二が自らカラーコピーをとった。居合わせた社員たちに、自慢げに見せる。どうだ、凄いだろう。この子は天才だよな？　週末、二人で買い物に出かけて、額をみつくろった。昭二が選んで決めた。額縁屋の店員も、絵の出来栄えを褒めてくれた。

「将来は画家になるんじゃないですか？　先が楽しみなお子さんをお持ちですねぇ」

あえて訂正しないまま店を出て、道を歩きながら昭二はしきりと照れた。

「オレたちの子じゃないのにさ」

「そんな気分をプレゼントしてもらったと思おうよ」

「そうだな。ホントにこんな子がいたら、いいよな」

一緒にキャッチボールができる。スケッチ旅行にも連れて行ってやれる。昭二は憧《あこが》れるような目で呟いた。

第五章　事件

千住南警察署刑事課の野本刑事は、女性だった。

二十七歳という若さなので、滋子は二重に驚いた。警察組織にも変革の波は押し寄せてきているのだ。

電話の声は、少し過ぎるくらいにハキハキしており、

「はい、本庁の秋津警部からお話は伺っておりますが」という言葉には、滋子への警戒心が顕《あらわ》れていた。

ご都合のいいときに、いつでもどこへでも参上しますという滋子に、彼女は京成関屋駅前の喫茶店を指定してきた。判《わか》り易く場所を教えてくれた。

時間は少々遅かった。午後七時だ。かえってありがたい。ノアエディションの仕事が終わってから行ける。

火曜日だった。帰りがけに、今日はこれから若い女性刑事に会うんだよと言うと、恵は素朴にびっくりした。

「ドラマみたい。いるんですか、現実に」

「いるんだね。あたしも驚いた」

「一緒に行っちゃダメ？　興味あるなぁ」

シゲちゃんの仕事にちょっかい出すなと、野崎に叱られてベロを出した。

「手強《てごわ》そうな人だから、今日は様子見よ。知りたいことを全部教えてもらえるとは限らない」

「頑張ってね」

約束の時間より二十分前に着いたのに、野本刑事は先に来て待っていた。滋子はあわてて挨拶し、名刺を出した。店はガラガラで、店主らしい男性がカウンターの奥でナイター中継に見入っている。

野本希恵《きえ》ですと、相手は席から立ち上がり、きちんと身を折って挨拶を返した。リクルートスーツっぽい服装のせいもあって、就職活動中の大学生だと言っても通るだろう。長い黒髪をうなじのところでひとつにまとめ、化粧はしていない。目元が涼しく、凜々《りり》しいという形容がぴったりの女性だった。

彼女は手ぶらではなかった。隣の椅子に、大きな書類袋が置いてある。ごく普通の茶封筒だが、中身は捜査資料だろうか。協力的な人かもしれないと期待した。ならば、秋津の威光に感謝感謝だ。

「前畑さんのこと存じ上げております」

注文したコーヒーがテーブルに載ると、彼女はそう切り出した。

「秋津さんから聞かれましたか」

「いえ、あの事件の報道を見ておりましたから」

にこりともしない。視線は定規で引いたように真っ直ぐ滋子をとらえており、表情だけを見るなら、どうにも友好的とは思われない。滋子は内心で身構えた。

「結果的に綱川の自白を引き出すことになった報道特別番組も観ておりました。決定的な瞬間でしたね」

称賛、ではなかった。さりとて厭味《いやみ》でもない。言葉に色がついていない。

「ありがとうございます。でも、二度味わいたいと思う経験ではありませんでした」

滋子の言葉にも、野本刑事は表情を動かさなかった。

「確かに、大変なご経験だったろうとお察しします」

しっかりとした発声でそう言った。

「野本さんは、当時は学生さんでしたでしょう」

「はい、女子高生でした。ですからなおさら、あの事件の印象は強烈でした」

ほんの匙《さじ》加減というくらいに、彼女の目のなかに探りを入れる動きがあった。

「被害者のなかに、日高《ひだか》千秋《ちあき》という女子高生がいましたよね。当時十七歳でした」

忘れるはずがない。滋子は強くうなずいた。

「犯人たちに利用されて殺害された女の子です」

野本刑事もうなずき返す。視線がちょっと下がった。

「わたしが読み逃しているだけかもしれないのですが、前畑さんは、あの事件についてまとまったものをお書きになっていないように思いますが……」

「ええ、書いておりません」

ひと呼吸あけ、今度は滋子の方が真っ直ぐ野本刑事を見つめて続けた。

「何も書けませんでした。今後も書くことはありません。わたしはあの事件に負けました。そういうことです」

野本刑事の視線が跳ねるように上がって、滋子の顔をとらえる。

「――負けたとおっしゃいますか」

「負けました」

次は当然、なぜそう思うのか問われるのだろう。そう想定して、まばたきもせずにいた滋子に、彼女は意外な質問を放った。

「事件に、ですか。犯人に、ではなくて」

目を瞠り、不思議そうだった。

「はい。それが本音です」

誰かがホームランでも打ったのか、テレビのナイター中継の音声が騒がしくなった。店主がつと手を伸ばしてボリュームを絞った。

コーヒーをひと口、味わってみた。意外なほど香り高くて美味しい。それが肩の力を抜いてくれた。滋子は微笑んだ。

「わたしは、たぶん犯人には勝ったのだと思っています。まあ、騙《だま》し討ちでしたけどね」

野本刑事は、いっそう硬い表情になっている。

「でも、事件そのものには負けてしまいました。事件の大きさ、闇の深さに、わたしは自分の願望――誤解を恐れずに申し上げるなら、当時初めて犯罪ノンフィクションを手がけたライターとしてのわたしが望んでいた要素を、勝手に見出してしまいました。勝手な筋書きをつくって、勝手に踊りをおどりました。そして自滅したんです」

これまで、何度か心のなかで考えたことはあったが、誰にも聞かせたことのない言葉が、ごく自然に口をついて出てきた。

「あの報道特番をご覧になっていたなら、ご記憶でしょう。わたしは犯人を、安っぽい模倣犯だと詰《なじ》りました。でも、本当の模倣犯はわたしの方でした。わたしこそが、犯人をあの犯罪へと突き動かした衝動に魅せられて、彼らの後をついていった模倣犯でした」

身じろぎもしないまま、野本刑事は言った。「それは前畑さんだけではなかったと思います」

わたしたちみんながそうでした――と呟いた。

「みんな」は誰を意味しているのか。若々しい女性刑事の顔からその回答を読み取ろうと、滋子は目を凝らした。が、野本刑事は急にふっきれたようになって、ふっと息を吐くと、目を上げ口調を変えた。

「失礼しました。余計なおしゃべりでした。今は土井崎茜さんの事件のことを取材されているということですが、何のために、どのような事柄をお知りになりたいんでしょう。最初にそれを確認しておきませんと」

と言って、軽く笑った。しかし瞳は笑わない。

「わたしはまだ駆け出しです。刑事課に配属されて、半年も経ちません。もちろん実績など何もありません。取材を受けることにもまったく不慣れです。つまりわたしはケツが青くて脇が甘いのです」

つられて滋子も笑ってしまった。こちらは本当の笑いだった。いいなぁ、この若さ。

「秋津警部がわたしのことをご存知だったのは、警部の部下にわたしの友人がいるからです」

「ええ、伺いました。警察学校の同期生とか」

「はい。わたしと違って優秀な警察官です。彼からも頼まれました。そのときに、前畑さんにお会いすることを、上には内緒にしておけとアドバイスもされました。こういうことを、上は喜ばないと。だいいち、外部の取材者との交渉など、わたしにはまだ早いんだから、と」

野本刑事は、ここで、隣の椅子に置いた書類袋に軽く手を触れた。

「これは署の捜査資料ではありません。わたしにはそんなものは持ち出せません。これは、わたしが個人的に作った覚書と記録のファイルです」

それにしてはかなりの量である。

「土井崎茜さんの事件は、わたしが初めて関わった殺人事件でした。すでに時効が成立していましたから、一般的な殺人事件捜査とは勝手が違いましたが、わたしには貴重な経験でした。ただ――」

少し言葉を選ぶように間をおいて、

「わたしが土井崎夫妻の取調室に入ったのは、上司が、その方が夫妻が話し易くなるだろうと考えたからです」

「話し易くなる――?」

「というより、口を割り易くなると申しますか」

また、口元だけで微笑する。

「わたしは二十七歳です。土井崎茜さんは、存命なら三十一歳になるはずですし、茜さんには妹さんもいます」

「誠子さんですね」

野本刑事は素早くまばたきした。

「ご存知でしたか」

「お名前と年齢だけです。ご本人にお会いしたことはありません」

再び、一瞬だけ探るように瞳を動かして、野本刑事はうなずいた。

「そうですか。ともあれ、わたしはいわば小道具として取調室に置かれただけの存在でした。亡くなった茜さんや妹さんとおっつかっつの年頃の女性刑事が同席することで、土井崎夫妻がほだされると申しますか、心を動かされれば、スムーズに供述を取ることができるだろうと、上司は考えたのです」

「実際にそうなりました？」

滋子は直截《ちょくせつ》に尋ねた。

野本刑事は動じない。

「効果のほどはわかりません。土井崎夫妻は、最初から何も隠し立てすることなく、すべて話してくれましたから。そもそも、そのつもりで出頭してきたのだとわたしは思います」

そうであっても、いざ取調室に入れば態度を変える者もいる。やっぱり自首なんかするんじゃなかったと後悔する者もいるのだろう。だからこそ、彼女の上司も先手を打ったのだろう。

「そういう事情ですから、わたしがどこまで前畑さんのお役に立てるのかわかりません。お役に立っていいものかどうかも判じかねています」

本庁の秋津からの依頼は、素直なところ、彼女にとってはけっこうな圧力として感じられたのだろう。だがそれでも、ほいほいと言いなりになってベラベラしゃべったりはしませんよ、ということだ。

店は依然として空《す》いている。ナイター中継に没頭する店主は、まるで商売をする気がないかのように見える。滋子が店内を見回したので、それと察したのか野本刑事は言った。

「ここは、わたしが一人で考え事をしたいときに来る店なんです。署の者は誰も知りません。ですからお気遣いは無用です」

「穴場ですね。コーヒー、美味しいもの」

「店の構えと雰囲気からは、とてもそんなふうに思えないでしょう？　いつもガラガラなので、これで本当に経営が成り立つのか心配になります」

滋子は自分のバッグから取材帳と等のノートブックを取り出した。風見蝙蝠の家の絵がある方のノートだ。それを閉じたままテーブルに載せ、

「少々長い話になりますが、お時間は大丈夫ですか」

「かまいません。どうぞ」

促されて、滋子は説明を始めた。萩谷敏子の訪問から、現在に至るまでの事情を語った。省いたのは、萩谷家の歴史と内情に関する部分だけである。

説明の終わりに、我ながら芝居がかっていると思いつつ、ノートブックを開いて見せた。

野本刑事は、澄んだまなざしで、かなり長いことノートの絵に見入っていた。

「これを描いたとき、等君はお母さんに、〝この絵の女の子は、この家から出られなくて悲しいんだ〟というふうに話したそうです」

等の絵から目を離さず、野本刑事は滋子に訊いた。「確認させてください。萩谷等君がこの絵を描いたのは、本当に土井崎家の事件が発覚する以前のことなのですか」

「それは間違いありません。事件が報道されたときには、等君はもうこの世にはいませんでした」

素早く身をひねり、野本刑事は書類袋を開けると、一冊のファイルを取り出してページを繰った。滋子からは中身が見えないように、ファイルを立てている。

滋子は声をかけて店主を呼び、コーヒーのお代わりを注文した。店主はすぐ出してくれて、空

いた器をさげながら野本刑事に、

「今日のはモカブレンドだよ」と言った。彼女はファイルから目を上げてちょっとうなずき、店主はそれだけで満足してさっさと引き揚げると、カウンター内の定位置に落ち着いた。

やっと、野本刑事がファイルを閉じた。

「風見蝙蝠のことは……わたしは存じませんでした。実況見分調書にも載っていませんでした」

「事件に直接的に関わる事柄ではありませんものね」

「確かにあったんですか、あの家に」

「ありました。自分が作ったものだという、誠子さんの親しい友人の証言もあります。あの家が取り壊されるときに、誠子さんがそれを欲しがっていたこともわかっています」

ファイルを手に、女性刑事は口を結んで目を細める。お代わりの新しいコーヒーから湯気が立ちのぼる。

「誰かが──茜さんのことを知っていたということになりますね」

見事に合理的な判断だ。〝第三の眼〟など問題にしない。誰かが知っていたのだ、と考える。

「そして等君に教えたか、等君が知る機会を作った、と」

「それ以外に考えようがありません」

滋子は身を乗り出した。「ですからお伺いしたいのです。土井崎夫妻から、そのような供述はなかったのでしょうか。夫妻が茜さんを殺害し、家の床下に遺体を埋めていたことを、誰かに知られてしまった。あるいは、誰かに打ち明けたことがあった、という」

今度は、野本刑事はファイルを開かなかった。書類袋に目をやりさえしない。それほど明らかなことなのだ。

　ゆっくりと、大きくかぶりを振る。

「ありません」

「取調官が尋ねなかっただけでは？」

「いえ、きちんと尋ねました。事実を知っている第三者がいたならば、わたしたちはその人物からも聞き取り捜査をしなくてはなりませんから、当然、確認します」

　滋子は指を立てた。

「となると、可能性は三つです」と、指をひとつ折る。「ひとつは、土井崎夫妻が嘘をついている」

「二つ目は、夫妻が知らないうちに、誰かに事実を知られていた、もしくは探り出されていた」と続けて、野本刑事は軽く首をかしげた。

「この二つでしょう？　三つ目がありますか？」

　滋子は三本目の指を折る。

「等君には、本当にある種の超能力があった」

　刑事の口元がほころんだ。

「それは抜きにして考えましょう。わたしには何とも申せませんし、前畑さんも、わたしにその説の検証を期待されているわけではありませんよね」

　わたしのところで、野本刑事は軽く自分の胸を叩いてみせた。おっしゃるとおりですと、滋子も笑って認めた。

「夫妻が過去に、誰かに茜さんの殺害について打ち明けたことがあり、出頭したとき、その人に迷惑がかかるのを恐れて、そのことについては黙っていたという可能性はありますよね？」

「あるでしょう」と、女性刑事はうなずく。「いちばん可能性の高い仮説でしょうね」

「誰か、事情を知っていて黙っていた人がいて——つまり夫妻をかばっていたわけですが——その人は罪に問われますか？」

「そんなことはありません。土井崎夫妻も、それについては理解していたはずです。取り調べ中に説明しましたから」

「ならば、迷惑がかかることはない……」

「罪にはならない、というだけです。世間的にはどうでしょうか。外聞の悪いことになるかもしれませんし、マスコミに追いかけられる可能性も高いです。夫妻が憚《はばか》っても無理はないかと思いますが」

そうだった。歳若い刑事に指摘されて、滋子は少し恥ずかしかった。世間というものの存在を忘れてはならないのだ。

「二つ目の場合《ケース》も、事実をきっちり知っていたというのではなく、漠然と疑っている第三者がいたという程度なら、大いにあり得ると思います」

茜は失踪したのではなく、殺害されているのではないか、犯人は両親ではないのか——土井崎家の近くで、誰かがそういう疑惑を覚え、しかし確証は得られないので警察に通報するまでの踏ん切りはつかず、十六年の歳月が経過した、と。

しかしその第三者が、一人で疑惑を抱え込んでいることに疲れて、何かの拍子に誰かにその疑惑を漏らす。

それがどこかで、萩谷等につながる——

「近所の人たちはいかがでしたか」と、滋子は訊いた。「まったく察している様子はなかったんでしょうか」

野本刑事は少し考えた。

「皆さん、驚いていました」

「やっぱりそうだったか！　という反応や、実は自分もそうではないかと疑っていたというような証言はありませんでしたか？」

女性刑事は苦笑した。またぞろ冷めてしまう前に、モカブレンドに手を伸ばす。

「それはまぁ、多少はありました。ありましたが、いわゆる〝後説《あとせつ》〟と申しますか、まあ、驚きのリアクションの延長線上に出てきたおしゃべりのレベルでした」

「発覚前からそう思っていたという感じではなかったということでしょうか」

「そうですね。ですが、何度も申しますがこれは刑事事件としては時効が成立しています。ですからわたしたちも、一般の殺人事件を扱うように捜査を尽くしたわけではありません。立件できないというか、その必要がないならば、ひととおり事件の事実関係を明らかにするだけで仕事は終わりです」

わかりますと、滋子はうなずいた。

「ご近所の人たちや昔の学校関係者、茜さんの友人や同級生への聞き取りは、わたしたち警察よりも、新聞記者やテレビ局の人たちの方が熱心にやっていただろうと思いますよ」

それより何より――と、コーヒーカップを置く。

「本人たちに訊いてみるのがいちばんでしょう。土井崎夫妻に」

誰かに打ち明けたことはないか。誰かに気づかれたことはないか。疑われていると感じたことはないか。

そっと差し出すように、滋子は問いかけた。

「誠子さんは」

柔らかくなっていた野本刑事の表情が、いっぺんで引き締まった。

「彼女は何も知りません」

「誠子さんの事情聴取にも立ち会われたのですか？」

つかの間、自己嫌悪に似た苦い色合いが、野本刑事の目元をよぎった。

「立ち会いました。やはり、同年代の女性がいた方が話し易いだろうということで」

辛《つら》かったですよと、低く言い足した。

「誠子さんの友達から聞きました。当時、彼女は新婚三カ月だったそうですね」

野本刑事の視線がふらりと揺れて、コーヒーカップの縁のあたりで止まった。

「わたしも詳しいことは存じませんが、その後、間もなく離婚したようです」

ああ——と、滋子も思わず声に出してため息をついた。

「気の毒なことです」と、女性刑事は呟く。「前畑さん、彼女にお会いになるんですか」

「そのつもりです。もちろん、会ってもらえればの話ですが。土井崎夫妻も同じです」

「取材して、お書きになるのでしょう？」

最初のうちの、探るような雰囲気が戻ってきた。探り、訝り——かすかだけれど責めるような視線。

「書きません」と、滋子はきっぱり答えた。「わたしは本や記事を書くためにこの調査をしているわけではないんです。あくまで、等君の能力についての真相を知りたいと思っているだけです」

野本刑事に、納得した様子はなかった。瞳の色が硬くなっている。

「わたしには理解できません」

「とおっしゃいますと？」

「知りたいのは、書きたいからでしょう。知ったら書くものなのではありませんか。それが前畑さんのお仕事なんですから」

仕事――と、滋子は呟いてみた。

「かもしれませんね。だとすると、この件は仕事じゃないんですね、きっと」

茶化したと思われたのかもしれない。野本刑事は滋子から目をそらしてしまった。

「わたしは駆け出しですから、眼力なんてありません。でも、あのときの土井崎誠子さんの驚きと悲しみは、本物だったと思います。今でもそう信じています。彼女は両親のしたことも、姉の身の上に起こったことも、何も知らなかったんです」

ただ両親から聞かされたとおりに、姉さんは家出したとばかり思い込んでいた。何も疑ったことはなかった。いつか帰ってくるかしらと、時には思い出し、心配し、両親の胸の内を案じたこともあったろう。

だが、姉はほかでもない両親の手で殺されていた。その亡骸《なきがら》は、自分が暮らしてきた家のなかに、すぐ足元に埋められていた。そんな事態は想像だにしなかった。どうして想像できただろう。

「取調室で、いくつか、茜さんの思い出話をしてくれました」

わたしが申し上げることはありませんがと、急いで言い足す。

「それを聞いて、ますます確信が深まりました。彼女は何も知らなかったんですよ」

ここにはいない土井崎誠子を労り、背中にかばうような口ぶりだった。

「ごめんなさい。わたしも、どんな意味合いであれ誠子さんを疑っているわけではないんです」

言い訳めいて聞こえることはわかっても、滋子もそう言わずにはおられなかった。

「土井崎誠子さんは、加害者の親族であり、被害者の親族であり、彼女自身も被害者です。わたしはそう思います」

加害者の親族、被害者の親族、自身も被害者。そう言うたびに、野本刑事は顎《あご》をうなずかせた。まるで刻印を打つように。

「彼女に会って、わたしは初めて、人生が外側から破壊される瞬間を目の当たりにしました」

外側から壊される人生。その瞬間。

「犯罪はそういうものです。そういう破壊を起こす代物なんです。わかっていて、わたしは警官になりました。でも、わかっているると思っているのと、本当にわかるのとは大違いですね。だから新米だというんです」

最後のひと言は自嘲《じちょう》混じりだった。

「誰も最初からベテランじゃありませんよ」と、滋子は言った。「昔、わたしが先輩から聞いた言葉の受け売りですけれど」

野本刑事は、ちょっと肩をそびやかして笑った。

「こんなところでよろしいでしょうか。これでもしゃべり過ぎなのかもしれません」

滋子は取材帳を閉じ、深く頭を下げた。

「ご無理を言って申し訳ありませんでした。ありがとうございました」

伝票をテーブルから取り上げ、それは困るという女性刑事を、お時間をいただいたのですからと押し返した。

書類袋を抱え、野本刑事は立ち上がった。滋子の脇を通り過ぎたかと思うと——

足音をたてて戻ってきた。

また向かいにすとんと座る。形のいいくちびるがへの字になっていた。

滋子は静止していた。

野本刑事は口を開いた。「やっぱり申し上げます。そのために来たようなものですから」

何のために？

「秋津警部からのご依頼というだけでは、わたしはお目にかかりませんでした。何とでも言い訳して、逃げることもできました。正直、不安でしたし」

「はい」

「でも、あなたがどんな方なのか、お会いしてみたかったんです。この目で確かめてみたかった」

「わたしを——ですか」

短く、強くうなずく。書類袋を両手で胸に抱きしめて、若い女性刑事は、まるで女子高生のように真面目に、無垢に、真摯《しんし》に、不器用なほど一生懸命に見えた。

「前畑さん、わたしはあなたのことを怒っておりました」

言葉とは裏腹に、口調には、怒りよりも切実な訴えの音色があった。

「網川の事件のことを書いてくれなかった。だから腹を立てていたんです」

滋子は身を起こして座り直し、野本刑事の瞳を見た。流行らない喫茶店の低い天井に取り付けられた古い蛍光灯の光を受けて、その瞳は黒曜石《こくようせき》のように見えた。

「最初に、日高千秋さんのことをお尋ねしました」

「はい、そうですね」

「わたしはあなたが、千秋さんのことなんかを忘れているんじゃないかと思っていました。だから真っ先に尋ねたんです」

「どうしてそう思われました？」

滋子は尋ねた。赦免を願う罪人のようにではなく、直訴を聞き取る審判者のように。それは間違った態度だが、野本刑事の言葉にも表情にも、滋子にそうさせるものがあったのだ。滋子を怒っていると言いながら、彼女はむしろ自分自身を怒っていて、その怒りから解き放ってほしいと訴えているように感じられたから。

「だって、書いてくれなかったじゃありませんか」

女性刑事は怒る子供のように言った。

「わたしは網川のことなんかどうでもよかった。彼のことなんか知りたくもありません。でも、被害者の女性たちのことは書いてほしかった。あなたに、前畑さんあなたに書いてほしかったんです。あなたはあの事件に関わり、あの事件に幕を引きました。そしてあなたは女性です。殺される側の性であるあなたに、殺された人たちのことを書いてほしかった。あなたにはその責任があったと思いませんか」

だけど滋子は逃げてしまった。

「日高千秋さんは、わたしと同年代です」と、野本刑事は続けた。「当時、彼女があの事件のなかで果たした役割を知って、彼女がどんなふうに操られ、利用された挙句に殺されたのかを知って、生意気な女子高生だったわたしは、心底彼女を軽蔑《けいべつ》しました。何てバカな女の子だろうと思いましたよ。犯人の口車に乗せられて、うかうかとくっついていって——あいつらは何と言って彼女を騙したんでしたっけ？　自分はカメラマンで、モデルを探してると言ったんですよね」

「ええ、そうでした」

　拳を握って、野本刑事はテーブルに目を据える。

「それも、いかにもお軽いじゃないですか。頭が空っぽで、オイシイ話や楽して世渡りすることばっかりに目が向いてるから、あんな目に遭うんだ。そう思いました。まるで、千秋さんを罰しているみたいに」

　それは、女子高生の野本希恵だけではなかったはずだ。あの当時、多くの被害者に対する圧倒的な同情論のなかで、一人、日高千秋だけは別扱いされていた。利用されたとはいえ、犯人に協力したという疵《きず》が、彼女にはあったからだ。

　最後の最後まで、日高千秋からその疵が取り去られることはなかった。

「わたしは彼女が嫌いでした」

　でも、忘れられなかった。野本刑事はそう言った。

「彼女の愚かさも、軽さも、不幸な死に方も、すべて忘れられませんでした。だから、あなたに彼女のことを書いてほしかった。彼女も被害者で、彼女の死も、けっして軽んじられていい死ではないんだって、わたしに教えてほしかった。あなたにしか、それはできない」

　前畑滋子もまた、ある時点で犯人の網川浩一に利用された存在であったからだ。野本希恵に言われなくても、滋子にはよくわかった。そうなのだ。一日だって、それを忘れたことはない。

「わたしは書きませんでした」と、滋子は言った。

「書きませんでしたね」

勇気を出して親を詰る子供のような口つきで、野本刑事は滋子を責めた。

「ものすごく腹が立ちました。あなたが責任回避したことを、わたしはずっと怒っていました。だから、思いがけず今度の話が舞い込んできたとき、もっと怒ったんです。あんな大事なことから逃げておきながら、前畑滋子はまだ何か書こうとしているのか。今度は別の犯罪をタネにして。いったいどんなつもりなんだって」

日高千秋を見捨てて顧みなかった前畑滋子が、土井崎茜に何をしようとしているのか。何ができると思っているのか。

「わたしはこういう人間です」

滋子は言って、もう一度頭を下げた。

「過去の事件からは逃げたままです。申し訳なく思っています。時は経《た》ってしまいました」

沈黙が落ちた。二人のあいだに凝り固まり、宙に浮いた感情が目に見えた。それはとても悲しい色をしていた。

ナイター中継は終わっていた。店主がこちらを眺めている。

ガタンと椅子を揺らして、野本刑事は腰を上げた。

「それだけです。すみませんでした。失礼します」

彼女がドアを開けて出てゆくまで、滋子はじっと同じ姿勢で座っていた。それから会計を済ませ、外へ出た。

滋子の内には、言わなかった事、言えなかった事、言いたいけれど言ってはいけない事が渦巻いていた。その渦のエネルギーが滋子の身体を熱くして、闇雲に足が速くなりそうで、意識してゆっくりと歩いた。

野本刑事には言わなかった。等が〝山荘〟の絵も描いていたことを。その絵が、滋子を揺り動かしたのだということを。

野本刑事には言えなかった。日高千秋を忘れたことはないと。彼女が着せられた罪を、自分も背負っているということを。

野本刑事に言ってはいけなかった。九年前、女子高生だったあなたは、日高千秋のなかに、自分の愚かさを見たのだ。自分の軽さを見たのだ。自分の死を見たのだ。あなたは誰よりも千秋のために憤《いきどお》り、千秋のために泣いたはずだ。自身では気づいていなくても。

だからあなたは警察官になった。そうですよね？

駅の明かりが見えてきた。鞄のなかで携帯電話が鳴り始めた。表示を見ると、昭二からだった。

「滋子。今どこ？　今夜遅くなるって言ってたっけ？」

ああ、ごめんごめん。笑って謝りながら、無性に夫の顔が見たくなって、滋子は言った。

「すぐ帰るから待っててね。飛んで帰るから。早く昭ちゃんに会いたいからさ」

何だよぉと、昭二の面食らったような声が聞こえた。


手足《てだ》れの高橋雄治弁護士は、滋子の電話に、響きのいいバリトンで、ごく事務的に応対した。滋子の依頼を、驚いているのか笑っているのか呆《あき》れているのか、その声から察することはできなかった。

事前に手紙を出しておいたのが功を奏したのだろうか。それとも単に高橋弁護士が、土井崎家の事件に興味を抱いて寄って来る取材者のあしらいに慣れているというだけのことか。

会見の日時は、一週間後の午後二時からとなった。そのあと法廷に出る予定があるので、時間厳守でお願いします。三十分しか取れませんが、よろしいですか？

滋子は喜んで承知した。

一般に弁護士という職業の人たちは、有能な人ほどダラダラ長引く会見を嫌う。短期決戦、大いに結構だ。その三十分で高橋弁護士の心を動かし、土井崎夫妻と誠子に、前畑のことを前向きに伝えてみようか——という気持ちになってもらえるよう、しっかり作戦を練っておこう。

時間的余裕ができたので、それまでにもう一度、萩谷敏子を訪ねようと思った。

前畑鉄工所の事務所の壁に等の絵を飾ったところを、スナップ写真に撮った。絵の両脇に昭二と滋子が立っている。それを敏子に見せたかった。前回の長いやりとりから少し時が経ったので、その後に敏子が思い出した事柄があるかもしれないから、話もしたい。

そんなところへ、敏子の方から電話をかけてきた。鳴ったのは携帯電話だが、滋子がまだノアエディションにいる平日の昼間である。

「以心伝心ですね。わたしもご連絡しようと思っていたところです」

明るくそう応じたのだが、すぐに、電話の向こうの敏子のただならない気配に気がついた。

「どうしました？　何かありましたか」

敏子は明らかにおろおろとうろたえて、涙声になっていた。

「先生すみません。本当にすみません」

「どうぞ落ち着いて。ゆっくり話してください」

「兄が、兄が」

萩谷松夫だ。

「ついさっきわたしのアパートを出まして、そちらに向かっているんです。先生の会社に」

滋子はさっと室内に目をやった。野崎も恵も机について仕事をしている。滋子は声を落とした。「お兄様がわたしに会いにいらっしゃるんですね?」

「ものすごく怒っておりまして。怒鳴り込んでやるというんです、先生」

あわてているので、敏子はろれつが怪しい。ろなりこんでやる、と聞こえた。

「お兄様は何をお怒りになっているんでしょう」

一度お目にかかりたいという申し出を伝えてもらった際に、ひどく叱られたという話は聞いている。赤の他人に等のことを調べさせるなんて、おまえは何をやっているのだと。が、そのときは、怒りの対象はあくまでも妹の敏子で、滋子ではなかった。

「その、あの、兄は先生のこと——先日初めて先生に等のことをお頼みしていることを話しましたときには、知らなかったんです。兄はあの、あまりニュースとか興味がないんです。テレビは経済番組しか観ませんし、本も読みません。商売のことばっかりで頭がいっぱいの人ですので、本当に失礼なんですが、先生のことは」

「いいんです、いいんです」滋子は優しく遮った。「そんなことは気にしません。で?」

「それで、ですから先《せん》には、もうそんなことはやめろと言っただけなんですが、あれから何かの拍子に、誰かから、おおかた武子義姉《あね》だろうと思うんですけどもね、先生のことを聞いたらしいんですね。テレビとかにも出ておられた有名な物書きの先生だって。あの、昔の連続殺人事件にも関わってらしたって。そうしましたら——」

萩谷松夫は今日の昼前、まず敏子のアパートへやってきて、ちょうどスーパーへ出勤するところだった彼女をつかまえた。そしてあらためて、おまえは何をやっとるのだ、おまえが等のことを頼んでいる相手がどんな人物だかわかっとるのかと詰問したのだという。

「わたし、もういっぺんちゃんと説明したんです。先生が等のために一生懸命やってくださってること、細かく話しました。でも兄は怒る一方で、世間様に家《うち》の恥を曝《さら》す気かって、怒鳴るんです」

本格的に泣き出してしまった敏子には申し訳ないが、滋子は笑ってしまいそうになった。

萩谷松夫は青くなったのだろう。何てこった敏子の奴め、萩谷家の内側のことまでベラベラしゃべって。相手はそういうことを商売にしてる輩《やから》なんだぞ。どこに何を書かれるかわかったもんじゃない。

あわてるのも無理はない。等の出生の秘密ひとつをとっても、世間に知られたくない事柄だ。萩谷家がちやという刀自《とじ》の託宣で動いていたということだって、事業家としての地位を築いた彼にとっては、あまり他人の耳に入れたくないことだろう。

「おまえがやめないっていうなら、俺が直談判してやめさせてやるって。それで先生のところへ――」

「どうやらお兄様は誤解なさっているようです。大丈夫ですよ。こちらにいらしたら、わたしからよくご説明します。等君のことを調べて、どこかへ発表する気なんて、わたしにはまったくありません。敏子さんもそれを望んでおられない。そのことは、わたしたちのあいだではしっかり了解ができていることですものね」

「兄は真っ赤になって怒っています」敏子は洟《はな》をすすりあげた。「いつもは穏やかな人なんですが、ああなると手がつけられません。先生、どうしましょう」

大丈夫、大丈夫。滋子が敏子を宥《なだ》めているあいだに、まず野崎が気づき、ついで彼の動きで恵が察して、滋子の机に近づいてきた。滋子が電話を切ると、

「何だ、揉め事か？」

野崎が尋ねた。恵はすでに不安気な目をしている。

滋子は説明した。萩谷松夫がどうやって来るのかわからないが、車を飛ばして来るにしても、まだ時間はある。

「怒鳴り込んでくるったって、五十過ぎの堅気のオヤジ一人だろ？　怖いもんじゃねぇよ」

巻き舌で言って野崎は笑ったが、恵は滋子のそばにしゃがみこんで、

「ね、警察に知らせておいた方がいいんじゃないですか」

心配そうに袖をつかむ。野崎が噴き出した。

「バカだねぇ。おまえは幼稚園児か」

「だって……」

「こんなことで通報されちゃ、警察だって迷惑だ。怖くていられないなら、どっか行ってな」

「あたしだけ逃げるわけいきませんよ！」

「だったら仕事しろ」

ノアエディションのインターフォンが鳴ったのは、それから四十分ほど経ってからのことだった。滋子はすぐに立ち上がった。野崎はわざと知らん顔をしてパソコンに向かっているが、恵は身を硬くして、作業の手を止めてしまっている。

ドアを開けると、そこに立っていた人物とちょうど目の高さが合っていて、まともに視線がぶつかってしまった。萩谷松夫は、滋子と同じくらいの身長なのだ。

仕立てのいい鋼《はがね》色のスーツに、臙脂《えんじ》色の縞のネクタイ。肩幅が広く、恰幅《かっぷく》がいい。髪は短く刈ってあり、全体に白髪が散っていた。スーパーやレストランを手広く経営する事業家というより

は、町の工務店の社長のように見える。滋子の知っている町の工務店の社長は、前畑の実家のリフォームをしてくれた人だけで、その人は三十歳代だったから、実にいい加減な喩えである。が、なぜかそんなふうに感じた。人を使って商売するというよりは、自分も一緒になって働く仕事人、という印象のせいだろう。

赤ら顔である。色白なのだ。その部分も含め、萩谷松夫は敏子とよく似ていた。鼻筋の線や、顎の形。

「こちらはノアエディションという会社でしょうか」

尋ねた声は、この年代の男性にしては響きが軽く、甲高い感じがした。

「はい、そうです」

滋子は努めてゆっくりと発声した。

「失礼ですが、萩谷松夫さんでいらっしゃいますか」

驚いたような顔をする相手に、滋子は丁寧に名乗った。

「おいでになることは、敏子さんから伺っておりました。どうぞお入りください」

一歩下がって、萩谷氏を室内に招じ入れた。相手はちょっと逡巡《しゅんじゅん》してから踏み込んできた。

恵は拍子抜けしたことだろう。滋子と萩谷氏は、初対面のビジネス相手がそうするように、まずは名刺を交換した。それから滋子は萩谷氏に応接用の椅子を勧めた。萩谷氏はすぐ腰かけようとはせず、部屋のなかを見回し、野崎と恵を気にしている。

「ここは編集のプロダクションで、契約会社のＰＲ誌やフリーペーパーを作ることが主な業務です」

雑然と積み上げられたゲラや原稿や下刷りの束、段ボール箱。萩谷氏は滋子を見ず、そちらに向かってうなずきかけた。

「だいたいわかります。うちでもフリペを頼んでいるところがありますから」

「そうですか。わたしはここの社員ですが、敏子さんと等君のことは、わたしが個人的に受けている仕事ですので、他の社員は関係ありません。どうぞそれはお含み置き願います」

野崎はまだ知らん顔を続けていたが、ここでちらっとパソコンから目を上げて、

「どうも」と、ばかに気さくに萩谷氏に挨拶を投げた。「仕事中なんで、このままで失礼します」

またパカパカとキーボードを打つ。けろりとしている。

「あ、お茶をいれますから」

中腰になっていた恵が、萩谷氏の視線を受けて、あわてて給湯スペースへ消えた。すみません と、滋子はその背中に声をかけた。

どうぞおかけくださいともう一度勧めると、萩谷氏はやっと腰をおろした。浅く、尻をひっかけるような座り方で、いかにも居心地が悪そうだ。

「こちらは、あなたの会社ではないんですか」

ようやく滋子の顔を見て、そう尋ねた。

「わたしは平社員のライターです。経営者ではございません」

眉間《みけん》に皺《しわ》を寄せ、萩谷氏はつくづくと、滋子の差し出した名刺を見直している。そこには「フリーライター　前畑滋子」としか刷ってない。等のことを調べ始めたとき、新しく作った名刺である。

コーヒーカップをふたつ載せた盆を捧げて、恵が見るからにぎくしゃくとやってきた。ホント、この人はもうちょっと度胸をつけないと。滋子は苦笑を隠した。

「どうぞ」

恵がコーヒーを出すと、萩谷氏は会釈した。まだ赤ら顔のままである。怒りのせいか、もともとこういう血色なのか、話しているうちにわかるだろう。

「敏子から電話がいってるなら、私がこちらをお訪ねした理由はおわかりと思いますが」

やっぱり野崎と恵が気になるのか、萩谷氏は声を潜めている。

「はい、伺いました」

「私はその――ここはてっきりあなたの事務所かと思ったもので」

滋子はにっこりしてみせた。

「わたしは自分の事務所を持っておりません。敏子さんにお目にかかるまでは、フリーライターとしての仕事も、単独ではしておりませんでした」

意外そうに、萩谷氏は片眉を持ち上げた。そんなふうに眉を動かしても、眉間の皺はそのままだった。

「仕事をしておられなかった？」

「はい。ここの社員として働いていただけです」

「だけど前畑さん、あなたはその、そっちの方で有名な人なんじゃありませんか」

「九年前の、あの連続誘拐殺人事件に関しては、一時的にそうだった時期がございます。でも、今は違います」

萩谷氏の手が動いて、テーブルの上にざっと半円を描いた。

「いろんな雑誌に書いたり、本を出したりテレビに出たり――」

「それも九年前のあの時期だけです。それと、あの事件に関して記事は書きましたが、著作はありません」

萩谷氏は目を丸くした。敏子が驚いたときの表情とそっくりだ。

「本、出してなかったですか」

「はい」

当惑している。聞いた話と違う、という顔だった。萩谷氏が事前に得た情報——そこには彼の早とちりも含まれているはずだが——と、現実との齟齬《そご》のバランスをとろうとする様を、滋子はちょっぴり意地悪な気分で見守った。

「でも、敏子と等のことは本に書くんでしょう」

「そのつもりはございません。敏子さんとも、そういうお約束はしておりません」

萩谷氏はさらにバランスを崩した。語気が尖った。

「そんなわけないでしょう。だったらなんで、等のことなんざ調べてるんです? 私らの家のこともあれこれ探っているって、私は敏子から聞きました。あれがまたベラベラしゃべりおって」

敏子に対する発言は、完全に叱責口調だった。なるほど怖い兄上だ。ああいう性格の敏子が、この兄上に叱られたのじゃ、泣きべそをかいても仕方がない。

笑ってはいけないが、にこやかな態度は維持しなくてはならない。こちらもバランスが肝心だ。

滋子は萩谷氏にコーヒーを勧めると、

「よろしければ、ご説明させてください」

前置きしてから、話した。発端の編集者からの電話と、萩谷敏子がこのノアエディションを訪ねてきたことから始めて、丁寧に言葉を選びながら説明していった。

萩谷氏は滋子を遮りはしなかったが、話の切れ目が来るのを待ちかねたように、

「それじゃ、敏子が持ちかけた話なんですな?」

怒りの滲む口調で問いかけてきた。

「ご相談を受けました」

言い換えなど、萩谷氏には問題にならないらしい。

「それで敏子は、あなたにいくら払ったんです?」

びっくりした。そういえば金銭の話をしたことはないと、滋子は今さらのように気がついた。萩谷氏はせかせかと、上着の内ポケットから手帳を取り出した。小さな鉛筆がついているタイプの手帳だ。今にも金額を書きとめようとする。

「いくらお支払いしました? あいつめ、そんな金をどこから工面したんだか」

「いえ、お金のことは」

萩谷氏は聞いていない。「あれのお支払いした倍を払います。今までの実費と手数料と、お手間をおかけした分をお支払いします。おいくらですか」

ついつい、滋子は笑ってしまった。面立《おもだ》ちは似ていても、実業家の長兄は、世間知らずの——世間知らずにされてしまった長女と、思考回路が完全に違っている。

滋子の笑顔に、萩谷氏は気分を害したらしい。眉間の皺《しわ》の数が増え、目尻がひくっと動いた。

「笑ったりして申し訳ございません」

「かまわんですよ。面白いでしょう。他人様《ひとさま》の家のなかを嗅《か》ぎまわりゃ、そりゃどんな家だって面白い話のひとつふたつは出てくるでしょうからな」

あんた方はそういうのが商売なんだから、と言い捨てる。怒りがたぎってきたようだ。滋子は努力して笑いを消し、真顔に戻した。

「わたしはけっしてそういう意図で等君のことを調べているわけではございませんし、敏子さんもそんなつもりはないはずです。確かに先日、等君の出生のことも含めて、萩谷家の皆様についていろいろ質問したことは事実です。でもそれは、等君の描き残した絵の謎を解くために必要なことだからお尋ねしただけです。ましてや、それを外部に漏らすことは絶対にありません。それはどうぞご理解をいただきたいと思うのです」

萩谷氏は、眉と目と鼻と口で、四角い輪郭《りんかく》の顔の上に、「そんな言葉を信用できるか」という字を書いた。福笑いのように。

「敏子さんから、お金はいただいておりません。正直申しまして、今の今まで、そんな必要があるとも思っておりませんでした」

萩谷氏の目が飛び出しそうになった。

「だってあんた、商売でしょう」

萩谷氏には、物書きに対する根本的な誤解があるようだが、それは脇に置いておくとしても、違うのだ。

「わたしにとって、これは仕事ではないんだと思います」

「じゃ、何だっていうんです。道楽ですか」

道楽ときたか。でも、そう見えても仕方がないのかもしれない。滋子はゆっくりと答えた。

「道楽ではございません。それはとても不謹慎なことに、わたしには思えます」

不謹慎という言葉に、萩谷氏はうなずいた。わかっとるんじゃないか、あんた。

「萩谷さんは事業家として成功していらっしゃると、敏子さんから伺っております」

相手はちょっとひるんだ。「まあ、そこそこです」

「そういう萩谷さんに、たとえばこれからお店を経営しようとか、会社を興《おこ》そうという若い方が、相談に来ることはありませんか。そういうとき、アドバイスして差し上げるものですよね?」

萩谷氏は答えない。また目尻がひくつく。

「それは仕事ではないし、商売でもないし、道楽でもありませんでしょう。わたしがしていることも、同じようなものだと思います。何かを調べるということに関して、わたしは少なくとも敏子さんよりはスキルを持っていますから」

言ってしまってから、拙《まず》い喩えかなと滋子はひやりとした。物書きに偏見を抱いているらしい萩谷氏は、これを侮辱と受け取るかもしれない。あんたのやってることを、ちゃんとした事業と一緒くたにするな。

萩谷氏は、目にゴミが入ったみたいにちかちかとまばたきすると、ふっと息を吐いた。

「それじゃ、手を引いてはもらえんのですか」

怒りより、困惑に染まった口調になっていた。

「敏子はバカなんです。あれは世の中のことをまるで知りません。等が死んで、あれが辛いのは私もよくわかっております。等のことを思い出して、どんな小さなことでもこねくり廻していたいのはわかるんです。可哀相だが、あれはほとんどノイローゼというやつです。けども、だからって人を頼んで調べるなんていうのは、やり過ぎですわ」

やり過ぎですわ——に、同意を求める響きがあった。前畑さん、あなたは敏子みたいなバカじゃないんだから、わかってくれるでしょう?

「お身内の方のお言葉に逆らうようですが、敏子さんはけっして愚かな人ではありませんよ。ノイローゼにかかっているわけでもないと思います。ご自分のなさっていることを、ちゃんと理解してておられます」

「それが私らの迷惑になるってこともわかってるんですか？　わかるって言うんですか、あなたは。いったい何の権利があって——」

萩谷氏は沸騰《ふっとう》し、息を切らして言葉を呑んだ。顔がさらに赤くなる。

恵が首をよじってこちらを見ている。野崎は依然、我関せずだ。

「ご迷惑にならないようにいたします」

「できるわきゃないですよ、そんなこと！」

「けっして外部には漏らしません。敏子さんが納得なされば、それでいいのですから」

萩谷氏が声を荒らげた。「あんたそんなこと言って敏子を騙《だま》くらかして、何を企《たくら》んでるんです？」

ぴしゃりと、沈黙がきた。野崎がキーボードを叩くのをやめたのだ。恵は呼吸さえ止めて固まっているようだ。

滋子は静かに座っていた。まだ笑いを噛《か》み殺している自分と、ひどく悲しい気分になっている自分。それが重なってひとつになっている。今の滋子を誰かが写真に撮ったなら、どんなに上手に撮ったとしても、手振れの写真に見えるだろう。被写体がそうなのだから。

「等君が絵が上手だったことはご存知でしょうか」

俯《うつむ》いて顔を歪め、自分の膝のあいだの汚れた床に目を据えて、萩谷氏は黙っている。

「天才的でした。素晴らしい絵ばかりです」

下を向いたまま、萩谷氏が鼻を鳴らした。

「そういう絵のなかに、不思議な絵があるのです。等君が描けたはずのない絵です。敏子さんは、その絵の謎を解きたいと望んでおられます。わたしはその敏子さんの気持ちに打たれました。同時にわたし自身、その謎を解くことに惹《ひ》かれました。おっしゃるとおり、わたしのような仕事をしている者が持っている、余計な好奇心のせいもあるでしょう」

でも、けっして敏子を騙そうと思っているわけではない。何を企んでいるわけでもない。滋子はそう言った。言葉は空《むな》しい。信じてもらえなければ、届かなければ、ただの音に過ぎないのだから。

萩谷氏が喉声でぼそりと呟いた。「何をやったって、等が戻ってくるわけじゃないでしょうが」

滋子はうなずいた。「おっしゃるとおりです。でも、敏子さんには思い出が残ります」

萩谷氏が頭を上げた。顔の赤らみが少し薄れていた。

「思い出なら、今持ってる分で充分じゃないんですかね」

「それは敏子さんのお気持ち次第です。失礼ですが、わたしがそれに関知できないのと同じように、萩谷さんにもそれをどうこうすることはできないと思います」

右手でぺろりと顔を撫でると、萩谷氏はその手を見つめた。小指に金色のごつい指輪をはめている。

「まったく――面倒を起こしてくれる」

「申し訳ございません」

「何かわかるっていう、確証があるんですか」

「今はまだ何とも申せません」

「あんただって無料《ただ》働きだ」

「酔狂ですね」と、滋子は微笑した。「今度ぜひ、敏子さんが行動を起こすきっかけになった等君の絵をご覧になっていただけませんか。どんな言葉で説明するより、それがいちばんいいと思います。お願いいたします」

お辞儀する滋子の前で、萩谷氏は立ち上がった。次は敏子を連れてきます、と言った。

「手を引いていただくように、敏子からお願いさせます。お邪魔しました」

萩谷氏が出てゆくと、また野崎のキーボードが鳴り始めた。滋子は恵に笑いかけ、

「心配かけちゃってごめんね」と言った。恵は小さく、笑い返してくれた。


その日、前畑鉄工所の就業時間が過ぎてから、事務室のカラーコピー機を使って、滋子は萩谷等のノートブックの作品をすべてコピーにとった。

今後も、いろいろな人に作品を見せる機会があるだろう。そのたびに現物を持ち運んでいては絵が傷んでしまうし、紛失の危険もある。

コピーをとりながら、これらが「退行」した絵であることの意味を考えた。等はこれらの作品を好んで描いたのではなかったかもしれない。「頭のなかのぐるぐる」を収めるために、仕方なしに描いたのかもしれない。

頭のなかでぐるぐるする映像を、他の誰よりも等がいちばん厭《いと》い、恐れていたのかもしれない。そんな嫌なことをみんなに知られたくなかったから、母親にも「ナイショにして」と頼んだのかもしれない。

考えて、想像して、苦笑する。あたしったら、ダメじゃないか。

「かもしれない」と言いながら、その実《じつ》「かもしれない」を抜きにして、等の気持ちを想像している。このあいだ、うちで酔っ払って昭二にからんだのだって、完全にその気になってしまった

からだ。他人の頭のなかが見えちゃったら怖いよね？

滋子の立場はあくまでも中央にある。立ち位置は動かしていないつもりだ。でも、顔はどちらを向いているのか。すでに、「等はサイコメトラーだった」という結論の方を向いているのではないか。

いけない、いけない。

萩谷等はサイコメトラーであったのかなかったのか。野本刑事は、それについての検証を自分に求めないでくれと言った。秋津は、滋子がその命題を解くために調べるべき素材は〝山荘〟ではないと指摘し、ずれかけていた軌道を戻してはくれたけれど、等が異能の所持者であったかどうかについては、彼自身の見解を口にしなかった。〝山荘〟の絵を見て、「これは何の手品です？」と、驚きの声をあげただけだった。

大人の態度だ。肯定しないが否定もしない。その間隙《かんげき》に、超能力は「存在」し続ける。

等が生きていてくれたら。無意味な仮定だが、滋子はそう思わずにいられない。直にあの子に会い、あの子から話を聞き出すことができたら。君の目には何が見えるの？　ほかの人が考えてることが見えるの？　他人の持ち物に、その持ち物の来歴——物の記憶がくっついているのが見えるの？　それはどんな気分？　どんなふうに見えるものなの？

道を歩いていてすれ違った見知らぬ人の頭のなかに、君はあの〝山荘〟の映像を見たの？駅のホームで並んで立った、どこかの知らない人の頭のなかに、君はあの風見蝙蝠のついた家の屋根を見たの？　その家の床下に、灰色の肌をした女の子が眠っているのを見たの？　彼女はどんな顔をしてた？　彼女が悲しんでること、どうしてわかったの？

訊いて、聞いて、知り尽くしたい。だがそれはもう不可能なのだ。

心のなかの自分の顔を、無理にも捻《ね》じ曲げて、滋子は「合理」の方へ向こうとする。萩谷等は、風見蝙蝠の土井崎家の暗い秘密を、誰から教えられたのか。

その「誰か」を見つけることがわたしの仕事だ。そして、見つけようと熱心に試みても見つからなかったとしても、だからといって、それが即、等が「本物」だったということにはならない。あくまでも「見つけられなかった」だけなのだ。

船山市立さくら小学校の花田先生から電話があったのは、滋子がそんなふうにして、自分のなかの「その気」を頭の隅に片付けているときだった。

「前畑さんでいらっしゃいますか。先日は失礼しました」

涼やかな声を聞くと、彼女の若々しい美貌、すんなりとした白い指が目に浮かんだ。

「こちらこそ、お時間をいただきましてありがとうございました。貴重なお話を伺うことができました」

滋子はにこやかに挨拶を返した。愛想で言ったのではない。彼女の意見は本当に参考になったのだ。滋子の「その気」にドライブがかかってしまうほどに。

この電話は何の用だろう。等のことで何か思い出したとか、等をよく知る誰かを紹介してくれるとか？

「あの……今、お電話をしていてよろしいでしょうか」

滋子はノアエディションにいた。

「はい、大丈夫ですが」

「すみません、お仕事中でしょう」

先生も、今は学校にいる時間帯ではないのか。

「先生はお休み時間ですか」

「いえ、実は風邪を引いて熱を出してしまいまして」

今日は休んでいるのだという。

「いけませんね。お大事になさってください」

ありがとうございますと、花田先生は言った。そういえば元気のない風邪声だ。

「すみません……」と、また謝る。

「だいぶお加減がよくないのじゃありませんか」

風邪を押してまで連絡するほどの急ぎの用件なのだろうが、それにしては歯切れが悪い。話が続かない。

「先生、どうかなさいましたか」

問いかけてから、滋子はぱっと気づいた。そうか！

「もしかして先生、わたしと会って話したことで、何かご迷惑になったのではありませんか。ほかの先生方に叱られたとか」

等の担任だった伊藤先生のあの態度から推して、その可能性はある。しかも花田先生は新米だ。

「だとしたら、大変申し訳ありません。わたしの方からお願いして先生に会っていただいたんですから、釈明が必要でしたら、いつでも学校に伺いますが」

花田先生はうんともすんとも言わない。

「先生、大丈夫ですか」

滋子が何度か呼びかけると、電話の向こうで花田先生が大きく息をつくのが聞こえた。

「すみません、こうしてお電話した以上、ぐずぐずしているのはおかしいですね」

急に吹っ切れたような、はっきりした声になった。

「風邪で具合が悪いのは本当です。休んで――ゆっくり考えていましたら、やっぱりお話しした方がいいと思いまして。いえ、このことはお目にかかって以来ずっと頭にあったんですが」

よくわからない。

「何かお話しいただけるんですね？」

「はい。先日、言いそびれたことがありました」

わたし自身のことです、と言った。

「前畑さんは、萩谷君に、他人の心を読む特殊な能力があったかもしれないとお考えなんですよね。だから調べていらっしゃる。そうですね？」

今さらのような確認である。

「心を読むという言い方が正確かどうかはわかりません。記憶を見る――という表現の方が妥当でしょう。それと、その記憶は人間のものとは限らないようです。でも、大筋ではそういうことです」

花田先生は黙った。意味の潜んだ沈黙の波が、電話線から伝わってくるようだ。

と、今度はまた別のことを問いかけてきた。

「前畑さんは、またこちらにいらっしゃいますか？」

「さくら小学校に、ですか」

「はい。萩谷君を知っているのは、伊藤先生やわたしに限りません。生徒たちもいます。取材をお続けになりますか」

質問の意図がどこにあるのか読めないが、滋子は率直に答えた。

「今の段階では何とも申せません」

「じゃ、はっきりした予定はないのですね」

「直近ではございません」

また沈黙の波が来る。

「ごめんなさい。おかしなことを言うとお思いでしょう」

滋子はいえいえ、と応じた。ちっとも「いえいえ」ではなかったが。

「前畑さんが学校関係者の取材をお続けになるなら、何かの拍子に耳に入るかもしれないと思ったんです。それだと――わたしには不本意なので、それくらいなら自分でお話ししようと思い立ったんですが」

滋子が取材に来ないなら話すのをやめたいと言わんばかりであるが、一方、花田先生は言いたがっていた。

「先日は言いそびれたことだとおっしゃいましたね?」

「はい。そういう話の流れにならなかったので」

もっぱら等の絵の話をしていたからだ。

「ひょっとして先生、等君が何か不思議なことを言ったりしたりするのをご覧になった経験があるのでは?」

ずばりと、滋子は切り込んでみた。

この思い切りは功を奏した。滋子の勢いに押されて思わずというように、あるんです――と、花田先生は答えた。あ、言っちゃったという狼狽《ろうばい》が、残響になって滋子の耳に届いた。

「それは先生ご自身の、プライベートに関わることなのでしょうか。だからお話しになろうかどうしようか迷っておられる?」

楽しそうな雰囲気ではないが、花田先生はちょっと笑った。

「やっぱり鋭くていらっしゃいますね。おっしゃるとおりなんです」

そう認めて、花田先生は黙ってしまったが、滋子は急《せ》かさなかった。ここまで食い込んでしまえば、もう放っておいてもしゃべってくれる。

「わたしはあの――いわゆる職場恋愛をしています」

はいと、滋子は応じた。

「相手の先生の名前は伏せさせてください。萩谷君とは関係ありませんから」

「わかりました」

花田先生は受話器を持ち替えたらしい。雑音が入った。手が汗ばんでいるのかしら。先生だって恋愛するだろうし、相手が同じ先生だって不思議はないのに。

「その先生は一年生の担任です。萩谷君が五年生になって、わたしが美術を教え始めたときにはそうでした。六年生のときには、そのまま持ち上がりで二年生を担任していました」

滋子は受話器を耳にうなずいていた。

「萩谷君はその先生のことをまったく知らないんです。あのことがあったとき、彼に訊《き》いたら、萩谷君を担任したことはないって言ってましたから間違いありません」

彼、か。

「仮にA先生としませんか」

「え?　はい、じゃあA先生です。萩谷君はA先生のことを知りません。わたしたちが一緒にいるところを見たこともないはずです。学校のなかで、そういう機会はありませんから。まあ、同じ学校にいるんですから、顔ぐらいは見てるかもしれないですが」

「わかりました」

どうしてその必要があるのかわからないが、花田先生はしゃにむに弁解口調になりつつあった。

「それであの――萩谷君が五年生で、夏休み明けの、二学期が始まったばかりのころだと思うんですが」

授業が終わって画板の後片付けなどをしているとき、等と花田先生がたまたま二人になった。他の生徒たちは離れていたか、もう図画工作教室から出ていた。等はそういうとき、進んで先生を手伝う生徒だったから、残っていたのだ。

「いきなり、萩谷君がわたしに訊いたんです」

――先生、A先生が好き？

滋子はちょっと目を瞠った。

「邪気のない感じで、ニコニコ笑っていました。でも言葉に間違いはありません。そう訊いたんです」

「実際にその当時、先生はA先生とお付き合いなさってたんですか」

「……はい。親しくなったころでした」

花田先生は、ちょうど等が五年生になった年、つまり一昨年にさくら小学校へ着任した。で、夏休み明けにはもうそこに恋人ができていた。

あれだけの美人だからねぇ。花田先生の話をしたとき昭二の反応をちらりと思い出しつつ、滋子は微笑した。男ってのは、若い美人を放っておかないものなのだ。たとえそこが学校であっても。

「驚かれたでしょう」

花田先生は震えるような笑い声をもらした。「もう、びっくり仰天でした。どうしてわかるのって、思わず訊き返したくなってしまって」

何とか笑いにまぎらして、「さくら小学校の先生のことは、みんな好きよ」と答えたそうだ。

「等君は何と言いました？」

「ニコニコ笑ったまま、そうなの、と言いました。そのときはそれだけでした」

それが「あのこと」だった。驚きの冷めなかった花田先生はA先生に、

「生徒の一人にこんなことを訊かれたけど、わたしたち、悟られるような態度をとってしまってるんでしょうかと相談しました。彼は、そんな心配は全然ないと笑っていました。そもそもその萩谷君を、自分は知らない、と」

今時の子は早熟だから、若い女の先生にそんなことを言いたがるものなのだとも言ったそうだ。君はからかわれたんだよ、と。

「それきりわたしも忘れていたんです。でも――」

それから一年ほど後、夏休み中の美術クラブの活動の折に、やっぱり先生が等と二人になるときがあった。あとで考えてみると、今度は等がまわりの生徒たちの目と耳をはばかり、最初から内緒話をするつもりで花田先生のそばに寄ってきたように思えたそうだ。

等は、こう尋ねた。

――先生、やっぱりA先生が好き？

同じ質問が以前にもあったことを、花田先生は覚えていた。だから今度は「みんな好きよ」などとごまかさず、「どうしてそんなことを訊きたいの？」

と問い返した。

「そしたら、萩谷君はこう言いました」

――だって先生、先生がA先生のこと好きなら、どうしてA先生は先生を泣かすの？

等の言葉を再現して口にすると、息が切れたように花田先生は黙ってしまった。滋子も充分に間を置いてから尋ねた。

「当時、喧嘩でもなさっていたんですか」

花田先生はため息をついた。呼吸を整えている。

「喧嘩というより、いざこざに巻き込まれておりました。それはあの――仕方のないことではあったのですが」

仕方のないいざこざ？

滋子が説明を求めるより先に、花田先生は言った。

「A先生には妻子があるんです」

あらら。滋子は片手で額を覆った。男というのは、身近な若い美人を放って置けないだけでなく、ついでに自分の立場まで忘れてしまう生き物なのである。

「つまり、あなた方は不倫関係だということですね」

「いえ、そういうことでは！」

花田先生はとっさに反論したが、その声は尻すぼまりになった。

「そうですね……。一般にはそういうことです」

一般も二般もない。

「それで当時、いろいろと揉《も》め事が起こっていました。わたしたち、まわりに知られないようにとても用心していたんですけど、なぜか彼の奥さんが気づいてしまって。奥さんが学校に来たりして」

とんでもない修羅場である。

「ですからあなたはよく泣いておられた」

「……そうです」

「等君の質問にはどう答えたんですか？」

「覚えていません。動揺してしまって。笑ってごまかしたんでしょう、きっと」

「それきり、尋ねられることはなかった？」

「ありませんでした」

滋子は想像した。そのとき等は、花田先生のどんな記憶を「見た」のだろう。彼女の涙の記憶と、そこにまとわりつくA先生の存在をどう解釈したのだろう。

「余計な質問かもしれませんが、お答えいただけるなら教えてください。現状はどのようになっておられるのですか」

まだ揉めていますと、花田先生は蚊の鳴くような声で答えた。

「彼は奥さんと離婚調停中です。真面目な人なんです。本当にちゃんと離婚して、わたしと結婚すると言ってくれていますから」

「なるほど。でも、学校のなかではいかがです」

夫人が乗り込んできたのでは、学校側も放っておかれまい。花田先生の声がかすれた。

「今年の春、A先生は転任しました。わたしはここに来たばかりなので、動かしにくいというのです」

花田先生も針の筵《むしろ》だろう。彼女がこの件を言い出しにくかったことも、滋子が他のさくら小学校関係者を取材するかどうか気にしたことも、合点がいく。

「これも余計なことかもしれませんが、申し上げておきます。仮にこの先、わたしがさくら小学校のどなたかに等君のことで話を聞きに伺うにしても、先生とA先生のことには触れません。そんな必要はないですから」

お話しくださってありがとうございましたと、滋子は言った。花田先生は、「すみません」と呟いた。

「先日、前畑さんがいらしたとき、わたしはすぐこのことを思い出しました。忘れられるようなことじゃありませんから。本来なら、あの場で申し上げるべきでした」

「お気になさらないでください。進んで話したいような事柄じゃありませんもの、無理もないです」

あなた、見事に隠し果《おお》せていましたよ。ちょっぴり揶揄《やゆ》する気分で、そう言ってやりたくなった。あの会見の折に、あなたが胸の奥にこんな体験をしまいこんでいたなんて、あたしは想像もしませんでした。滋子が持ち込んだ話に、さぞかし驚いていたろうに、そんな様子はおくびにも出さなかった。大したものだ。

「いえ、そういう意味ではないんです」

花田先生はあわてたように早口になる。

「先日お目にかかったときにこのことを言わずに黙っていたのは、何といいますか――矛盾しているように聞こえてしまうと思ったからなんです。わたし、前畑さんに申し上げましたよね？　サイコメトラーという能力の存在については懐疑的だと。単なる勘の鋭さとか、常識の範囲内で説明のつくものだと思う、と」

「ええ、おっしゃいましたね」

「そういう意見を述べておきながら、この体験をお話しするのはおかしいような気がしたんです。それだけなんです。わたしは教育者ですし、合理主義者ですから」

「わかりました。先生のご意見を、わたしは曲解してはおりません」

子供は勘が鋭いものです――あのとき、花田先生はそう言った。あの言葉は、この体験に裏打ちされたものだったのだ。

花田先生はまた受話器を持ち替えた。前畑さんと、低い声で呼びかけてきた。

「萩谷君は、わたしがあの日見せていただいた絵のほかにも、いろいろ描き残しているんでしょう？」

「はい」

「そのなかに……あの……」

わたしたちの絵はありませんかと、花田先生は尋ねた。

「先生とA先生のことを描いた絵、という意味のお尋ねでしょうか」

花田先生が初めて苛立《いらだ》った。「ほかにありますか？」

「わかりません」と、滋子は答えた。「わたしもすべての絵を解析しているわけではありませんので。でも、少なくとも等君のお母さんの話を聞く限り、彼が家で先生とA先生のことを話題にしていた形跡はありません。お母さんは、等君が先生にとても懐《なつ》いていたし、先生にも可愛がっていただいたと話しておられるだけです。才能があると、先生に褒めてもらったことを、等君のお母さんは今でも感謝しておられます」

花田先生は黙り込んでしまった。

「もし、それらしい絵が見つかったとしても」

滋子が言うと、花田先生がびくりとする気配がした。

「どんな形であれ、それを公《おおやけ》にするような真似はいたしません。そもそもこの調査は、どこかに発表するためにしていることではないのです」

「――本当ですか」

「はい」

「記事をお書きになるわけではないんですね」

「ええ、書きません」

結局、それが気になっていたわけか。だからわざわざ電話をかけてきた。

「先生」と、今度は滋子が呼びかけた。「仮に、先生とA先生を描いた絵があるとします。それがあの、等君らしくない幼児的な筆致の絵だったとします。その場合も、先生がおっしゃった〝これらの絵は退行している〟というお考えに変わりはありませんか」

かなり長いこと息遣いだけが聞こえた。滋子は待った。

「ありません」と、花田先生は答えた。「大人の揉め事は、萩谷君にとっては理解不可能な問題でしたでしょうから」

「そうですか。ありがとうございました」

「前畑さん？」

「はい」

「本当に、あの……お願いします」

弱々しい懇願だ。花田先生は教師ではなく、一人の若い女性に戻ってしまっている。

「わたしたち、今でも充分、苦しい立場にあるんです。幸い、わたしたちのことは保護者の耳には入っていませんが、それでも充分たいへんなんです」

そりゃそうだろう。滋子は黙って聞いていた。

「ですから、このことがまた取り沙汰されたりすると」

「その心配はご無用です」

「今度こそ、わたしは職を失います。彼の方も、調停がうまくいかなくて裁判になりそうで、そちらにも影響が出たりすると、わたしたち本当に困るんです……」

努めて穏やかに、滋子は言った。「お約束いたします。わたしの方から先生のプライベートな問題を蒸し返すようなことはいたしません」

ご安心くださいと言って、電話を切った。

しばらく頭を抱えていた。すがすがしく初々しく、有能で、若さと美に溢れた女性にもこんな秘密がある。人は上辺《うわべ》だけではわからない。

しかし、たかだか十一歳の萩谷等には、それが見えてしまった。わかってしまった。

――子供は勘が鋭いものです。

ただの勘なのか。異能の力なのか。

単に、萩谷等が地獄耳の子供だったというだけなのか。

「どうしたんですか、滋子さん」

恵が声をかけてきた。

「頭なんか抱えちゃって」

滋子は笑って身を起こした。「世の中、いろいろだなぁと思って」

はあ？　と恵は首をかしげた。

「ケイちゃん、いい恋愛をして幸せになろうね」

「はあ」恵は目をぱちぱちさせている。「そうしたいですけどね、うん」

帰宅すると、滋子は等の作品の再点検にとりかかった。花田先生とA先生らしい、男女の組み合わせを描いた絵はなかったか。女性が泣いている絵は？

結論としては、あるようなないようなと言うしかなかった。男女の組み合わせが主題として登場する絵のうち、明らかに等が母親と自分を描いたものだろうと思われるものを除いてゆくと、三作残る。三つとも、男女のペアが後ろ向きで描かれており、そのうちの二作では、彼らは手をつないで歩いており、残りの一作では、大きな木の下のベンチに並んで腰かけていた。

とりわけ不吉な雰囲気をまとった絵ではない。深刻な軋轢《あつれき》を感じさせるものでもない。むしろほのぼのとした図柄だ。

が、男女がどの絵でも背中を向けていて、顔が見えないというのが気になるといえば気になる。ま、いいんだけどさ。滋子は絵を片付けた。このエピソードだけで、何かを証明することはできない。裏付けることもできない。等の心象風景を想像する種にはなるが、それをやってしまうと、また「その気に」逆戻りするだけだ。

思いのほか時間がかかってしまったので、夕食は手抜きだった。冷蔵庫内の棚卸《たなおろ》し料理だ。が、昭二はまったく気にしなかった。花田先生不倫の恋の報告の前には、すべてが吹っ飛んでしまったらしい。

「何て野郎だ！」と、いきなり怒る。

「誰のこと？」

「決まってンじゃねえか。その教師だよ。花田先生に手を出した野郎だよ」

「どっちが先に手を出したのかなんて、わかんないよ。そもそもこういうことは、どっちが先って問題じゃないんじゃないの」

「バカ言うな。花田先生が自分からそんなことするかよ。男の方が悪いんだ。妻子持ちのくせしてさ。図々しいにもほどがあるじゃねえか」

　ふーんと、滋子は鼻先で言った。

「そいつ、同じ学校に勤めてたんだろ？　花田先生にとっちゃ先輩教師だろ？　可哀相に花田先生、言い寄られたら断れなかったんだよ。セクハラってことじゃねぇのか、これ」

「ではないと思うけどね、あたしは」

　さっさとご飯食べてお風呂に入って寝なさい。滋子は昭二の大きな背中をばちんとぶった。この前のお返しだ。

　ホント、男ってバカなんだから。


　高橋雄治弁護士の事務所を訪ねるのに、珍しく滋子は道に迷った。ファクスで送ってもらった地図が小さくてよく見えないし、よく来る場所ではないし、新橋あたりは道筋が入り組んでいるので苦手なのである。汐留の再開発で近未来的な超高層ビルが立ち並んだせいで、距離感が狂ってしまったというのもある。

　それに暑い。以前に新聞で、汐留に林立する超高層ビルが屛風《びょうぶ》のような障害物になって東京湾からの風の流れを遮り、都心の気温上昇に拍車をかけているという記事を読んだことがあり、そのときは、判り易すぎる理屈でかえって信用できないなと思ったのだが、実際にその地を歩いてみると、頭上に迫る超高層ビルの威容に気圧《けお》されることもあって、にわかに真実味が感じられてきた。そよとも風が吹かないのは、本当にあのビル群のせいではないのか。

午後二時から、時間厳守で三十分だけ。その約束だ。やっと目的の「高橋雄治法律事務所」というストレートな名称の看板の見えるオフィスビルの足元にたどりついたときには、汗だくになっていた。

五階まで上がり、インターフォンを押したとき、二時五分過ぎだった。不覚だ。約束の時刻の五分前には到着というのが、滋子の信条である。

ドアを開けてくれたのは、大学生風の青年だった。小鳥のような可愛らしい顔をしている。前畑滋子さんですねとフルネームを確認してから通してくれた。

ワンルームの事務所だった。弁護士用の机と、応接セットと衝立《ついたて》と、秘書用らしい小さな机。コピー機が場所をとっている。弁護士一人、秘書一人のこぢんまりした所帯のようだ。

高橋弁護士は、秋津が言っていたとおり、滋子と同年代のようだった。仕立てのいい背広の襟に弁護士バッジが光っている。これも秋津が「気の毒なことに」と感想を付け足して言っていたとおり、額がかなりあがっていたが、それが押し出しを良くしていた。髪が薄いことをマイナス要素にばかり勘定するのは、男性諸氏の不思議な癖《へき》である。滋子は高橋弁護士に、むしろそれ故に精悍《せいかん》で切れ者の印象を受けた。

遅刻など、絶対にしてはいけないタイプの相手だ。滋子は五分の遅れを重々謝罪した。

「まあ、時間もないことですし、とにかくお話を伺いましょう」

座った正面の壁に時計があった。滋子はその針の動きを目の隅に引っ掛けつつ、それと競争するような思いで説明にとりかかった。

「サイコメトラー」等、人によってはいきなり白けてしまうかもしれない題材だし、制限時間がきついから、話の順序については入念に考えて、下準備をしておいた。リハーサルもした。

語り終わると、二時二十二分になっていた。高橋弁護士はまったく口を挟まなかったが、滋子の話が進むにつれて、どんどん表情がほどけていくようだった。

「これはまた、突拍子もない話が舞い込んできたものですなあ」

面白そうに口の端を緩めながら、同意を求めるように滋子の後ろを見た。つられて振り返ると、さっきの青年が、応接セットと秘書用のスペースを隔てる衝立の陰に、半分身体を隠すようにして立っている。

青年はまず弁護士を見て、それから滋子の顔を見て、何も言わずにまばたきをした。そうすると、さらに小鳥に似て見えた。カナリアとか文鳥に。

「これまで、何人もの方が手を変え品を変え取材を申し込んで来たものですが、いやはや、こんな話は初めてです。よくお考えになったものですね」

滋子は弁護士に向き直った。「けっして作り話ではございません。萩谷等君の描いた絵も持参してきております。ご覧いただけませんか」

バッグからコピーを取り出して、テーブルに載せた。風見蝙蝠の家の絵だ。

高橋弁護士は絵を眺めはしたものの、手に取ることも、顔を近づけることさえしなかった。口元には笑いが残っている。こんなもの、いくらでも後から作ることができると、その笑みが滋子に告げていた。

「それで前畑さん、あなたは何をお求めなんでしょう。土井崎夫妻からは、船山や浦安あたりに知り合いがいるという話は聞いておりません。おそらく、この萩谷等という少年のことも知らないでしょう」

夫妻が超能力云々の話に興味を持つとも思えないと、断言した。

「ご存知のように、この件は刑事事件としては時効が成立していましたが、しかし内容が内容です。土井崎家の方々は、これまでの生活をすべて失いました。今は暮らしを立て直すことに専心しておられます。SF小説に出てくるような話にかまけている余裕はありません」

それはもとより承知の上だ。

「もちろんわたくしも、土井崎さんご夫婦と誠子さんに超能力談義をしていただきたいと望んでいるわけではありません。ただ、萩谷等という少年が現にこのような絵を残した以上、茜さんに関する事柄が、土井崎家の外部に洩れていた可能性が出てきました。その点を、土井崎家の方々に確認させていただきたいのです」

等はどこから茜に関する事実を知ったのか。そのルートを知りたいのだと滋子は力説した。

「わたくしは、等君の母親である萩谷敏子さんに頼まれて調査をしております。知り得た事実と、そこから導き出される推論を、敏子さんには報告しますが、他のどこに発表するつもりもございません」

弁護士の口元からは、まだ冷笑が消えない。空手形《から》だと思われているようだ。

滋子はバッグから大判の封筒を取り出した。二通ある。それをテーブルに並べた。ひとつは土井崎夫婦宛《あて》、もうひとつは誠子に宛てたものだ。

「詳しい事情と、わたくしがお尋ねしたい事柄を、文書にして持参して参りました。この絵のコピーも入っています」

高橋弁護士の濃い眉毛が、ちょっと上下した。時計の針は刻々と動いている。

「どうぞ、先生から土井崎家の方々に、これをお取り次ぎいただけないでしょうか。お願いいたします」

頭を下げてから、続けて言った。

「これを見ていただいた上で、やはり取材は駄目だということでしたならば、致し方ありません。引き下がります。でも、もしもお返事がいただけるならば、お目にかかることができなくても、たとえば手紙や電話でもかまいません。土井崎家の方々の望まれるとおりにいたします」

腕時計にちらりと目を落としてから、高橋弁護士は言った。

「私は、この種の事柄については土井崎家から全権を委任されています。とにかく多種多様な話を持ち込まれるので、交通整理が必要でしてね。なかにはとんでもなく無礼な申し入れもありますし」

「お察しいたします」

「とはいえ、私が勝手に結論を出すことはありません。すべて土井崎家に伝え、意向を聞いてから返事をしています。ですから取り次ぎますよ。取り次ぎますが、確認しておかなくてはならないことがひとつあります」

ひとさし指を立てて、滋子を見た。

「この件に関して、金銭的な問題をどうお考えです？　取材に応じた場合、土井崎家の皆さんに対価を支払う用意はありますか？　念のために申し上げますが、これはあなたと——その萩谷というご婦人が、どういう意図で調査をしているのかには関係ありません」

滋子と敏子がこれでひと儲けしようと企んでいるのでなくても、という意味だ。念押しするのは疑っているからである。

滋子はこの質問を予期していた。これまでにもこの事務所では、やれ映画をつくらせてくれ、手記を書いてくれ、その際の土井崎家の取り分は何パーセントだ、印税率はどのくらいだという生臭いやりとりが、いくつも交わされてきたに違いない。インタビューを受けてくれるならこの金額の謝礼を払いますという申し出もあったろう。一般にメディアは取材費を支払わないものだが、映像の制作プロダクションや、個人のライターや作家などの場合はそうもいかない。テレビのニュース番組でも、苛烈な取材合戦になった場合には、謝礼の金額を競い合うことがある。

ただ敏子には、調査においてもしかしたらお金が要るかもしれませんという相談はしていない。うっかり切り出せば、今まで滋子に対しても金銭的な話をまったくしていない敏子は、いっぺんでうろたえてしまうに決まっているからだ。まあ先生、そういえばわたし、先生にも何の手数料もお支払いしてませんでした！　どうしましょう！

そうなると、あの敏子のことだから、宥《なだ》めるだけでもひと苦労になる。わたし、そういうことに疎いんです。何にも考えておりませんでした、ああ恥ずかしい、すみません。で、時間を食ってしまうだけだ。

だから、一存で答えた。「お申し出があれば、お支払いいたします。金額についてはご相談させていただきたいですが、できる限り、土井崎家の皆さんのご希望に沿うよう努力したいと思います」

「萩谷というご婦人が支払うのですね？」

「それも相談してみます」

高橋弁護士は目を瞠った。

「しかしあなたは、萩谷さんに依頼されて調査しているのでしょう？　あなたご自身も萩谷さんから報酬を取っているわけでしょう」

「いえ、特に報酬はないんです」

答えてから、滋子はふっと笑ってしまった。

「いわゆる手弁当です」

実務的な真顔に冷笑のスパイスをふりかけたようだった高橋弁護士の顔に、初めて別の表情が浮かんだ。驚きと困惑である。滋子が差し出した名刺を、もう一度確認する。

「前畑さん、あなたは確か、ルポルタージュをお書きになる作家ですよね」

バレてたか。

「ライターでございます」

「著書があるでしょう。例の、あの事件のね？」

「九年前の連続誘拐殺人事件のことでしょうか」

「もちろんですよ。当時、あなたの顔をよくテレビで見ていました」

「そういう時期もございました。でも先生は勘違いをなさっておいでです。わたくしはあの事件に関する著書を持ってはおりません」

「書いてない？」

「はい」

へえ……と無防備な声を発して、高橋弁護士は秘書の青年と顔を見合わせた。滋子が見やると、青年も驚いているようだった。

「見かけたような記憶があるんですがね。あれはあなたのお書きになった本じゃなかったですか」

「いろいろな方があの事件を素材に本を出しましたから」

片手で顎を撫でながら、高橋弁護士は滋子が並べた封筒の一通を取り上げた。

「それじゃこうしたことを、あなたはすべて無報酬で行っている、と」

「はい」

「それでいいんですか」

「個人的な興味でございますので」

「九年前の事件とはだいぶ様相の違うものですよ。まあ、被害者が若い女性だということは共通してるか。それがあなたの興味の理由でしょうかね」

やや挑発的な問いかけだった。女性が殺される事件に惹きつけられるわけですね、あなたは。

滋子は心のなかでため息をついた。結局、等が描いた〝山荘〟の絵のことを説明しないとならないのか。

でも、その前に滋子は時計をさした。「先生、お時間が」

二時半になってしまった。高橋弁護士は壁の時計を振り仰ぎ、ああと声を出した。

「わかりました。とにかく土井崎家の意向を聞いてみましょう。それと、預かり証をお出ししますから。多田《ただ》君、頼んだよ」

秘書に言いつけておいて、申し訳ないが私は先に出ますと、大きな鞄を提げて、弁護士はあわただしく出かけていった。

「おかけになってお待ちください」

多田君という秘書の青年は、応接のテーブルから滋子の出した封書を取り上げると、それを持って自分の机に移動した。引き出しを開けて書式を取り出し、預かり証を書き始める。滋子は応接のソファの脇に立ったまま、彼に尋ねた。

「今日、高橋先生にお時間を取っていただいた分のお支払いをさせてください。名目はお任せします」

多田君は手にしたペンを軽く振った。

「あ、そちらは結構です」

「でも……」

「いいです。三十分だし、サービスしておきます」

急にフランクになったようだ。

「有名人にお会いできましたから」

「わたしですか？　いえいえとんでもない」

多田君は預かり証を途中まで書き、封書の上に軽く手を乗せて、

「封をしてありますが、取り次ぐ際に土井崎さんから、事前に中身を確認してほしいという要請があった場合、こちらで開封します。よろしいですか」

「かまいません、どうぞ」

多田君は実にきれいな字を書いた。滋子は預かり証を確認して、バッグにしまった。

「どうして二通あるのか、訊いてもいいですか」と、多田君が言った。「土井崎さんご夫妻宛と、妹さんに宛てたものと。ご家族が一緒に住んでいないことを、誰かに聞いてきたんですか」

滋子はかぶりを振った。「いいえ、聞いてはおりません。ただ、その可能性はあると思いました」

むしろ、今の多田君の言葉こそが、土井崎誠子が現在は両親のそばにいないことを教えてくれ

た。本人は気づいていないようだが。

滋子は大事なことを思い出した。

「土井崎家の方々が今どうしているのか、特に誠子さんのご様子を、幼馴染のお友達が心配しています。今井さんというクリーニング屋さんの息子さんと、お米屋さんの直美さんという娘さんです」

あたしたちは今でも友達だと、直美は言った。

「そのことを誠子さんにお伝え願えるでしょうか。事件後しばらくは携帯電話が通じていたらしいんですが、今はまったく音信不通だそうです」

「わかりました。お伝えしておきます」

多田君はうなずいた。

「そうか、じゃあ妹さんの名前が誠子さんだということも、そのご友人から聞いたんですね」

「ええ、そうなんです」

納得した、という顔でまたまばたきをした。滋子は、この若い秘書の経験不足に少しばかりつけ込ませてもらうことにした。

「いかがでしょう。見込みはありそうでしょうか」

「土井崎さんたちに会えるかどうかってことですか」

問い返して、多田君は考え込むような顔になった。

「どうかな。何とも言えませんけど、難しいかもしれませんね」

「過去に取材をお受けになったことは」

「うちの事務所が窓口になってからは、ありません」

「そうですか……」

「先生は、それが仕事ですからああいうふうに言いますが、お金の問題じゃないと思いますよ。特に誠子さんは、すごく傷ついているし」

「当然ですよね」

「きちんとした取材の話もあったんです。でも、ひどいのはホントにひどいから」

誠子に、彼女のヘア・ヌード写真集を出したいという話が持ち込まれたこともあるという。

「バカみたいでしょう。何だと思ってるんでしょうね」

多田君は義憤を感じているようだった。目尻がきりりとした。

「ちょこっと手記を書いて写真にくっつければ、大売れするって。あなただってこの事件で損ばっかりしてちゃつまらない、ひとつ儲けましょうよ、なんて言って」

世間にはそういう輩もいる。しかも、少なくない数が。

「誠子さん、きれいな方なんですか」

「ええ、とっても。死んだ茜さんも美少女だったそうですよ」

「殺された」のではなく、「死んだ」と多田君は言った。

「わたしは便宜上、土井崎誠子さんとお呼びしていますが、実際はどうなんでしょう。彼女は土井崎の姓を捨てているのかしら。別れたご主人の姓を名乗っているとか」

調子に乗って踏み込みすぎたらしい。多田君は催眠術から覚めたようにはっとした。

「誠子さんが離婚したこと、知ってるんですか」

「ええ、まあ」

「それも友達から聞いたんですか」

「そんなところです」

気分を害した多田君は、それでもやっぱり小鳥のように見えた。

「僕、しゃべり過ぎました。また叔父に叱られます」

叔父？

「あ、あなたは高橋先生の甥御《おいご》さんなんですか」

そんなことどうでもいいでしょうというように、多田君は滋子を睨《にら》んだ。

「前畑さん、本当に、どこかの出版社とかに頼まれて動いてるんじゃないでしょうね」

「違います。けっしてそんなことではありません」

多田君はすたすたとドアに近づき、大きく開けた。これ以上粘ってもいいことはない。滋子は素直に外へ出た。失礼しました、と声をかけたけれど、返事はなかった。

失敗だった。おでこをぺちりとぶった。

でも収穫もあった。

土井崎誠子は美人だという。少し救われたような気がした。今の誠子には、他人から「きれいだ」と表される容姿を持っていることが、多少なりとも慰めにはならないか。

ならないのかな。茜も美人だったのだから。美少女で、札付きの非行少女。美が必ず人生に益するわけではないという格好の見本――

そこでもう一度、自分の額を打った。土井崎姉妹は似ていたのだろうか。多田君の目が覚めないうちに、それをこそ尋ねるべきだった。何やってんだ、あたしは。

とにもかくにも、こうなったら返事を待つしかない。そして返事が「否」であった場合、次はどうするべきかを考えておこう。相当厳しい展開になるが、まだ手がないわけではない。

その週の土曜日になって、萩谷敏子から電話がかかってきた。滋子は自宅にいて、鳴ったのは携帯電話だ。

敏子は妙に騒々しいところから電話していた。これから先生のお宅へお邪魔してもよろしいでしょうかと、気弱な声で申し出る。

「かまいませんけど……」

昭二は仕事が休みだが、町内の子供会の野球教室に出かけている。頼まれて、ときどきコーチの真似事をしに行くのだ。

「敏子さん、今どこにいらっしゃるんですか」

聞いて驚いた。もう最寄りの駅にいるというのだ。

滋子はあわてて車で迎えに行った。敏子は滋子が指定した駅前のコンビニで、大きな紙袋を両手で抱えて立っていた。デパートの紙袋だ。

「すみません、先生。お休みの日に、本当に申し訳ないです」

車中で、あれからも兄の萩谷松夫といろいろ揉めたという話を聞いた。そしてその悶着《もんちゃく》のあいだに、敏子は兄から尋ねられた。おまえ、あの先生にいくら金を払ったんだ？　お金なんて払ってない。何だと？

白いガーゼのハンカチで顔の汗を拭き拭き、敏子は小さくなって恐縮している。

「わたしったら本当に図々しい限りで……」

敏子には申し訳なかったが、滋子は笑った。

「いいんですよ、お金なんて」

「でもせめて経費とかだけでもお支払いしなくちゃ。兄にもさんざん叱られました。おまえは常識ってもんを持ち合わせてないのかって」

叱り飛ばす萩谷松夫の顔が目に浮かぶ。

敏子が抱えていたデパートの紙袋には、豪華な箱入りの輸入菓子が入っていた。滋子はそれを仏壇にあげた。

「まず、等君の絵をかけたところを見てください」

敏子を前畑鉄工所の事務室へ連れていった。額装された絵を見て、さっきまで汗を拭いていたハンカチで、敏子は今度は涙を拭った。

「こんなに立派に飾ってもらって、皆さんに見ていただいて、あの子、幸せ者です」

滋子は高橋弁護士を訪ねたことを話した。取材費のことを聞くと、敏子は飛びつくように言った。わたしがお支払いします。そうするのが筋です！

「わかりました。承《うけたまわ》っておきます。また、そうなったらご相談しましょう」

「はい、はい、必ず！」

「でも敏子さん。わたし自身には、やっぱり手数料や報酬みたいなものは必要ありません」

色をなして反論しようとする敏子を押し留めた。

「この件で誰か人に会うと、わたしが予想していた以上の確率で、九年前の事件のことを持ち出されるんです。わたしの背中には、あの事件の幽霊がくっついてるんですね」

先生――と呟いて、敏子は顔を歪めた。ハンカチを握り締め、また泣き出しそうな雲行きだ。

「それはすごく……お辛いのじゃありませんか」

滋子は首を横に振った。「逆です。まったく逆なんです。かえってすっきりしたんです」

幽霊に気づいていなかったわけではない。幽霊がそこにいることは知っていた。だからこそ、一度は「萩谷敏子さんの喪の仕事に付き合うのだ」なんて、自分自身に言い訳もしたのだった。

「わたしは幽霊を見て見ぬふりをしていました。それじゃ通用しないってことが、九年前の事件について尋ねられるたびにはっきりしてきました。わたしには、そういう機会が必要だったんだってこともわかってきました」

これはわたしの「事件」ですと、滋子は言った。

「以前にも、敏子さんがもうやめると言っても、わたしは等君の絵について調べ続けると申し上げましたよね。それは、わたしの事件だからです。わたしがわたし自身のためにやっていることだからです。ですからお金はいただけません」

敏子はいつも持ち歩いているハンドバッグの蓋《ふた》を開けると、銀行の封筒を取り出した。

「でもこれ、兄から、先生にお渡しするように言い付かってきたんです……」

「じゃ、敏子さんが預かっていてください。一緒に、いい使い道を考えましょう。等君が喜ぶような」

わかりましたと、敏子は封筒をしまった。滋子の独りよがりでなければ、心なしほっとしたように見える。

敏子のお持たせの菓子箱を開けて「亡くなったわたしの 姑《しゅうとめ》は、わたしがこういうことをすると、がっついているって怒ったものです」と滋子は笑った。二人でお茶を飲んでいると、昭二が野球教室に参加した子供たちを二十人ばかり引き連れて、どやどや帰ってきた。西瓜《すいか》をまるまるひとつ抱えている。

「おーい、初物だぞ。差し入れにもらったからさぁ、西瓜割りやろうと思って。会社の駐車場で

――」

大声でそこまで言ってから、敏子の存在に気づいた。

「あ！　いや、どうも、おい滋子こちらは――」

昭二と敏子は、米搗《つ》きバッタの見合いさながらの挨拶の応酬を繰り広げた。早く西瓜割りをしたい子供たちが焦《じ》れている。

「西瓜割りなら、野球場でやればいいじゃないの？」

「ダメだよ、あそこはちゃんとした芝のグラウンドなんだから、遊びに使ったらまずいんだ」

他のボランティアのコーチたちも合流し、西瓜割りはにぎやかに行われた。滋子も敏子と一緒に見物し、子供らの世話を焼いた。あの豪華な菓子箱の中身は、子供たちのおなかのなかへと、きれいさっぱり消えてしまった。

途中で、前畑鉄工所の駐車場から、ふっと敏子が姿を消した。滋子は捜しに行ったが、事務所の建物の陰で敏子が両手で顔を覆っているのを見つけて、そっとしておくことにした。

泣くなら、今ここで泣いた方がいい。等の仏壇がひっそりと待っているアパートへ帰りながら泣くよりも、ここで泣いてしまった方がいい。

敏子の涙が涸《か》れることは、永遠になくても。

しばらくして戻ってきた敏子は、目の縁を赤くしていたけれど、笑顔を取り戻していた。帰るときには、

「先生、おかげさまで楽しかったです」と言った。

その言葉は嘘だろう。でも、まやかしではない。

敏子を駅の改札で見送って、帰ってみたら昭二が萎《しお》れていた。

「オレ、萩谷さんに悪いことしちゃったかな」

敏子が泣いていたことに、昭二も気づいていたのだ。

「そんなことないよ」と、滋子は言った。

「なあ滋子」

「何？」

「なんで子供が死ぬんだろう。なんでそんな悲しいことが起こるんだ？」

なぜ子供が死ぬのだろう。なぜ大人になりきらない少女が殺されるのだろう。


週明けのことである。高橋弁護士事務所から電話が入った。

土井崎誠子が、前畑滋子に会いたがっているという。

断章③

法山新聞店の法山久子《ひさこ》は、戸口からよっこらしょと自転車を外に押し出した。「地域パトロール中」のステッカーを張った荷籠のなかには買い物袋が入っている。夕食の買い出しに出かけるところだった。

久子の家は祖父母の代からこの家業を営んでいる。昔は新聞販売店というと、大勢の配達員たちが住み込みで働いていたから、ご飯は一斗釜で炊いたとか、とんかつを一度に二十枚も揚げたとか、さまざまな逸話を聞かされて、久子は育った。が、時代は変わった。今では配達員たちにも個々の住まいがあり、個々の暮らしがある。従業員たちとは、たまに昼食を一緒に食べることがあるくらいで、夕食のテーブルを囲むのは家族五人だけだ。久子と夫と、二人の子供、それに久子の母親。

今夜はどうしよう。カレーでいいか――と思いながら自転車に乗ろうとしたとき、視線がふっと、向かいの家の二階の窓をかすめた。頑丈な面格子のはまった、曇りガラスの窓だ。

二十センチほど開いている。

あの窓が開くことはめったにない。というより、久子はそれを初めて見たような気がする。より正確に言うならば、道をへだてた向かい側の家にあの三和さんが引っ越してきて、それからほどなく、三和家の倅《せがれ》についてよくない話を耳に挟み、大いに驚き、それとなく警戒しながらあの家を見守るようになって以来、初めて。

三和家の道に面した側には、一階に三つ、二階に二つ、合わせて五つの窓がある。そのうち四つの窓が、いわゆる腰高窓で、すべてに面格子がついている。残り一つの一階の窓は、せいぜい三十センチ四方の小さなもので、あれはたぶん洗面所の明かり取りだろう。

今、開いているのは、二階の向かって右手の窓だった。アルミサッシがずらされて、カーテンが揺れている。

そういえばあの窓は、カーテンが開いていたこともないのだった。

向かいの家は貸家である。三和家の人びとは家賃を払って住んでいるのだ。大家の夫婦を、久子はよく知っていた。昔からのご近所さんだし、顧客でもあったからだ。子供のいない年配の夫婦で、ご亭主の方は足が弱っていた。二人で老人ホームに入ることになった、長いあいだいろいろお世話になりました——揃《そろ》って挨拶に来たのが去年の夏のこと。家は貸しに出すことになったから、おっつけ賃借人が入るでしょう。わたしらの店子さんだから、おたくから新聞を取るように勧めておくからね。

秋口には家に借り手がついて、引っ越しトラックが横付けされた。

そのときはまだ、窓に面格子なんてなかった。

新しい住人は、久子たち近所の住人たちに、引っ越しの挨拶をしなかった。黙って来て、黙って住み着いた。「三和」という名字だって、表札が上がるまではわからなかったくらいだ。

大家の老夫婦はああ言ってくれていたのに、三和家が久子のところに新聞を頼みに来ることはなかった。こっちから売り込みをかけに行ったら、主婦らしい中年の女性が出てきて、玄関のドアを半分も開けず、顔だけ出して、新聞は要らないとつっけんどんに言った。

実際、三和家にはどこの新聞配達も入っていない。コンビニで買っているのかなと、久子は夫と話していた。

そんな次第だから、三和家の家族構成も、しばらくのあいだは謎だった。いったい、あの家には誰と誰が住んでいるのか。

ご近所に挨拶のひとつもしない無愛想な家であっても、買い物はするし、出前も取る。そういうところから少しずつ情報が洩れてきて、どうやら母と息子の二人暮らしであるらしいとわかるまで、一カ月ほどかかったろうか。久子がつっけんどんにされたあの主婦が母親で、彼女はよく自転車に乗って出かけてゆく。仕事を持っているらしい。

息子の方は、歳は三十代前半だろうか、長身で体格がよく、えらの張ったいかつい顔で、派手に髪を染めているから、遠くからでもよく目立った。とっくの昔に社会人になっている年頃だが、母親とは違って家にいることが多く、外出するのはもっぱら夜だ。それも、とんでもない真夜中に出かけたりする。服装はいつもだらしなく、たいていはジャージの上下かジーンズにシャツで、背広姿など誰も見たことがなかった。また、向かいの家には駐車スペースがないが、三和家の息子は自家用車を持っていた。近所に駐車場を借りていた。出かけるときはいつも車を使う。一人の時もあれば、友人らしい同年代の男性が一緒の時もあり、一人で出かけて、真夜中に、近所中を驚かせるような嬌声《きょうせい》を放つ若い女の子たちを何人も乗せて帰ってくる時もあった。

なんだか薄気味悪いね——と、久子は近所の人たちと話しあった。

結局、もろもろの謎を解いてくれたのは、あの家と息子の駐車場の賃貸契約を仲介した不動産屋だった。お客さんについての情報だから、うかうかしゃべるわけにはいかないんだけども、私も地元の人間だし、近所の皆さんが気味悪がってるのを見過ごしにもできないし。でも、私から聞いたって言いふらさないでくださいよ。この話を聞いたからって、三和さんをつまはじきにするようなことをしてもらっちゃ困りますしね。

つまはじきも何もない。今だって、同じ道筋に住んでいるというだけで、何の接触もないのだ。それより、いったい何だっていうのよ？　早く教えなさいよ。それが久子を始めとする、近隣住人の言い分だった。

三和家の息子、三和明夫《あきお》には前科があるのだという。

「今年三十二歳だって言ってたかな。まあ、いろいろあるのはガキのころからで、要するに札付きだったようなんですよ。なんやかんや事件を起こしては、親や親戚に尻拭いしてもらってね」

具体的には、何で前科がついたのか。

「傷害事件。喧嘩で人を殴って大怪我させちゃったそうなんです。四年くらい前のことですよ」

問題はそれだけではなかった。三和明夫が殴った相手は赤の他人ではなく、彼の商売仲間で、喧嘩の原因は金銭トラブルだったのだが――

「その商売ってのがねぇ」

ポルノビデオをつくっていたのだ、という。

「こっそりつくって、ネット販売で売ってたらしいんですけどね。だけどああいうのって、皮算用するほど大儲けになるわけじゃないらしいんです。お客が限られますからね。で、すぐ会社が――一応はそれらしいビデオ制作会社の表看板をつくってたから――立ち行かなくなって、で、内輪揉めの挙句の暴力沙汰で」

さらには、

「そのポルノってのがまた、なんかもう何でもありの、相当エグい内容のものだったらしくて……。未成年の女の子を騙したり脅したりして出演させたものもあってね。美少女ものっていうんですか。それで、そっちでも手が後ろに回ったってわけです」

世間に珍しい話じゃないですよねと、不動産屋は小声で言った。

「不良少年の行き着く先ですよ。素行が悪くて高校を追い出されたそうだから、学歴もない、手に職もない。いい仕事が見つかるわけもない。金がなくちゃ面白くないから、手っ取り早く儲かりそうなものなら、後先考えずに何にでも手を出すってわけでしょう」

そもそもその制作会社も、三和明夫が自分で興したものではなかったそうである。雇われたというか、一枚噛まないかと誘われて、仲間入りしただけだった。

「正直、あんまり頭のいいワルって感じじゃないですよ、あの明夫って人は」

だからね、根っからの悪人ではないと思うんですよと、不動産屋は弁解口調になった。

「このへんの話は、家を借りるときの連帯保証人になってる、彼の伯父さんから聞いたんです。この伯父さんて人は立派でしてね。甥っ子を更生させようとしてる。実の父親が呆れて逃げ出しちゃったのにね」

三和明夫の父親は、四年前のその事件で倅が実刑三年をくらったとき、親子の縁を切ると宣言した。もう面倒見切れん。そして、息子を捨てることはできないと主張した妻――明夫の母親の尚子《なおこ》と離婚したのだそうだ。

「明夫君の下に、弟さんがいるそうでね。そっちはまともに成人してる。バカ兄貴のせいで弟に迷惑がかかっちゃ可哀相だっていうので、お父さんとしては決断したんでしょうが」

そういう次第で、明夫が出所すると、三和母子は現在のような二人暮らしを始めたのだ。尚子はパートタイムで事務職員をしているが、彼女の給料だけでは生活できないので、生活費も伯父が援助しているという。

「伯父さんてのは、尚子さんのお兄さんだそうですけどね。そっちの方は、麗《うるわ》しい兄妹愛じゃないですか。困っている妹を助けて、そのバカ息子の人生を立て直してやろうっていうんだから」

しかし久子は思ったし、同じ話を聞いた近所の親しい人たちも異口同音に呟いたものだ。母子二人にあんな家を借りてやることがまず贅沢《ぜいたく》だし、生活費の援助をするくらいなら、その前にまず明夫を仕事に就かせるべきだ。

だいいち、三和明夫の今の暮らしぶりを、その伯父さんという人は知っているのか。知る努力をしているのか。

知っているならなぜ放置しておけるのか。そんな事件を起こして実刑をくらっていながら、彼は未だに、自分の車の後部座席に、明らかにティーンエイジャーとおぼしき女の子たちを詰め込んで、真夜中に家に帰ってきたりしているのである。

不動産屋も、その点に関しては忸怩《じくじ》たるものがあるようだ。でも、私から伯父さんて人に告げ口するわけにもいきませんからねぇ。

「仕事を紹介したり、自分のところで働かせたり——あ、伯父さんて人は会社を経営してるんで——いろいろやってるんだけども、前科があるってことで世間の目が冷たいし、本人も気後れするのか人交じりを嫌がるし、だから仕事が長続きしない。時間をかけて、少しずつ立ち直らせていくしかないっておっしゃっていますしね」

大甘であると、久子は思った。

その思いは、久子たち近隣住人のあいだに秘密が知れ渡ったことを悟ったかのようなタイミングで、三和家のすべての窓に面格子が取り付けられたとき、ただの感想から、現実的な警戒感へと変化した。

あれは何のための面格子なのか。あの家に何を閉じ込めようとしているのか。あの家を外部の何から守ろうとしているのか。

事実を知る近隣の大人たちは、三和家にあたらず触らずの道を選んで暮らしている。知った事柄を、けっしてストレートに表に出してはいない。

しかし、噂は生き物だ。必ず自分で動き出し、広がるルートを見出すものだ。近頃では、地元の小中学校に通う子供たちの間でも、三和家の秘密について囁《ささや》き交わされていることを、久子はつい先ごろ知った。ほかでもない、自分の息子に聞いたのである。

——あの家には、小さい女の子に悪いことをして警察に捕まったことのある人が住んでいるって。

省略されてはいるが、誤情報ではない。三和明夫が騙したり脅したりしてポルノビデオに出させたのは「小さい女の子」ばかりではなかったが、しかし、この件でもっとも許しがたい部分はそこだ。少なくとも久子にとってはそうだ。

二十センチだけ開いた窓と垂れ下がっているカーテンを、久子は睨みつけた。日射しがまぶしく、まばたきしないと目が辛くなってくるまで、じっと凝視していた。

第六章　妹

前畑滋子の背中には翼が生えた。それで飛ぶように高橋法律事務所へと向かった。今度はもう道に迷ったりしなかったが、約束の時間の十分前にドアをノックしたときには、やっぱり汗だくになっていた。興奮のせいだ。

小鳥のような多田君が、またドアを開けてくれた。

「息、切れてますね」

駅から走ってきたんですと、滋子は正直に言った。

「まだ誠子さんはおられません。先に、うちの先生からお話があります。どうぞ」

高橋弁護士は、格別、苦りきったような顔をしてはいなかった。機嫌は、悪いようにも良いようにも見えない。優秀な弁護士とはそういうものだ。

「意外なことでした」と、切り出した。

「わたしもそう思います。ありがとうございました」

滋子は本心から感謝した。心臓がどきどきしている。

「礼には及びませんよ。私は止めたんですから。よした方がいいですよ、と」

では、それほどに誠子の意向は強いのか。

「先に申し上げておきますが、土井崎夫妻はお断りになりました。電話や手紙も、一切駄目です。夫妻の居所をお教えすることもできません。あなたが会うのは誠子さんだけです。よろしいですね」

「はい」

高橋弁護士は多田君を呼び、ふた綴《つづ》りの書類を持ってこさせると、滋子に差し出した。

「これを読んでください。内容を確認したら、いちばん最後のページのここに署名してください。二通とも、同じ位置に」

下の方の空白を指先で示す。

書類のタイトルは「合意書」となっていた。滋子は大急ぎで字列に目を走らせた。難しい内容ではない。誠子と会い、彼女から取材をする際に、滋子が遵守すべき約束事を書き連ねたものだ。誠子に無断で会話を録音しない、写真撮影をしない、取材時に滋子以外の第三者を立ち会わせない、どうしてもその必要がある際は事前に誠子と高橋法律事務所に相談する、誠子から取材して知り得た事実を第三者に漏洩《ろうえい》しない——

「この〝第三者〟には、萩谷敏子さんも含まれるのですか?」

「その文章の下の列を読んでください」

乙(滋子のことだ)の共同取材者である萩谷敏子については、土井崎誠子の了承がある場合にのみ、これを可とする——と書いてある。

「この了承は、伺ったお話の内容ごとに、誠子さんに確認していただくべきものですね?」

「そのとおりです」

土井崎元・向子・茜・誠子に関して知り得た事実のいかなる断片についても、出版物・映像作品・音声媒体・電子記録媒体等に公表しない。

合意書を最後の一行まで読んで、滋子は目を上げた。

「了解いたしました。でも先生、この合意書には取材費のことが書かれていませんが」

「誠子さんは、取材費は要らないそうです」

そう言って、高橋弁護士は、今にもくしゃみをしそうなしかめっ面になった。

「むしろ、あなたに対して必要な経費を支払いたいとおっしゃっていました。それも、私は止めましたがね」

滋子は目を瞠《みは》った。「経費――とおっしゃいますと」

「まあ、間もなく本人が来ます。直接聞いてください」

滋子が二通の合意書にサインをし、一通を高橋弁護士に返したとき、インターフォンが鳴った。

滋子の背後、衝立の向こう側でドアが開く。滋子は息苦しさを感じるほどに緊張した。

「こんにちは」と、多田君が挨拶した。

「こんにちは。少し遅れたみたいですね、ごめんなさい」

甘やかな声だ。軽い足音。

「先生、いらっしゃいました」と、多田君がこちらへやって来る。

高橋弁護士が立ち上がる。それよりも先に、滋子はソファから立っていた。

そして、ゆっくりと首をめぐらせた。

滋子より少し小柄で、ほっそりとした若い女性がそこにはいた。伏せていた目を、滋子の方に向ける。色白で、目鼻立ちはすっきりと整っている。お雛《ひな》様のようだ――と、古風な喩《たと》えを滋子は思い出した。

淡いブルーの、膝丈のワンピースを着ていた。五分袖で、ラウンドネックのデザインだ。その襟の形が、彼女の長い首と、美しい顎の線をより際立たせていた。髪はショートカットだが、今風のデザインで、耳の両側の部分が襟足より長くなっている。

「やあ、涼しそうな服ですね。こちらへどうぞ」

高橋弁護士は、にこやかに手を伸べて、自分の隣のスペースへと彼女を招いた。若い女性は軽く会釈をしてから滋子の脇を通り過ぎ、弁護士の隣に立った。

「こちらが前畑滋子さんですよ」と、弁護士は言った。

滋子はしっかり顔を上げていた。女性の目が、正面から滋子の顔を見つめるのを待ってから、頭を下げた。

「前畑です。初めてお目にかかります」

今度は、目の前の女性が、滋子が起き直り、その目が彼女をとらえ直すのを待っていた。そして言った。

「土井崎誠子です」

誠子はお辞儀を返さなかった。滋子と一瞬だけ視線を合わせ、すぐにするりと腰をおろした。

滋子はゆっくり座った。わざわざそうしたのではなく、緊張で膝が強張《こわば》っていたのだ。

思ったより元気そうだ――それが最初の感想だった。その想いが、心拍に同調してこめかみのあたりで繰り返し脈打っている。元気そうだ、元気そうだ、元気そうだ。

よかった。

「このたびは、わたくしの申し出をお容《い》れくださいまして、本当にありがとうございました」

滋子の言葉に、誠子が口を開きかけた。が、先んじて高橋弁護士が言った。「前畑さんには合意書にサインをいただきました」

　先ほどの書類を誠子に見せる。

「先日も説明しましたが、前畑さんがここに書かれている内容をすべて守っている場合でも、あなたがもう話したくないと思ったら、それだけの理由で、すぐ取材は打ち切ることができますからね。よく覚えていてください」

　誠子は声に出して「はい」と応じ、うなずいた。

「いろいろとご配慮をありがとうございます」

　それから、滋子に向き直った。

「手続きがいかめしくて、すみません」

　微笑ではないが、その寸前という感じのやわらかな表情を浮かべている。一重まぶたの切れ長の目に、澄んだ知性と——これは何だろう？

（好奇心？）

　ひっそりと輝くものが宿っているように、滋子には見えた。何の光だろう。

　誠子の眼差しは揺るがず、瞳は滋子の顔の上に焦点を結んでいた。眺め回しているわけではない。だが、隅から隅まで見られていることを、滋子は感じ取った。

　多田君がコーヒーを運んできた。彼がソーサーとカップを配るのを、誠子は手を添えて助けた。きれいな景色だった。ほかに喩えようがない。きれいだ。にこやかに手伝う誠子も、照れたような笑顔の多田君も。

「試験、どうでした？」と、誠子は多田君に訊いた。

「あ、その質問はパスです」多田君はあわてる。「聞きっこなしってことにしてください」

「勉強してないんだから、仕方ない」と、高橋弁護士が言う。

「してますよ。ちゃんと頑張ってます」

「昨日もそこで居眠りしてたじゃないか」

「だから、昼も夜もなく勉強してるから、ここで電話番してるとつい眠くなっちゃうんですよ」

高橋弁護士と多田君に、誠子はずいぶん打ち解けているようだ。多田君とは姉弟《してい》のようにさえ見える。

下がろうとする多田君にちょっと掌《てのひら》を向けて、誠子は滋子に言った。

「高橋先生の甥御《おいご》さんで、弁護士を目指しておられるんですよ」

多田君は滋子にではなく、誠子に答える。「弁護士になるかどうかはわかりません。司法試験を受けるってだけですよ」

「弁護士を軽んじてるな、おまえ」

「違いますって。でも、叔父さん言ってましたよね。司法試験の成績の上から順に、裁判官になって、次に検事になって、ドンケツが弁護士になるって」

誠子が口元に指をあて、くすくす笑う。

「どっちにしても凄いですよ。わたしなんかには想像できない世界だもの」

そしてまた滋子に、

「現役合格を目指してて、それが夢じゃないんですから、とても優秀な学生さんなんです」と言い添えた。

滋子はただニコニコしてこのやりとりを見ていた。酒井直美の言葉を思い出していた。セイちゃんは、あたしが今まで知り合ったなかで、いちばん優しい人よ。

ホントだね。本当に優しい人だ。

誠子がしかけているこの他愛ない会話は、滋子に気まずい思いをさせないためのものなのだ。滋子に気を使ってくれているのだ。滋子に会うのを止めたという高橋弁護士と、当の滋子が同席しているこの場の雰囲気を、少しでも和らげようとしてくれているのだ。

そんな義理も義務も、誠子にはまったくないのに。

「わたし、前畑さんのことは存じ上げていました」

膝の上にきちんと手を揃えて、誠子は言い出した。話の肴《さかな》の多田君は彼の持ち場に下がってしまい、高橋弁護士はコーヒーをかきまぜている。誠子は、どんな短い沈黙もつくるまいとしている。

「ありがとうございます。それはたぶん、九年前の事件のせいでしょうね？」

高橋弁護士が、じっとこちらを観察している。

「テレビに——出てましたよね？」

「当時は、前畑滋子のそういう時代でした。今では考えられないことです」

「先生に教えていただいてビックリしたんですが、あの事件のことを本にお書きになってないそうですね」

「はい、書いていません」

「もし、伺ってよろしければ——どうしてですか」

野本刑事とのやりとりを繰り返しているみたいだ。でも、明白な違いがある。土井崎誠子はそのことで滋子を怒ってはいない。ただ純粋に不思議がっている。

「自分でもよくわからないんです。書けなかったというのが、いちばん正直なお返事になるでしょう」

書けなかったと、誠子は小さく呟いて繰り返した。膝の上の指を、軽くにぎる。指輪は見当たらない。アクセサリーらしいものは何も身につけていなかった。

「わたしの――わたしたちのことも、お書きにはならないんですよね？」

会って初めて、誠子の視線が下からすくいあげるような角度になった。滋子はしっかりとうなずいてみせた。

「書きません」

そうですよねと、また呟いて繰り返す。ちらりと、隣の高橋弁護士を気にしたようだ。

「先生、申し訳ないんですが」

「何です？」

「今日は、ここで前畑さんとお話をする段取りにしていただいてるんですよね？」

「そうですよ。時間を取ってありますから、大丈夫」

誠子は遠慮がちに目をしばたたかせ、首を振った。

「ですから申し訳ないんですけど、わたし、前畑さんと二人でお話ししたいんです」

滋子以上に驚いたはずの高橋弁護士は、それでも顔には出さなかった。コーヒーカップをソーサーに戻すと、「私が立ち会っていると話しにくいですか？」と、穏やかに問い返した。

「そんなことはありません。そういうのじゃないんです、本当に」

小刻みにかぶりを振り、両手も振る。そんな仕草をすると、二十五歳という年齢よりもさらに若く見えた。

「でも、前畑さんと二人でお話ししたいんです」

という口調も、「わたしこのレポートを仕上げたいんです、どうしても一人で仕上げたいんです」と、担任教師に向かって主張する女子学生のようだ。その年頃の娘だけが持っている、甘い頑固さ。どうしてもっていったら、どうしてもなの。

「土井崎さん」

高橋弁護士がたしなめ顔になる。誠子はそれにも先回りした。

「わかっています。いただいたアドバイスは、ちゃんと頭に入っています。今日、前畑さんとどんなお話をしたのか、あとできちんと先生に報告します。ですから、お願いします」

高橋弁護士は口をへの字に曲げた。が、目元に険しい線はなく、肩も怒ってはいなかった。この表情は、あくまでも指導教授の体面上のものだ。

「仕方がないですね。わかりました」

誠子の顔がほころんだ。内気で清楚《せいそ》な白い花の花弁が開くと、その内側には鮮やかな色が隠れていた——そんな笑顔だった。

「よかった。ありがとうございます。前畑さん、行きましょう」

誠子が先に、滋子が後に、まるで二人してこの事務所の秘書で、昼休みだから連れ立ってランチに出かけるのだとでもいうかのように、高橋弁護士事務所のドアを出た。小鳥のような多田君が、ぽかんと見送っていた。

誠子は、エスニックな刺繍入りの小さなバッグを持っていた。それを前後に振って歩いた。勢いよくエレベーターのボタンを押し、下りてきた箱に乗り込み、外へ出るまで無言だったけれど、滋子は彼女の緊張と興奮を感じた。誠子が逸《はや》っているのを感じた。

何故だろう?

誠子は滋子に何かを求めているような気がする。高橋弁護士の、例の言葉もあった。誠子さんはあなたに対して必要な経費を支払いたいとおっしゃっている――。

それ以前に、高橋弁護士は、「誠子さんは前畑さんに会うそうです」と返事したのではなかった。「会ってみてもいい」でもなかった。「誠子さんは前畑さんに会いたがっている」と言ったのだ。

「それで、どこへ行きましょうか？」

ビルの出入り口で振り返り、誠子は少女のような瞳で問いかけてきた。可愛らしい。思わず滋子は微笑んだ。

「さあ、どうしましょう。ご希望はありますか」

喫茶店などでできる話ではない。ノアエディションも使えない。初回にいきなり滋子の家に連れてゆくのでは、いくらなんでも図々《ずうずう》しいし、滋子にも重い。

「こういうとき――取材とかインタビューって、どういう場所でするものなんですか」

「いろいろですよ。先方の希望に合わせます。静かで他人に邪魔されない場所ということで、ホテルに部屋を取ることもあります」

誠子が怪訝《けげん》な顔をした。滋子はまた笑って手を振った。

「いえいえ、怪しげな意味じゃありません。でも、いきなりホテルに部屋って言われたら、普通は何それって思いますよね」

「思いますよ。ふーん、そうなんですか」

バッグをぶらぶらさせながら、誠子はあたりを見回した。平日の新橋だ。多くの通行人が行き交う。背広姿のサラリーマン。会社の制服を着たＯＬ。誠子は世間に顔を知られているわけではないが、それでも心情として、人が大勢いる場所に長くとどまっていたくはないだろう。通りすがりの視線を受けたくはないだろう。

と、誠子がパッと滋子を見返って尋ねた。「前畑さん、車の運転、しますか?」

「ええ、しますよ」

「じゃ、車のなかはどうでしょう」

珍しい提案だ。

「それはつまりタクシーじゃなくて、レンタカーを借りてということですよね?」

誠子はさっと引いた。「ヘンですか」

「いいえ、ちっともヘンじゃないですよ。そうね、車のなかなら、誰の目も耳も気にしなくていいです」

滋子はぽんと胸を打った。

「わたし、これでも運転は上手いんですよ。しょっちゅう旦那を乗せてますしね」

言ってしまってから、拙《まず》い! と思った。誠子は、おそらくは生木《なまき》を裂かれるように、新婚数カ月で離婚しているのだ。

その感情は、滋子の顔に出たらしい。誠子は確かにそれを見て取ったようだ。が、彼女の切れ長の目は、すぐ、三日月を伏せたように柔らかく笑った。

「それなら安心です。わたしも運転、好きなんですよ。前畑さんが疲れたらわたしがかわります。あ、でも、広い駐車場があるところへゆきましょうか。そしたら、車を停めてお話しすることもできますから」

どこがいいかなぁと、誠子は考える。無心に考える。子供のように考える。滋子は不意に、この人をうんと明るい場所へ連れて行ってあげたくなった。

「東京ディズニーランド、お好きですか?」

二人で車に乗り込み、走り出すとすぐに、土井崎誠子は滋子自身について、遠慮がちな口調ながらもいろいろと質問を投げかけてきた。九年前の連続誘拐殺人事件当時のこと。その後の仕事。現在の状況。

隠し立てすることはなかったし、誠子が滋子について知りたがるのは当たり前だから、滋子はひとつひとつ丁寧に答えた。萩谷敏子と出会った経緯についても、あらためて説明した。

「高橋先生はいい顔をしてなかったけど、わたしは、その萩谷さんにも紹介していただきたいんです」

ハンドルを取りながら、滋子はちらりと横目で誠子の表情を見た。誠子も滋子を見ていて、目が合うと、こっくりとうなずいた。

「高橋先生は、わたしが前畑さんと萩谷さんに、何ていうんですか、丸め込まれるみたいになるのを心配しているみたいです。ごめんなさい、こんな言い方をして」

滋子は笑った。「先生がそういう懸念を抱かれるのは当然のことです。でも、誠子さんがそう望まれるのでしたら、わたしの方から萩谷さんにお話ししましょう」

車が湾岸高速道路に入り、遠くにシンデレラ城の尖塔《せんとう》が見えてくると、誠子は嬉しそうに身を乗り出した。

「懐かしいなぁ。何年ぶりかしら」

東京ディズニーランドはどうか、と提案すると、誠子は言葉の綾《あや》ではなく手を打って喜んだ。行きたい、行きたいとせがんで、目を輝かせた。だからするするとこういうことになったのだが、今の言葉を聞いて、滋子は不安を覚え始めていた。

あたしも粗忽者《そこつもの》だ。これほど有名なテーマパークなのだから、誠子も一度や二度は訪れたことがあるだろう。楽しい思い出もあることだろう。

ならば今の彼女にとっては、そこは辛い場所ではないのか。それでも滋子の提案を呑んで喜んでみせてくれたのは、誠子持ち前の優しさのせいではないのか。

「本当に、よろしかったですか」

遅まきながら尋ねてみると、誠子は、素早くその問いかけの奥にあるものを悟ったようだ。軽く首を振った。

「この前ディズニーランドに遊びに来たのは、二十歳ぐらいのときです。会社の友達と、グループで」

別れた主人とじゃありませんよと、声を落として言い足した。

「そうですか……」

「彼はね、人ごみが大嫌いで。付き合っているときも、デートだっていっても混んでるところへは行きたがらないから、いつも口喧嘩になっちゃってました」

道は空いていた。前後はガラガラだ。滋子は車のスピードを落とした。

「両親も、あんまり外出好きじゃなかったんです。わたしが小さいときには、遊園地とか動物園とか連れてってくれましたけど、あれも、子供のために仕方なくって感じだったみたい」

誠子が高校生になり、ある程度遠い場所へでも友人たちと出かけるようになると、父や母と連れ立って外出することはほとんどなくなったそうだ。

「年末に、母と一緒にデパートへお正月用品を買い出しに行くことと、あとは夏休みの家族旅行ぐらいかな。父の会社の保養所が、熱海にあるんです。そこへ行って一泊するんです。わたしが小学生のときからの習慣でした。旅行といったら、それだけ」

滋子の頭に、ある考えがよぎった。だがそれは口に出すべきことではない。少なくとも今ここでは。

すると、誠子の方からこう言った。「父も母も、あまり家を空けたくなかったんでしょう。そういうことだったんだなって、今ではわかります」

この言葉を受けて返す言葉を、滋子は思いつかなかった。二人で黙った。滋子は運転に専念した。ディズニーランドの駐車場が見えてきた。半分方埋まっている。

「平日なのに、混んでますね。観光バスもいっぱい停まってるわ」

明るい陽光に、誠子は目を細めた。

「本当はディズニーリゾートって呼ぶんですよね、今では」

車を駐車場に乗り入れると、風に乗って陽気な音楽が聞こえてきた。京葉線の舞浜駅からテーマパークの入り口まで続く歩道を、人びとがそぞろ歩いているのが見える。

「とりあえず、ちょっとここにいていいですか」

助手席で、シートベルトも締めたまま、誠子が言いだした。

「もちろんです」

「でも、あとでなかに入りましょうね。お茶しましょう。わたし、好きなお店があるんですよ。でも久しぶりだから、変わっちゃったかな」

くるくる瞳を動かしながら、わざとのように元気よく言う。滋子は微笑み、黙って見つめた。

「ごめんなさい」と、誠子も微笑して呟いた。「何からお話しすればいいのか、わかんなくなってきちゃった」

「それも当然のことです。お目にかかったばかりなんですから。いいんですよ、無理しないで」

隣のスペースに車が停まった。若いカップルが降りてきた。腕を組み、笑顔で言葉を交わしながら、入場ゲートの方へと向かってゆく。

滋子はそちらへ親指を立てた。「今日は、わたしたちも遊んじゃうという手もありますよね。うちの旦那も人ごみが嫌いで、こういう場所には付き合ってくれないんですよ。だからわたしなんか、たぶん、誠子さんよりもっと久しぶりです」

誠子は肩をすくめるようにして笑った。そしてシートベルトの金具に手をかけた。

そのまま、不意に息を吸い込むと、言った。

「わたし、前畑さんにお会いして、頼みたいことがありました」

滋子は穏やかに、視線だけで先を促した。どんなことをです？　わたしに何かできるでしょうか。

「調べていただきたいんです。うちの――両親のことを。どうして姉を死なせてしまったのか、その理由を。そういう調査は、高橋先生のお仕事じゃありませんものね。先生には止められましたし」

誠子は真っ直ぐ、すがりつくように滋子を見つめている。

「でもわたし、知りたいんです」

声が震えるのを、気丈に抑えた。

「本当のことを知りたいんです。両親がなぜ姉を殺したのか。どうしてそういうことになってしまったのか。姉がどんな女の子だったのか。どうしても知りたいんです。わたしには、本当のことを知る権利があるでしょう？」

滋子は口を開きかけ、思い直して、うなずくだけに留《とど》めた。確かに、あなたにはその権利がある。知りたいと願う権利が。

「なのに、誰もわたしに教えてくれません。両親が姉を殺した。そして床下に埋めて、十六年間も隠していた。わたしにわかっているのはそれだけです。そんな大変な出来事が、それだけぽつんと切り離されて、いきなり目の前に差し出されて、わたしはそれを受け取ったけど、受け取ったあとどうしたらいいのかわからないんです。だって、どうしてそんなことが起こったのかわからないから。うちの両親の告白だけじゃ、納得できないんです」

誠子の両手がシートベルトから離れ、何かをくしゃくしゃにするときのような動作をした。それが彼女の今の想いであり、心の状況なのだろう。何もかもくしゃくしゃで、ごちゃごちゃ。

「だから、前畑さんのお話を聞いたとき、すごく嬉しかったんです。この人になら調べてもらえるって」

「それで高橋先生に、必要な経費を前畑滋子に支払う用意があるとおっしゃったんですね？」

誠子は強くうなずいた。まばたきもしない。滋子は軽く小首を傾《かし》げて、その視線を受け止めた。

五分丈の袖からのぞく誠子の白い腕に、鳥肌が浮いていることに、滋子は気づいた。エアコンのせいではなかろう。緊張しているのだ。

「ダメでしょうか。わたしがこんなことをお願いするなんて、おかしいですか？」

やおらシートベルトをはずすと、誠子は膝を揃えて滋子に向き直った。

「警察でも頼んでみたんです。もっと詳しく調べてもらえないですかって。あるいは、警察は調べてわかってることがあるのに、それをわたしには教えてくれてないんじゃないですかって。だったら教えてくださいって」

「刑事さんたちは何と言いました?」

「調べるべきことは全部調べたし、わたしに隠してることなんかないって」

まぶたが震え、急に目が潤んだ。

「わたしが――知りたいと思うことは、これからある程度の時間をかけて、両親から聞き出すしかないんじゃないかって言われました。あなたのご両親には、あなたにきちんと説明する義務がある。その義務を果たしてもらいなさいって」

滋子は、あの女性刑事の、長い黒髪と凜々しい横顔を思い出して、尋ねた。「千住南警察署の、野本という刑事さんを覚えていますか?　女性の方です」

誠子はすぐうなずいた。「はい。いろいろお世話をしてもらいました」

「今のアドバイスをしたのも、野本さんでした?」

「ううん、違います。是枝《これえだ》さんていう、もっと年配の刑事さんでした。皆さんには〝主任〟て呼ばれてて」

野本刑事は、上司である是枝主任の態度に、むしろ怒っていた、という。

「動機だの理由だの、詳しいことはあんたの親に訊け、警察は知らんという態度は冷酷だって。わたしには謝ってくれました。時効事件だから、時間も手間もかけられないんだって。すごく悔しそうでした」

「あの野本さんなら、そうでしょうね。わたしも先日、お会いしたんですよ。誠子さんがお元気かどうか、とても心配しておられました」

誠子の潤んだ瞳から、ひと筋の涙がこぼれて頬をすべり落ちた。一滴だけだった。表情は落ちついている。どっと泣き崩れそうな様子ではない。

「そうですか。そういう人だったんですね、あの刑事さん」と、驚いたように呟いた。「わたし、ちょっと苦手だったんです、野本さんのこと」

「まあ」

「何だか嫌だったんです。とても親切にしてもらったんですけど、それが癪《しやく》に障《さわ》るっていうか――当時は、そんなふうに自分の気持ちを分析することなんかできなかったけど、今思うとそういうことだったんでしょうね。だって、あまりに違いすぎるんだもの、立場が」

同じくらいの年齢の女性同士。だが野本刑事は慰めを与える側で、誠子はそれを受け取る側だ。なぜその違いがあるのか。どうして自分は慰めを与えられる側にいなくてはならないのか。理不尽だ。

誠子には整理がつかなかったのだろう。だから、やさしくされればされるほど、自分が惨めに感じられ、それがまた腹立たしかったのだろう。

この正直な言葉を、もしも野本刑事が耳にしたなら、仰天するだけでなく傷つくことだろう。仕方がない。人と人との関わりは、結局そういうものなのだ。届けるつもりで発したものが届かない。届いても、相手のもとに着くころには別のものになっている。

それを踏まえて、誠子にはわかってもらわなくてはならない。滋子はゆっくりと言い出した。

「わたしには、事実を調べることはできると思います。つまり、事実の断片を集めることは」

土井崎茜はどんな少女だったのか。彼女と両親は、どんな暮らしをしていたのか。

「でも、どれだけ集めても、それがあなたの求める〝本当のこと〟につながるかどうかは、わたしにはわかりません」

どうして？　と誠子は小声で聞いた。

「本当のことを見つけ出すのは、あなたご自身だからですよ」と、滋子は答えた。すると、誠子の声が攻撃的に跳ね上がった。

「わたしの解釈次第だって意味ですか？　要するに、わたしが自分で納得できる筋書きがあるなら、それでいいってこと？　真実なんて必要ないってことですか？」

滋子はあわてなかった。「真実は必要です。誠子さんにも、ご両親にも」

「だったら！」

「でもね、こうした不幸な出来事には、三六〇度どこから見ても欠けることのない真実なんて、あり得ないものですよ。わたしはそう思います」

落胆したのだろう。誠子の口の両端がぎゅっと下がった。瞳がまた潤み始める。

「そんなこと……前畑さんまで……そんなこと言うんですか」

初めて、泣き声になった。

「もしかして、高橋先生にも同じようなことを言われました？」

誠子はうなずいた。涙がぼろぼろとこぼれ落ちる。滋子はハンカチを差し出した。

「もっと身も蓋もないことを言うなら、たとえばお姉さんの件が時効になっていなくて、捜査活動が行われて立件されて、ご両親が法廷で裁かれることになっていたとしても、やっぱり同じです。そこで扱われるのは、法律に照らして、あなたのご両親が犯したとされる罪の内容と重さであって、あなたが求める真実が追究されるわけじゃありません。司法ってそういうものです。もちろん、それはそれで大切なことなんですけどね」

しかし誠子にはそれも与えられなかった。法律が、土井崎夫妻の罪を罪と認めなかったから。だから土井崎誠子は、法の真実も、心の真実も、どちらも与えられないまま放り出されている。

せめて心の真実だけでも欲しいと願う彼女を、誰が責められるだろう。

「是枝さんという主任さんのアドバイスは、適切だとわたしも思います」

誠子はハンカチで顔を覆っている。その肩に手を乗せて、滋子は続けた。

「あなたが求める真実は、あなたのご両親から与えられるべきものです。少なくとも、あなたがあなたの真実を摑み取るためには、ご両親が必要です。お二人は、あなたに何か話してくださいましたか？」

ハンカチで顔を拭《ぬぐ》うと、誠子は苦しそうに息をつき、何度も何度もかぶりを振った。

「ただ謝るだけでした」

搾《しぼ》り出すように、そう言った。

「セイちゃんごめんねって。もうあたしたちのことは親だと思わなくていいって。母はそう言いました。父は何も言わなかった。蒼《あお》ざめて、やつれて、ずっとうなだれているだけでした」

事件が発覚したとき、誠子は結婚して別所帯を持っていた。警察へも、夫と暮らしていたアパートから通った。両親は、釈放されると、一度だけそこを訪ねてきた。

「自分たちは姿を消すからって。わたしのためにもその方がいいって。後のことは全部、高橋先生にお願いしなさいって言って……」

「連絡先は？」

「落ち着いたら報《しら》せるって」

「報せはありましたか？」

「何度か電話がかかってきました。母から。でも、どこにいるかは教えてくれません。高橋先生はご存知のはずですけど、両親に、わたしには教えないでくれと頼まれてるみたい」

教えてくれるよう、誠子は何度も頼んだ。だが今までのところ、この件に関しては、高橋弁護士は土井崎夫婦の意向を優先している。

「ただ、このままじゃいけないって、先生も、両親を説得してくれてるそうなんです。わたしと会いなさいって。でも駄目みたい。両親は、わたしのことが怖いんじゃないかしら。特に、わたしが離婚したってことを知ってからは、なおさら」

「あなたが怒っている——ご両親を許さないんじゃないかとお考えなのかもしれないですね」

誠子はハンカチをぎゅっと握り締めた。泣き濡れた瞳に、瞬間、光が戻った。

「怒ってますよ。許せません。そんなの当たり前じゃないですか！」

だけど。それでも。二人は誠子の両親なのだ。

「是枝さんがおっしゃったという、〝時間をかけて〟という助言の意味も、そこにあるんだと思いますよ」

今はまだ時間が足りないのだ。土井崎夫婦はまだ、誠子に説明する言葉を持たない。真実を持たない。十六年前の殺人——わが子を殺し、もう一人のわが子にそれを隠してきたという事実に対する釈明を持たない。十六年ぶりに日の目を見た事実と真実に、彼ら自身がまだ折り合いをつけることができない。

なぜこんなことが起こったのか。なぜ我々はこんなことをしてしまったのか。

だから、土井崎夫妻は誠子の前から姿を消さざるを得なかった。彼らは娘から逃げたのではなく、過去から逃げたのだ。

いつか、どんな形であれ、その逃走は終わるだろう。誰も自分の過去から逃げきることはできないからだ。

しかし――。

「時が経つまで、ただ待たされるあなたは、たまったもんじゃありませんね」

滋子も、怒ったような口調で言ってみた。誠子はハンカチを握ったまま震えている。

「あなたの毎日は続いてるんだもの。どうにかして気持ちを整理しなくちゃ」

その方法はあるのだ。簡単なことだ。誰かを悪者にして切り捨てればいい。茜でも土井崎夫妻でもいい。

茜を知っている近所の人びとは、「手に負えない不良娘」だったという。ならば茜は、彼女の非行に手を焼き、思い詰めてしまった両親に殺されても仕方がなかったのだ。土井崎夫妻の告白を、額面どおりに受け取れば、それで済む。あるいは、夫妻が子育てに失敗したのだと考えてもいい。そしてそれを清算するため、子殺しという非道な手段に訴えた。親として、人間として失格だ。そう烙印《らくいん》を押してもいい。本人たちが、誠子のためにも親子の縁を切ってくれと言っているのだから、いいじゃないか。もう親でもなければ子でもない。誠子は一人で生きてゆく。

こんな簡単なことなのに。

同じ立場に立たされたとき、この簡単なことを、簡単なように実行できる者もいるだろう。だが、土井崎誠子にはできない。幼馴染の友達は、誠子を、「今まで会ったなかでいちばん優しい人」という。その優しさが、誠子が簡単な道を選ぶことを妨げる。呑み込み易い「悪」を見つけて、それと一緒に過去を切り捨ててしまうことを阻《はば》んでいる。

本当は何があったの？　本当は誰が悪かったの？　誰かわたしに、それを教えて。

「お姉さんのこと、覚えていますか？」

滋子の質問に、すぐには頭が切り替わらないのか、誠子は少しぼうっとした。

「茜さんです。あなたとは六歳違うんですよね」

　子供時代の六歳差は大きい。殺されたとき、茜は十五歳、誠子は九歳だった。半ばは大人になりかけている姉と、ようやく半分だけ幼児を抜け出したばかりの妹。世界の見え方からして異なっていたろう。

「あまり覚えてないんです。ううん、覚えてることもいくつかあるんですけど、でもそれって、姉がどんな女の子だったのか知るための手がかりにはならないことばかりのような気がして。ヘンな言い方だけど」

「いえ、よくわかります。九歳のあなたの思い出だもの、無理ありませんよ」

　滋子は正面から誠子の顔を見た。

「でも、二十五歳の今のあなたなら、十五歳の茜さんがどんな女の子だったのか知ることができますよね？」

　誠子はぽかんとした。

　滋子は言った。「だから、お姉さんを探しに行きましょう。土井崎茜さんを探すんです。それには誠子さん、あなたにも手伝ってもらわなくては」


　結局、その日はディズニーリゾートに足を踏み入れないままになった。近くのコーヒーショップで飲み物と軽食を買い、ずっと駐車場で話し込んだ。

　帰りは誠子がハンドルを取った。滋子が彼女を送って行くといったら、

「道を知ってるわたしが運転するのが合理的です」

　免許を取って二年だというが、誠子の運転はスムーズだった。

「わたし、免許を取るつもりはなかったんですよ。でも、達ちゃんが取れ取れって言うもんだから」

別れた夫——井上達夫《いのうえたつお》のことを、誠子は「達ちゃん」と呼んでいた。

誠子は高校を卒業すると、都内の製菓会社に就職した。井上達夫とは同期入社で、二人は社内恋愛をして結婚したのである。彼は大卒で、しかも一浪しているので、歳は五歳上だった。

「わたしはずっと経理でしたけど、達ちゃんは工場の方にもいましたから——うちの会社って、男性社員はみんな現場を経験するんです——だから、研修で顔を合わせたっきりだったんです」

入社から四年後、彼が本社の財務経理部門に配属されてきて、机を並べることになり、親しくなった。

「三年ぐらい付き合ったんですけどね。免許取れっていうのは、二度目のデートのときに、もう言い出したんですよ。そのときは、ドライブが好きだっていうし、スキーもやるっていうから、まあわたしも運転できた方が便利だってことなんだろうなって思って、取ることにしたんです。でもね、結婚することになって、初めて達ちゃんの実家に連れてってもらったら、すっごい辺鄙《へんぴ》なところなの！　岐阜なんですけど、市外の山のなかで、車がないと動きがとれないところなんです。帰省も、電車より車の方がぜ〜んぜん楽ちんで」

だから免許を取れと言ったんだと、彼は説明したという。つまり、それほど早いうちから誠子と結婚する腹積もりがあったわけなのだ。

はにかんだように語る誠子の横顔には、離婚の落とした影はなかった。どうかすると、誠子の結婚生活には何の支障もなく、今日も彼女が家に帰れば夫が待っている——そんな錯覚を起こしそうになるほどだった。

「達ちゃんは、別れることないって言ってくれたんです」

話がそこにさしかかっても、誠子の口調は変わらなかった。湿っぽくなるまいという彼女の意思を、滋子は感じ取った。

「だけど井上のご両親とか、親戚の人たちとかが、やっぱりうるさくて。あ、うるさいなんて言い方しちゃいけないけど」

特に、達夫の母親が強硬だったという。

「もともと、わたしとお義母《かあ》さんは旨くいってなくて。お義母さんは、わたしに学歴がないってことが気に入らないみたいでした」

井上家は土地の資産家で、達夫は一人息子だった。

「うちの嫁にはふさわしくないって、結婚にも大反対だったんです。だから、事件が起きたらそれこそもう鬼の首を取ったみたいになっちゃった。お義母さん、井上の家に人殺しの血を入れるわけにはいかないって、そりゃもうすごい勢いでした」

悔しかったでしょうと、滋子は柔らかく言った。誠子は前を見たまま短く笑った。

「でもね、達ちゃんは最初、いいからこんな家は捨てて、飛び出しちゃおうって言ってくれたんですよ。おふくろがあんな鬼ババァだったなんて、俺もショックだって」

誠子が悪いわけじゃない誠子が人殺しをしたんじゃないんだからと、時には両親と怒鳴りあって、かばってくれたのだそうだ。

「わたし、それがたまらなかった。達ちゃんがわたしのせいでお父さんお母さんと喧嘩するの、辛くて見ていられませんでした」

だから、自分から離婚を切り出した。

達夫は、絶対に別れないと言い張ったそうだ。それを誠子が説得した。こういうのは良くない。

良くないよ。結局、誰も幸せになれないよ。達ちゃんだって、勢いに任せてお父さんお母さんと縁を切ったら、先々きっと後悔する。あたしも、あたしのせいで達ちゃんが両親を捨てたって、ずっと引きずることになるもんね――。

「離婚届を出すってときになって、達ちゃんたら、ぐずぐずしてないでもっと早く結婚してりゃよかったなぁって言うんですよ。そしたらもう子供もできてたろうし、子供がいれば、うちの親だって考え方が変わっただろうって」

黙っている滋子をちょっと見て、誠子は言った。

「それ、甘いですよね。そう思いません？」

「どうかしら」と、滋子は苦笑した。

「子供がいたって、お義母さんは同じこと言ったに決まってます。なにしろ〝人殺しの血〟ですものね」

ひ、と、ご、ろ、し、の、ち。一音ずつ区切って言った。一音ごとに、打ちつけるように。

「わたしと子供と、まとめて追い出されておしまいだったでしょう。だったら、わたし一人で身軽な方がまだマシだったんですよ、うん」

気丈さが過ぎて、強がりが混じってきた。

「おかげでわたし、当分は生活の心配がないんです。井上のおうちから、手切れ金をいっぱいもらいましたから」

「達夫さんがそうしてくれたんですね」

「うん。あと、向こうの両親もさすがに気が咎《とが》めたんじゃないですか。お金で片をつけとこうって、お金持ちの考えそうなことですけどね」

それでも、達夫にはせめてもの慰めになったろう。

「お金は大切ですよ」と、滋子は言った。「それに、そのお金はただの手切れ金じゃないでしょう。達夫さんの気持ちです。あなたへの、精一杯の誠意ですよ」

誠子は返事をしなかった。滋子は窓の外に目をやっていた。

「今もときどき……電話かけてくるんです。元気かって。一人で大丈夫かって」

気丈さも強がりも消えた。口調が乱れて崩れた。

「バカみたい。もうわたしのことなんか気にしない方がいいってわかってるくせに」

誠子は静かに泣き出した。

「運転、代わりましょう」と、滋子は言った。

誠子は車を路肩に停めた。ごめんなさいと言いながら、ハンドルを握ったまま、顔を伏せて泣いた。

滋子は黙って見守った。

人生が外側から破壊される瞬間を目の当たりにしたと、野本刑事は言った。言葉の意味も、彼女がそう感じた理由も、滋子にだってよくわかる。でも、今は敢えて、それは間違いだと言いたい。破壊は一瞬で終わるものではないのだ。続くのだ。ずっとずっと、壊れ続ける。それを止めることができるのは、誠子一人だ。だからこそ孤独なのだ。誰も彼女に代われないから。

でも、ほんの少しでも、崩壊を止め、再建を手伝うことぐらいはできるかもしれない。足がかりを作るだけでもいい。

「まずは、お願いしたいことがあるんです」

誠子の泣き声が弱まるまで待って、滋子は切り出した。「ご説明したとおり、わたしは、茜さんのことを誰かが知っていた——という可能性を考えています。それを検証するためには、茜さん本人はもちろん、あなたのご両親の身近にいた人たち、親しくしていた人たちについて、いろいろ知る必要があります」

誠子が覚えている範囲内、知っている限りでいいから、材料を出して欲しいと、滋子は頼んだ。

「千住の家を壊すとき、古いアルバムとか手紙とか、そんな類のものはどうなさったんでしょう」

泣きたいだけ泣きなさい。でも、泣き終えたら、さあ取りかかりましょう。滋子がそう仕向けていることを、誠子はちゃんと感じ取ってくれた。目が真っ赤で、まぶたが腫れて、頬からは血の気が失せ、ひどい鼻声だ。それでも、背筋を伸ばした。

「全部、貸し倉庫に入れてあります。家具とか、古い衣類とかは処分しましたけど、それ以外の押し入れや物入れの中身は、そのまま段ボール箱に入れてしまって」

「ある程度、選別したんですか」

「していません。高橋先生にお願いして、業者を頼んでもらいましたから、残っているものをそっくり運び出しただけなんです」

調べに行ってきますと、きっぱり言った。

「姉のものがどの程度残ってるのかわかりませんけど、探してみます。それとその、材料ですか？　書き出せばいいんでしょうか。やってみます」

誠子が暮らすアパートは、杉並の井草にあった。そこまで滋子が運転した。三階建ての、真新しく洒落《しゃれ》た感じのアパートだった。

車を降りようとする誠子に、滋子は言った。

「そうだ、お米屋さんの直美ちゃんと、クリーニング屋さんの勝男君」

誠子は振り返り、ちょっと目を見開いた。

「覚えてますよね。幼馴染《なじみ》の二人です。心配してましたよ。携帯電話がつながらなくなって、話もできないって」

ああ、と、誠子は片手で口元を押さえた。

「連絡しにくい――いえ、連絡したくないのはお察しします。心配してくれているのがわかっているからこそ、会えない、話せないというのはありますものね」

「そうだけど……」

「お二人に、あなたが元気でいると伝えていいですか」

「もちろんです。お願いします」誠子はうなずく。「カッちゃん、身体がおっきいでしょう。最初、怖くありませんでした？」

「ちょっと気圧《けお》されましたねぇ」

「友ちゃんと朋ちゃんは元気ですか」

「元気です。可愛い双子ちゃんですよね」

「直ちゃんはいいお母さんなんですよ。いい奥さんだし」

その幸せな景色が、今の誠子には辛い。一緒に傷を受けて、ある意味では被害者として同等の立場にある井上達夫とは、そこが違う。だから音信できないのだ。

「もうひとつ。先ほどのお話を聞いてしまうと申し上げにくいことではあるんですが、達夫さんにお目にかかることはできますか」

「達ちゃんに？」

「ええ。外から入ってくる人は、意外と、ずっとその家のなかにいる人が気づかないことに気づいたりするものなんですよ。これは、うちの旦那の家の嫁であるわたしの経験から言うんですけど」

少し考えてから、誠子は顔を上げた。「わかりました。話してみます。達ちゃんは、結婚前からしょっちゅう遊びに来てましたから、うちの両親のこともよく知ってますし」

岐阜の実家は遠いが、誠子の家は都内だ。彼女と交際していれば、訪れる機会は多かったろう。

「あの……」誠子が急にもじもじした。「実は、電話だけじゃないんです」

「は？」

「達ちゃん、ここを知ってます。つい先週、来たんです」

あらまあ。

「それであの、また来ると思います。どうしてかそういうことになっちゃって。ですから……バカみたいなのは、達ちゃんじゃなくてわたしの方ですよね」

滋子は誠子の顔を見た。ひと呼吸おいて、自然に顔がほころんでしまった。

「いいんじゃないですか、お義母さんにバレなければ」

会ってしまう、会えてしまう。つながりを断てない。傷は癒えていないのに。だからこそ、なお辛い。

誠子も、泣き笑いの顔をしていた。

第七章　幻視

滋子は萩谷敏子に電話して、誠子のことを報告した。次に誠子から連絡があったら、今度は二人で滋子の家に来てもらい、顔合わせをしよう。その申し出を、敏子はいつもながらの周章狼狽をひとしきり繰り広げてから、承知してくれた。

「わたしがこんなことを申し上げるのはおかしいですけれども、何ですか先生、大事《おおごと》になって参りましたね」

　ホントですねと、滋子は笑った。

「その後、お兄様とはお話しになりましたか」

　萩谷松夫は、敏子を連れてもう一度談判に来ると言っていた。

「それが先生、兄はちょっと態度が変わったみたいなんです。わたしを叱りつけることもなくなりました」

　ノアエディションに押しかけてきた翌々日、敏子のアパートに来て、問題の等の絵を見せろと言ったそうである。コピーをとって現物は返したので、今は敏子が保管しているのだ。

「わたしじゃ上手く説明できませんけれど、これまでのことを話しました。松夫兄は、ずいぶん長いこと等のノートに見入ってましてね。一枚一枚めくりながら、考え込んでいるようでした。

ひどく感心しましてね」

感心したのか――。

「でしたら、お兄様は、等君の能力について何かおっしゃいませんでしたか。たとえば、この力はちやさん譲りなんじゃないかとか」

「ああ、それは、やっぱり血筋かなぁとか申しました。でも祖母ちゃんはこんなことはしなかったし、だいたい祖母ちゃんの〝力〟も本物だったかわからん。今になって考えると、当時はあったと思ったことも、ただの偶然だったような気がするし、とか」

俺にはわからん――と言いつつも、等のノートから目が離せない様子だったという。

ひょっとすると萩谷松夫も、等のノートのなかに何かしら「発見」したのではないか。そういう話がすぐには出てこないものであることは、さくら小学校の花田先生で経験済みだ。

いずれにしろ、萩谷松夫の逆風がやわらいだのは有り難い。土井崎誠子とつながりもできたし、滋子は目先が明るくなるのを感じた。だからといって見通しがついたわけではないが、少なくとも前に進んではいる。

最初から覚悟の上ではあったけれど、この調査に時間を割いていることが、じわじわとノアエディションでの滋子の仕事にも影響を及ぼし始めていた。おかげで、その週の中ごろには、ひと晩徹夜する羽目になった。

明け方に帰宅し、午後イチで出勤するまで短い眠りをむさぼって、ぼさぼさ頭のまま朝食とも昼食ともつかない食事をとった。テレビには、のんびりした情報番組が映っている。どうやら、今時の町内会活動についてのレポートのようだった。

カラスによるゴミ置き場荒らし対策、防犯パトロール、独居老人の訪問ボランティア――見るともなく見ながら食器を洗い、支度をしていたら、今度は子供会についての話題が始まった。子供の数が減少しているので、子供会の活動力も低下している町内会が多い。しかし、少子化のなかでこそ子供会の役割はもっと見直されてしかるべきではないのか。学年の壁を越え、子供たちの縦のつながりをつくるためにも云々かんぬん。

それでふと、思い出した。

仏壇に飾ってある、等の写真である。山登りにでも出かけたときのスナップのようだった。滋子が遠足の写真かと尋ねると、敏子は何と答えたか。高尾山へ行ったときのものだとか言ったのではなかったか。

そう、〝あおぞら会〟だ。

てっきり地域の子供会のことかと思った。が、敏子は「ハイキングの会」だと言った。そのとき、何となく言いにくそうだった。等の父親について尋ねたときと同じ引っかかりを、滋子はその返答から感じたのだ。あれきり忘れてしまっていたけれど——。

ハイキングの会ならば、いろいろな場所に出かけるだろう。また、その会の構成メンバーは、学区域の子供たちとその保護者だけに限らない可能性もある。〝あおぞら会〟は、小学生の等が、彼の生活範囲を越えた場所にいる人びとと接する機会だったのではないか。

幸い、すぐ敏子に連絡がついた。滋子がいきなり、「〝あおぞら会〟というのはどういう集まりです？」と尋ねると、その勢いに、敏子はびっくりしたようだ。

「先生、それが何か」

「以前にお伺いしたとき、あまりお話しになりたくない感じを受けたのですが、わたしの気のせいでしょうか」

はあ、というような声を、敏子は出した。

「すみません。今となっては、隠すようなことではございませんです。でも、最初はちょっと申し上げにくかったんです。等がその、児童相談所へね、行きなさいと言われたこととつながってますので……」

敏子は、さくら小学校三年生の夏休み明けに、担任教師から、児童相談所へ相談に行くように勧められた。等の学習態度に落ち着きがなく、すぐぼうっとして目がうつろになることがあるから、と。

「ええ、そうでしたね。当時の担任の先生は――」

滋子は急いで取材帳を繰った。川崎《かわさき》先生である。三十代前半の男性教師とメモをとってある。

「クラスはよくまとまってましたし、評判のいい先生だったんですが、どうにも等とはダメで」

思い出したように、敏子はため息を吐き出した。

「それでわたし、等をつれて児童相談所へ行ったんです。何度か通いました」

担当の相談係は、宮田《みやた》という五十歳くらいの男性だったそうだ。これもメモがあった。

「面接をして、心理テストというんですか、それもして」

その結果、特に問題があるとは思えないと言われた。

「ちょっとぼうっとしたり、集中力が続かなかったりするのは、この年頃の子供には珍しいことじゃないって。成長過程のなかの一時的なものでしょうって」

それでも、万にひとつ内科的な疾患が隠れている可能性はあるので、病院で検査を受けるよう勧められた。そこでも問題は見つからなかった。標準より体格が小さいことは確かだが、等は健康体だった。

「学校にもそれをお報《しら》せしましてね。でも、やっぱり上手くいかないんです」

「川崎先生と、ですね？」

「はい。相談に行く前とちっとも変わらないって、先生はおっしゃるんです。むしろひどくなってるって、わたしも呼ばれて叱られたりしました。それであの、等の方も子供ながらに感じるものがあったんでしょう」

「ぎくしゃくしちゃったんですね」

「そうなんです」

当時の困惑が蘇《よみがえ》るのか、敏子の口調が重くなった。

「わたし一人じゃどうしたらいいかわかりませんし、結局、また児童相談所へご相談に。川崎先生は、とにかくそうしてくれっておっしゃいますし」

担任教師としては、責任回避の感じもするなと、滋子は思った。等に一方的に非があると、最初から決めつけてしまっている。

「そうしますとね、宮田先生はとても優しくて気さくで、そういうことなら、用なんかなくてもいいから、お母さんも等君も、いつでもいらっしゃいって。おしゃべりして、グチをこぼすだけでもすっきりするでしょうから、なんて言ってくださいましてね。等も宮田先生にはなついていて、何だかお友達みたいになってましたから、よく通うようになりました」

そういう状況で、等は四年生になった。

「担任の先生は、持ち上がりでしたから替わりませんでした。でも宮田先生にいろいろお話しできるし、等もいくらか知恵がついてきたんでしょう。まともに川崎先生とぶつかることもなくなって、やれひと安心で」

五年生にあがるとクラス替えがあり、担任も替わる。それがあの伊藤先生で、等はまたぞろ問題児扱いされることになったわけだが、

「川崎先生と違って、伊藤先生はもともと厳しいことで有名な先生なんです。子供たちだけじゃなく、お母さんたちからも怖がられてましてね。先生に厳しくあたられたのは等だけじゃありませんでしたし、だからまあ、わたしも、あたらずさわらずという感じでお付き合いすることができました」

それにしても、気骨《きぼね》の折れることだろう。

「子供を学校に通わせるって、大変なことなんですね」

滋子は心からそう思った。だが敏子は笑う。

「それほど大したことじゃありませんよ、先生。こうしてお話しすると、大げさに聞こえるだけですよ」

ただ——と、声をひそめる。

「邪推かもしれませんが、伊藤先生が等に辛《から》かったのも、やっぱり、川崎先生からの申し送りがあったせいじゃないかと思うんです。だって、最初からそういう目で見られている感じがしましたもの。四月の家庭訪問のときに、もう何ていうか、剣呑《けんのん》な雰囲気がありました。伊藤先生は、悪い思い込みをなさってたんじゃないかと」

その可能性はある。教師同士の情報交換で、萩谷等は指導の難しい子だと言われれば、いくら伊藤先生がベテランでも、多少の予断を抱いてしまうだろう。母子家庭だという要素も思い込みに拍車をかけたかもしれない。

教師とて生身の人間で、完璧な存在ではない。生徒との相性もあろう。学校は教師が運営する

ものなのだから、何もかもそつなく完全であり得るはずがない。

が、しかし。滋子の胸は不穏に騒ぎ始めていた。

川崎という教師が、なぜそこまで等に神経を尖らせたのか。児童相談所の先生が問題を感じないという等に。

そこには特別の事情があったのではないのか。

等は――川崎先生に何かを見ていたのではないのか。ちょうど花田先生のときと同じように。あるいは、花田先生の場合よりももっと鮮明に。だから気が散って、ぼうっとなることが多かったのではないのか。いけない。また「その気」になりそうだ。滋子はひとつ頭を振って、電話を持ち替えた。

「ですから、等はずっと児童相談所通いを続けてたんです。あの子にもあの子なりに屈託があったでしょうし、そのなかには、わたしには言いたくないことだってあったかもしれません。宮田先生にはいろいろ話して、聞いていただいていたようです」

「それは、事故で亡くなる直前まで？」

「はい。あ、ですから宮田先生は、等が亡くなったあと、お線香をあげにきてくださいました」

親密なつながりができていたのだ。

「ええと、それで先生、あおぞら会のことでしたよね」

珍しく、敏子の方から話題を本線に戻してくれた。

「あおぞら会を教えて下さったのが、相談所の宮田先生だったんです。こういう会があるけど、興味はありますかって」

メモを書き取りながら、滋子は冷や汗をかいていた。児童相談所のことも、ぽっかりと失念していた。伊藤先生に門前払いされ、花田先生があんな顚末《てんまつ》になり、等を教えた先生方や学校のことは、もう手詰まりだという気になっていたのだ。どのみち、等の学校という枠のなかには、千住の土井崎家につながる線は存在しないという見切りもあった。

だが、児童相談所は別だ。おまけに〝あおぞら会〟までつながってくるとなると、宮田先生は、等に関するキーマンなのかもしれない。寝ぼけ眼《まなこ》でながめていたテレビ番組がなかったら、とんでもない見落としをするところだった。

「あおぞら会は、子供のためのボランティア団体なんです」と、敏子は説明した。「子供たちを集めて、行事をしたりハイキングに行ったり、いろいろな活動をするんです。参加費用はかかりますけど、運営委員の皆さんは本当に手弁当で」

「ボランティア団体ということは、県や市でやってるものじゃないんですね」

「はい、民間のものですよ」

「大きめな子供会みたいなもの？」

「ああ、そうですね！　そうだと思います。町の子供会と違って、子供たちはいろんなところから来てますが」

滋子は胸がどきどきしてきた。

「いろんなところからということは、あおぞら会の子供たちは、船山市に限らず、もっと広い範囲から参加してるんですね？」

「ええ、そうです。千葉県内の学校の子が多いですけども、東京や横浜から来てる子供たちもいましたから」

そういえば、ホームページがあるはずですと、敏子は言った。

「あとで検索してみます。で、参加してみないかと宮田先生に勧められたわけですね?」

「はい。最初は先生、等におっしゃったんですよ。わたしは等から聞いて、先生に詳しいこと教えていただいて。で、等が行ってみたいというので、先方に連絡を」

「宮田先生ご自身が、あおぞら会の活動に関わってらしたんでしょうか。たとえば運営委員だとか」

敏子はちょっと考えた。「いえ……そういうことではなかったように思います。先生も、児童相談所に来たお子さんから会のことを聞いたというお話でした」

そのときの詳しいやりとりを、敏子はよく覚えていないようだった。とにかく、等が強く興味を示したので、試しに参加してみようかと思ったのだ、という。

「わかりました。またご連絡します」

滋子は急いで電話を切ると、パソコンのところへ飛んで行った。十分足らずで、求める情報を得ることができた。

「学校の枠にとらわれない子供たちの交流を」

「あおぞら会」ホームページのロゴの下には、その一文が大書されていた。

設立は二〇〇一年四月。事務局の場所は、千葉県千葉市の金川町《かねかわ》というところになっている。

「株式会社金川有機材工業　総務部内」という但書《ただしが》きがついていた。

発起人は五人いて、名前と肩書きがならんでいる。すべて、千葉県に本拠地を持つ企業経営者のようだ。発起人リストのトップにあがっている金川一男《かずお》という人物は、十人いる運営委員のリストでもトップで、会長でもある。こちらは顔写真もアップされていた。温厚そうな笑顔の、白髪の男性である。七十歳ぐらいだろうか。

そして彼は、事務局のある金川有機材工業の会長職についていた。

金川会長文責の「設立の趣旨」を読み、運営委員が交代で書いているらしい「今週の青空」という活動報告書を読むと、だいたいのことはわかった。

まず、「あおぞら会」は、この金川一男の呼びかけで始まった会なのだった。

有機材の会社といったら、合成樹脂や化学製品を作るのが本業である。また検索してそちらのホームページを呼び出し、データを見ると、昨年の年間売上高は百二十六億円だ。多くの製造業の例にもれず、製造拠点の多くは海外に移っているが、本社は千葉市にある。

金川一男は起業家だ。現在会長職にあるということは、社長の座は後継者に譲ったのだろう。もともと教育に興味があった人物なのか、昨今の子供たちをめぐる状況に心を痛めたのか、とにかく彼は、企業経営の最前線から退くのを機会に、社会のため、子供たちのために何かしようと思い立った。そしてそれに賛同するメンバーを募り、運営委員会をつくった。本格的に活動を始めたのは、二〇〇二年四月からのことであるようだ。

金川会長は書いている。少子化へと傾斜する現代社会のなかで、今の子供たちは、幼いころから「プチ大人」として遇され、豊かな物と大量の情報に囲まれる一方、成長期には必須の、子供同士の温かなつながりに乏しい毎日を生きている。一人っ子が増え、保護者が一人の子供のために費やす教育資金は増加する一方、しかしそれは、たとえば「ゆとり教育」の名のもとに増加した学校の休日が各種の習い事や進学塾通いに費やされるという、皮肉な事態を引き起こした。受験戦争の圧力も、強まりこそすれやむことはない。子供たちは孤独のまま忙殺されている。さらに、地域社会の崩壊により、年代の異なる子供たちが集まって交流する場が激減していることは、すなわち、子供たちが学びと遊びを通して年少者に対する労りや思いやりを体得し、身近な年長者をロールモデルに対人関係のスキルを身につける、得がたい機会が失われているということでもあろう。

「あおぞら会」は、この現状を鑑《かんが》み、幼稚園児と小学生を対象に、子供たちの集いの場を提供するため設立された。趣旨に賛同をいただく多くの父母の皆様と共に、「親も子も仲良く、明るく、楽しく生きる」をモットーに、学校という枠にはとらわれぬ新しい教育の形を模索し、より明るい子供たちの未来を展望するものである——。

「大きな子供会」という推測は、外れていなかったようだ。

具体的には、行事としては、だいたい三カ月に一度の割合で、音楽鑑賞会や近所へのハイキング、各種の施設見学などが行われている。秋にはあおぞら会の文化祭があり、そこでは子供たちが出演する演劇が上演されたり、絵画展などもあるようだ。事務局が置かれている金川有機材の千葉本社内には、子供用の図書室も整備されており、近場の子供たちは自由に利用できるらしい。

思うに、こういう活動をしようというとき、いちばんネックになるのが「器」だろう。場をつくるためには場所が要り、場所を確保するのには金がかかる。首都圏では地代も賃貸料も高い。あおぞら会では、言いだしっぺの金川有機材が最初から場所を提供することができたので、曲がりなりにも四年くらいでこれだけの形をつくることができたのだろう。敏子は「手弁当」と言っていたが、発起人と運営委員全員ということはなくとも、たぶん金川有機材——金川会長に関しては、手弁当どころか持ち出しになっている可能性が高い。

篤志家ということかと、滋子は思った。

これらの情報はトップページで読むことができるが、個々の活動や報告や、行事の名前を冠した「写真館コーナー」（その際のスナップ写真がアップされているのだろう）を見ようとすると、会員番号の入力が必要になった。

　滋子はまた萩谷敏子に電話をかけ、等の会員番号を教えてもらった。

「今、ホームページを見たところです」

「立派なものでございますよね、先生」

「そうですね。ちゃんとした印象を受けます。実際、いかがでした？　等君は何回ぐらいここの行事に参加したんですか」

　さほど多くはないと答えて、敏子は少しばかりバツが悪そうになった。

「行事の参加費用はそんなに高くないんですが……せいぜい四、五千円とかでして。でも、わたしにはなかなかその余裕もございませんでしたから」

　それでも、例の高尾山行きを入れてハイキングが三度、あおぞら会でチケットを取ってくれた音楽劇の鑑賞会に一度参加した、という。最初が五年生の夏休みで、千葉の鋸山《のこぎりやま》のハイキング会。次がその年の十一月の中ごろで、音楽芸術鑑賞。そして昨年八月、六年生の夏の高尾山行きと、十一月には千葉の牧場にも行っている。

「そういえば、行事のときに知り合って仲良くなったお友達と、メールをやりとりしていました。うちにはパソコンがありませんし、等には携帯電話を持たせてませんでしたから、学校のパソコンを使わせてもらっていたんです」

「そういう話は、すべて等君から聞かれたんですね」

「はい」

「等君は楽しそうでしたか？　仏壇の写真を見ると、ニコニコしてますよね」

「ええ、楽しんでいるようでした」

「大勢で出かけるんでしょうか」

「さあ……やっぱり、夏休みや春休みの行事のときが、いちばん参加者が多いらしいんですよ。でも、わたしが知っている限りでは、そうですねぇ、子供たちが二十人から三十人ぐらいですか。親御さんもついて来るわけですけども、いつもいつもというわけじゃありません。高学年の子の場合、会にお任せしてもいいんです」

五千円の年会費のほかには、特別な縛りはない。何か購入しなくてはならないこともない。

「毎月、会報が送られてくるんです。会長さんや委員の方や、会員の親御さんや子供たちの文章が載ってます。ですが、全員書かなくちゃならないということはありません。わたしはいっぺんも書きませんでした。等も」

行事の案内は、その都度別に来る。参加したければ申し込み、所定の費用を払うだけだ。

「ですから、一般の会員なら気楽なものでした。面白そうだと思うときだけ参加すればいいんですから」

「運営は、この発起人と運営委員の方たちですべてやっていたんでしょうか」

「あら先生、発起人の方々はお名前だけですよ」敏子は可笑《おか》しそうに笑った。「だって、みんな社長さんとかでしょう。お忙しいですもの」

「ああ、そうですねぇ」

本人が出てくるわけはないか。

「運営委員の皆さんが、柱になっている感じがいたしましたね。でも金川さんだけは、ほとんど毎回いらしてました」

「会長ですね。運営委員長でもある」

呼びかけ人だけに、熱心なのだろう。

「事務局には専任の——つまりそこで働いている人がいるんですか」

「さあ……わたしにはわかりません。すみませんです」

「あなたは事務局にいらしたことはない？」

ありませんと言ってから、敏子はあわてたように声をあげた。

「いえ、ございます。去年の暮れに、等を連れて、そこの図書室に行ったんです。そのとき、ご挨拶しました。図書室の階上《うえ》が事務局ですから」

女性が二人いたそうだ。が、

「でも先生、その方たちはあくまでも事務員さんだと思いますよ。活動は運営委員の方々が仕切ってるんです」

その運営委員は、会員の子供たちの父母のなかから、自薦・他薦で選ばれるのだそうだ。なるほど、なるほど。様子がわかってきた。だから敏子も、一般の会員なら気楽なものだといったのだ。

「等君は、どうして図書室に行きたがったんでしょうかね？」

それまでは行事しか参加していなかったのだ。去年の暮れに限って、何を思い立ったのだろう。とりたてて理由はないと、敏子は言った。

「どんな図書室なのか行ってみたいなぁって申しまして。二十三日の祝日に行ったんです」

「広いところなんですか？」

「けっこう広かったですね。机もいっぱいあって、おうちが近い会員の子供たちは、別に本を読むためだけじゃなくて、宿題をしに来たりもしてるみたいでしたよ。パソコンも何台か置いてありましたねぇ」

事務局と図書室は、金川有機材の本社ビルの敷地内にあるそうだ。

「ビルがいくつかございましてね、そのなかのひとつなんです。とてもきれいで、ホテルのロビーみたいでした」

本社とあればセキュリティーの問題もあるだろう。そこを、経営には無関係で社員でもない会員たちのために提供しているのだから、太っ腹なものだ。金川会長は、中途半端な善意だけであおぞら会を立ち上げたのではなく、相応の覚悟があるのだ。

有機材の製造業で年間売上高が約百三十億円となると、準大手というところだろうか。それだけの企業の後ろ盾があり、呼びかけ人の強い意志があり、熱心な参加者がいて、活発に活動している。それが「あおぞら会」だ。等が敏子と二人の生活圏から出て、外の社会や人間関係に触れるには、まずこれ以上の場はない。

等の会員番号を入力すると、受け付けてもらえた。死亡による会員登録抹消という手続きはないようだ。「写真館コーナー」を開いてみた。最初に見たのはクリスマス会の光景を撮ったスナップだ。どうやら図書室で行われたもののようだった。ちゃんとサンタがいて、子供たちも赤い帽子をかぶっている。続いて最新の行事である「お花見散歩会」それから後戻りして、等が参加したというハイキングや音楽劇鑑賞会の写真も見ていった。

敏子の言ったとおり、子供たちの数は、いちばん多そうなときでも三十人ぐらいだろうか。大人も大勢写っている。どのスナップにも動きがあり、笑顔があった。みんな楽しそうだ。生き生きしている。

ここに集まった人びとのうちの誰かが、土井崎家につながる糸を持っているかもしれない。

手がかりが見つかったことで、昂揚《こうよう》していたのだろう。ノアエディションに着くと、遅刻を謝るのもそこそこに、野崎と恵にあおぞら会のことを報告した。

「へ～え」と、恵は感心した。「そんな団体があるんですか。面白そう」

「大丈夫か？　カルトとかマルチ商法とかとつながってるんじゃねえのか？」

現実派の野崎は眉を吊り上げる。

「今日日《きょうび》はわっかんねぇからな。慎重にしろよ」

それにしてもなぁ――と、頭をかく。

「シゲちゃんがあれほど、等君の交遊関係っていうか子供関係っていうか、土井崎の家につながる可能性のある線を探してるのをわかってて、なんでまた敏子母ちゃんは、その話を早くしなかったのかねぇ」

「わたしだって忘れてたんですから、おあいこですよ」

そして、やおら二人に手を合わせて拝んだ。

「ごめん。今週、休みをくれる？」

野崎はため息をついた。「わかったよ。行くんだろ、そのあおぞら会とやらに」

「うん」滋子はうなずく。「でもその前に、まずは児童相談所に寄ってからね」

児童相談所の宮田先生にアプローチする際、滋子は、例のテレビ番組のコンセプトを流用させてもらうことにした。

等と彼の異能の可能性については伏せておく。かわりに、あおぞら会を取材していると言ったのだ。年齢や学校の枠を越えた子供たちの交流をはかろうという、この会の趣旨と活動は非常に面白いので、雑誌に記事を書こうとしているのだ、と。

等が通っていた児童相談所は、市の児童福祉センターの二階にあった。全体は五階建てのビルで、レンガ色のタイル貼りの外壁がきれいだ。調べてみると、児童福祉センターは他にもあり、ここはそのなかでも新しい施設のようだった。

建物のなかには、席数百二十の小ホールと児童図書室、市内の子供たちと保護者を対象としたカルチャースクールも入っていた。入り口の掲示板に、今週の土曜日に「折り紙教室」が開催されると張り出してある。ホールではピアノの発表会が予定されているようだ。

一階のスペースは、児童図書室が占めていた。大きな窓がたくさんあり、ブラインドもあがっているので、内部がよく見えた。平日の昼前だから、書架のあいだにも閲覧スペースにも、子供たちの姿はない。カラフルなエプロンを着けた女性職員が、本を乗せたワゴンを押して通路を進んでゆく。「えほんコーナー」という手書きの表示のある一段と低い書架のそばで、よちよち歩きの幼児を連れた若い母親が二人、絵本を手にしたまま話し込んでいる。

こういう環境なら、児童相談所という、どうしても身構えてしまうような場所へ、等がふらりと一人で訪ねてくるにも抵抗はなかったろう。図書室に来るような顔をして、ひょいと二階へあがっていけばいいのだ。本を借りにきたついでに宮田先生に会っていこう、などということだってできたろう。

児童相談所のある二階は、いくつかの事務室と会議室と、相談用のブースとに分けられていた。市の教育委員会の連絡会とやらも、この階に部屋を持っている。表示に従い、滋子は廊下を左に折れて進んだ。

事前に電話でアポイントメントを取っておいたので、話はすぐ通じた。滋子はブースではなく、廊下を通りかかったときに見かけた小さな会議室に通された。

電話で話した感じから、線の細い人物を連想していた。撫でるような温和で優しい口調だったからだ。が、実物の宮田先生は、まるで逆だった。背丈こそ低いが、がっちりとした身体つきで、しかも、いわゆる「濃い」顔だ。背広姿ではなく、シャツにズボンのスタイルで、足元は運動靴を履いていた。

型どおりに名刺を交換し、滋子はまず尋ねた。

「勉強不足で申し訳ないのですが、最初に教えていただけますか。先生は市の職員でいらっしゃるんですよね」

「ええ、そうですよ」

電話と同じ、柔らかい声だった。

「市の教育委員会の、学校教育相談会の一員です」

「臨床心理士やカウンセラーということで――」

「いえいえ、違います」

宮田先生が笑うと、やや飛び出し気味の大きな目が半目になった。大黒様みたいだ。

「この相談所には、臨床心理士の方もおられますがね。私は、もともと小学校の教師です。五年の任期で、教育相談会の方に派遣されているんですよ」

つまり、ベテラン教師が児童相談所の相談員として働いているわけだ。

「では先生ご自身も、たくさんの生徒たちを教えた経験をお持ちなんですね」

「そういうことです」

それは大変にありがたい。というのは、わたしとしては、現場の先生方のお声も多く取材したいのですが、学校はなかなかガードが堅くて——という話をしているうちに、女性職員がお茶を運んできて、去った。

「お電話では、あおぞら会を取材なさっているということでしたが」

「はい。学校という枠のなかでは作り上げにくい、子供たちの縦の交流を目指している。しかも、地域の境界も越えてですね。これは従来の子供会の新しい形ではないかと思いまして」

宮田先生は、手元に置いた滋子の名刺につと目を落とした。「記事を載せる雑誌はどちらになるんでしょう」

「すみません。まだ決まっていないんです。そもそもわたしの個人的興味から始まった取材なので、原稿を書いてから持ち込むつもりでおります」

それでも、にわか勉強で目を通してきた教育雑誌のいくつかの雑誌名をあげた。

「ははぁ、なるほど」

宮田先生はゆっくりとうなずく。太い眉毛も一緒に上下した。

「私のことは、萩谷敏子さんからお聞きになったとおっしゃっていましたね」

「そうです。萩谷さんとは、これとは別件で、母子家庭の現在についての記事を書くときお知り合いになりました。それで、等君とあおぞら会のことを教えてもらったんです」

口から出任せもいいところだが、必要とあらばこれができなくては物書きは勤まらない。

「等君は残念なことでした」

宮田先生は濃い目鼻立ちの顔を曇らせた。

「あの子が事故に遭ったとき、私はちょうど研修で大阪に行っていましてね。戻ってきて、学校から連絡が入っていたんで、初めて知ったんです。後でお母さんにお悔やみを申し上げに行きましたが、辛かった」

口先だけではなく、本当に悲しんでいることを、滋子は感じ取った。

「萩谷さんからお聞きと思いますが、彼はよくここへ遊びに来ていたんですよ」

「先生とはお友達みたいだったと伺いました」

うなずくと、宮田先生は懐かしげに目を細めた。

「死んでしまったと、頭ではわかってるんですがね。亡骸《なきがら》をみていませんから、どうにも実感が湧かない。今にもひょこっと、先生こんにちはと顔を出してくれるような気がして、たまりません」

寂しげな沈黙に、滋子もしばらく付き合った。

「あなたはご存知かな」宮田先生は顔を上げ、問いかけてきた。「等君の葬儀に、彼のお父さんは来ていたんでしょうかね」

こればかりは正直に答えるしかない。滋子はかぶりを振った。

「存じません。わたしにはわからないです」

「お母さんも、何もおっしゃいませんでしたか」

「はい」

探り合いだ。滋子は、宮田先生がどの程度まで等の出生について知っているのか知らない。先生も、滋子がどのくらい知っているのか知らない。自分の知らないことを相手が知っているのなら、知りたい。

宮田先生の方から、先に一歩踏み込んできた。「等君は私に、僕のお父さんはどこにいるかわからないんだと言っていました。お母さんにも、まあ家庭環境を知る上では必要な質問でしたから、お父さんのことをお尋ねしてみたんですがね、縁がなくて結婚することができなかった、今はどこにいるか知らないというお返事しかもらえませんでしたよ」

萩谷敏子らしい、守りの堅さである。

「等君は、お父さんを恋しがっていたんでしょうか」

思わず尋ねてしまってから、あわててつくろって言い足した。

「わたし自身は、彼の様子からはそんな気配を感じなかったんです。でも、先生には打ち明けていたかもしれないと思いまして。彼があおぞら会に興味を示したのも、お母さんと二人だけの生活がちょっぴり寂しかったからかもしれないですし」

宮田先生は、壁の方に目をやりながら少し考えた。うーん、と言う。

「それはあったかもしれない。変化がほしいというか、にぎやかさがほしいといいますかね」

「学校の成績は今ひとつだったそうですが、お母さんや図画工作の先生のお話から受ける印象では、等君は聡明なお子さんだったように思えるのですが、いかがでしょう」

宮田先生の目が輝いた。大きくうなずく。「頭のいい子でした。それが学業の方に反映されていなかったのは残念ですが、それもまた、ああいう感性の鋭い、大人びたところのある生徒には、意外とありがちなことなんですよ」

「大人びていた……」

「ええ。お母さんに対しても、深い思いやりを持っていました。彼の方がお母さんを支えているように見えることもあったほどです」

写真で見た等の小柄で華奢《きやしや》な姿を、滋子は思った。

「ああいう子がね、かえって天に愛されて、早く召されてしまうんですな……」

いや、すみませんと、宮田先生は気を取り直した。

「あおぞら会のことですが、会の方には取材に行かれたんですか」

「これからです。実は、まだ手をつけたばかりでして。ホームページは見てみました」

「面白い成り立ちの会でしょう？　ほかにはまだ例がないですからね」

「ないですか」

「だって、まず資金を出してくれる人がいないでしょう。あの会の会長さん、金川氏でしたか、この不況下に、ああいう人がゴロゴロいるとは思えません」

感心したように言ってから、宮田先生は少し真顔になった。口調も変わった。

「先にお尋ねしますが、まさかあなたのこの取材は、あおぞら会に何らかの問題があるから――ということではないんでしょうね？」

滋子は驚いた。「あるんですか？」

のけぞるようになって、宮田先生はあわただしく否定する。「いやいや、とんでもない。私は知りません。悪い評判を聞いたこともありませんよ、念のために伺ってみただけです」

意図的に目を凝らして、滋子は相手を見つめた。宮田先生は目をそらさない。

「勘ぐらないでください。ただ、今申し上げましたとおり、今までにない集まりですからね。運営してゆくうちには、何かしらトラブルが起こる可能性もある。会のなかで意見が分かれることもあるでしょう。だからお尋ねしてみたんです」

滋子はうなずいて、引き下がった。

「確かに、萩谷さんにあの会のことを教えたのは私です」

宮田先生は、ふうと息を吐いて続けた。

「でも私自身は、あの会とは関わりを持ったことがありません。評判を聞いて知っていただけでしてね」

「いつごろからご存知でしたか」

「二年ぐらい前ですかね」

県内の、他の児童相談所にいる同僚から聞いたそうだ。

「その同僚が担当していた、やはり等君と同じ母子家庭の子供だったんですが、ちょっと引っ込み思案な子供でしてね。友達付き合いが上手くできませんで、学校へ行きたがらなくなってしまっていた。ところが、あおぞら会に参加してみたら、楽しかったんでしょうね、友達ができて、それがきっかけでどんどん明るくなって、学校生活がスムーズに送れるようになったという話でした」

その後も、地元の教師たちから噂を聞くことがあり、教育雑誌で取り上げられている記事も読んだ。

「萩谷さんにも、確かその記事のコピーを渡したんだと思います。事務局の電話番号が載っていた」

宮田先生は、最初にあおぞら会の話をしてくれた同僚とは永い付き合いで、相手の人となりも、教育者としての能力にも信頼を置いていた。

「ですから、彼の話を信用して紹介したんです。でも、あくまでも参考にというくらいの気持ちで、強く勧めたわけではありません。次に等君がここへ来たとき、先生、いっぺんあの会のイベントに行ってみるよと聞いて、やけに話が早くて驚いたくらいでした。お母さんは、ああいう活動に積極的なタイプには見えなかったのに」

滋子もそれにはうなずいた。「等君が行きたがったから、と言っていました」

その時点で宮田先生は、あおぞら会についてもう少し詳しい情報を集めてみようと思った。

「私なりに責任がありますから。まず、さっきの同僚に問い合わせてみました」

同僚が担当した男子は、まだあおぞら会の会員だった。様子に変わりはないという。ただ、新しい事実がひとつ判明した。

「その時点で、会員になっている子供の数は——確か三十二人だか三人だかだったんですが、その七割方が、発起人である企業家の経営する会社の社員の子供たちだというんです。特に、金川有機材が多い。同僚が相談を受けていた男の子の父親も、あの会社の社員でした」

滋子はぽんと膝を打った。「ああ、つまり、会長さんの社会事業に社員が付き合っていたわけですか」

「そういうことです」宮田先生は、真顔のままで言った。「ただ、雑誌にも取り上げられるくらいですから、少しずつ県内での認知度は上がってきていて、非社員系の会員も増えてきているという話でした」

それから、宮田先生は自分であおぞら会の事務局まで足を運んで行った。

「等君のためだけでなく、今後のためにも知っておきたかったんです。あおぞら会には、何らかの形で学校生活に支障を感じている子供たちが多く入会しているのか。また、そういう子供たちには特別な指導をしているのか。いろいろ率直に尋ねてきました」

会の側からの回答は、少なくとも宮田先生の不安を増す内容のものではなかった。

「運営委員の方々が親御さんたちであっても、プロの教育者ではありません。不登校などの問題を抱えている子供たちに、素人療法の指導をされてはかえって良くないこともあります。でも、あおぞら会はそういう会ではなかった。設立の趣旨にあるとおり、子供会の拡大版として子供たちに遊びと交流の場を与えているだけでした」

ひと安心した、という。

「等君が最初に参加したのは、ハイキングだったかな」

「ええ、五年生の夏です。鋸山ハイキング」

「行ってくると、すぐ私のところへ報告しに来てくれましたよ。けっこう面白かったよ、メル友ができた、なんてね。それでさらに安心しました。でも、何かつまんないなぁとかイヤだなぁと思うことがあったら、それも教えてくれよねと言っておきましたが、そういう話はついぞ聞きませんでしたね」

話の途中から、滋子はメモをとっていた。話が切れると、滋子が追いかけて書き取っている手元を、宮田先生はじっと見ていた。

「よくわかりました。ありがとうございます」

手を止めて顔をあげ、滋子はうなずいた。にっこりした。「等君は、あおぞら会の行事に参加するのを楽しんでいたようです。お母さんからも、その話はあれこれ伺っています」

なぜか、宮田先生の表情が硬い。最初は見えなかった探るような色合いが、瞳のなかに浮かんでいる。

「萩谷さんは、学校の先生と等君との関係を、あなたにはどのようにおっしゃっていますか。つまり、等君がここに通うようになった理由についてですが」

滋子は、敏子から聞いたとおりに説明した。だが、宮田先生の顔はほぐれない。

「ほかには何もおっしゃっていませんか」

滋子は軽くまばたきをした。「先生は、どんな事柄を想定されておられるんですか」

腕組みをすると、宮田先生は考え込んだ。今さら念を押すように問いかける。「あなたは本当に、あおぞら会のことだけを聞きにいらしたんですね？　等君のことじゃなくて、あの会を取材しておられる」

「そうです」

嘘だが、この場では真実だ。それとも悟られたか。

「先生、ほかになにかあるのでしょうか」

思い切って、滋子は踏み込んだ。宮田先生の迷いがわかった。ライターだという、萩谷敏子と親しいという、この前畑滋子という人物に言おうか言うまいか――言っていいのか、悪いのか。

「そうすると、お母さんの耳には入ってなかったか」

呟いて、重いものを持ち直すかのように肩を動かすと、滋子を見た。眼差しが重い。

「ここだけの話です。萩谷さんには言わないでください」

「はい」滋子は身を乗り出した。

「さくら小では、等君の死は自殺だったのではないかという噂が流れているんです」

あまりにも思いがけない言葉だったので、滋子は固まってしまった。

「だって――小学生ですよ？」

「六年生なら、立派に思春期の入り口です。実例もないわけじゃあありません」

そうかもしれないが、でも、

「だって等君にそんな理由がありますか？　そんな兆しがあったなら、先生が真っ先に気づかれたでしょう」

宮田先生はうなずかなかった。眉根を寄せる。

「私もそう自負していました。私自身は、自殺だとは思いません。思いたくないということもありますが」

苦しそうだった。

「ただ、ものの見方はいろいろです。保護者の数だけ、考え方の違いもあります」

「じゃ、自殺説は保護者のあいだから出てるんですか」

「そういうわけではありませんが」

言葉を濁すのも、これまでの宮田先生らしくない。

「川崎先生、伊藤先生と、等君が担任教師と上手くいっていなかったことは事実です。実情はどうあれ、彼がここに通っていたことも、母子家庭であることも事実です。そういうことを考え合わせてあの子が自分から命を絶ったんじゃないかと憶測する向きがあるのですよ」

敏子が知らなくて幸いだった。

「それで――その噂のなかに、あおぞら会も出てくるんですよ」

等が友達に話したのだろう。彼が仲良くしていた同級生たちは、あおぞら会のことを知っていた。

「でも、一緒に参加した子供たちはいませんでした。ですから実情が知られてない。なので、あおぞら会を誤解している人たちがいるようです」

「あえて乱暴な言い方をしますけど、いわゆる〝問題児〟の会だと？」

宮田先生はうなずいた。「そういうところに通うほど、等君の状態は悪かったのだ、ということです。それがまた循環して、自殺説の裏づけになるわけですよ」

噂形成の、典型的なパターンだ。頭と尾がつながってぐるぐる回り、太ってゆく。

「担任の伊藤先生は、そういう噂に水をかけてはくれないんでしょうか」

「無理でしょう」と言って、ようやく宮田先生は苦笑した。「私から見ても、古いタイプの先生です。失礼ながら、どうしても上からものを見てしまうし、自分の評判に傷がつくことが我慢できないようで」

いや、これは言い過ぎですと鼻をこすった。

「まあ、ともあれ伊藤先生はこういうことに柔軟に対応できる人ではありません」

「三、四年のときの担任の川崎先生はいかがです？」

宮田先生の目つきがまた変わった。「いかがとは？」

「等君の死をどう思っていらっしゃるんでしょうね」

「さあ、わかりません。川崎先生は、もうさくら小にはおられませんからね」

去年、他校へ異動したという。それなら何も知らなくて当然だ。が、滋子は引っかかった。川崎先生の名前を出したときの、宮田先生の目の動きに。

等が児童相談所へ通うきっかけとなった教師。等を嫌っていた教師。とうとうスムーズにいかなかった相手。

等が何かを〝見て〟いたかもしれない人物。

今、突っ込んで訊いたら出てくるのではないか。宮田先生は知っているような気がする。何か、敏子も滋子も知らないこと。伏せられていることを。

が、先生は腕時計に目を落としてしまった。

「あ、こんな時間だ。この程度でよろしいでしょうかね」

滋子は引き下がるしかなかった。丁重に礼を言い、宮田先生と別れた。胸のもやもやを抱えたまま。

「あおぞら会」事務局には、いかにもそれらしく丁重にしたためた企画書と取材依頼書を郵送してある。あとあとのためにも、ここはいきなり押しかけるより、ひととおりの手順を踏んでおいた方がいい。

だから滋子としては、このままノアエディションに出て、午後は本業に勤《いそ》しむべきなのだが――。

かなり意地悪なやり方だし、成果がある確率はせいぜい五割ぐらいだろうけれど、川崎先生に関するもやもやを手っ取り早く払拭する手段を思いついてしまった。だから、さくら小学校へ足を向けた。

学校の近くまで行ってから職員室に電話し、花田先生につないでもらった。休み時間を狙ってかけたのだが、彼女はなかなか電話口に出てこなかった。まあ、煙たいのだろう。その感情を利用しようというあたしも人が悪いと、携帯電話を手に苦笑した。

やっと聞こえてきた花田先生の声は、当然のことながらあまり親切そうではなかった。

「あの……授業が始まるところなんですが、何の御用でしょうか」

滋子はてきぱきと話し、何とか十五分間だけ時間をとってもらった。

遅めの昼食を取って時間をつぶし、直接図画工作室に上がって行った。通用門を通るにはインターフォンを押して開けてもらわねばならなかったが、美術クラブの生徒の保護者で、花田先生とお約束があると告げると、それ以上用件を問われることはなかった。

伊藤先生はわからないが、花田先生は、萩谷等のことで前畑というライターに会ったことについて、口をつぐんでいるに違いない。既婚者との恋愛など珍しくもない昨今のご時勢ではあっても、教師という立場が立場だ。針の筵《むしろ》にいる彼女は、先輩教師に叱責されるネタを増やすようなことはしたくなくて当然だ。

いくら容姿が美しくても、機嫌が悪ければくすんでみえる。花田先生は、初めて会ったときの半分ぐらいしか美人に見えなかった。もっともそれは、滋子の「目」のせいかもしれない。

滋子とて、別段、不倫は絶対に許されないなどと堅苦しいことを言う気はない。が、花田先生のあの告白には、何となくいけすかないものがあった。教師としてではなく、人間としての身勝手さが青臭く鼻をつくような感じがあった。それが滋子のなかに残り、彼女を見る目を変えさせてしまったのかもしれない。

「もう、こちらにはいらっしゃらないんじゃなかったんですか」

あからさまに迷惑そうに、不安げに見つめられて、しかし滋子は愛想よく微笑んだ。

「用件が済めば、すぐ退散いたします。ひとつ教えていただきたいことが出てきてしまいまして」

川崎先生をご存知ですよねと、切り出した。

「去年、他校に異動されたということですが」

はい――と、花田先生はうなずいた。

「萩谷等君を、三年生と四年生のときに担任しておられた先生です」

「そのようですね。わたしはまだいませんでしたから」

拗《す》ねたように横を向く。

「でも、一年間この学校で同僚教師としてご一緒だったわけですよね」

それが何だというように、花田先生の目つきが尖った。滋子は彼女のきゅっとすぼまった瞳の奥に、警戒警報が発令されるのを見た。

あたりだ。花田先生は何か知ってる。川崎先生に問題があったのだとしても、学校の上層部だけが握りつぶしてしまっている可能性もあると思ったから、確率五割と踏んだのだが、カードは表が出た。

「お時間をとらせては恐縮なので、率直にいきます。川崎先生は、何かしら不祥事があって学校を移ることになったのではありませんか？　わたしは、そう推測できるだけの根拠をつかんでいるんです」

二人は立ったまま向き合っていたのだが、滋子には、花田先生が文字通り頭のてっぺんから爪先まで固まるのがわかった。生き人形のようだった。

「わたしは何も知りません」

口先だけ動かして、そう言った。

「まあ、ご存知ないんですか」

さも意外だというふうに大仰に驚いてみせた。

「はい。前畑さんはどんな根拠をお持ちなんです？　誰がそんなひどい話を言いふらしているんでしょう」

「いえ、誰も言いふらしてはいませんよ。でもね」

美人は怒っても美人だが、ストレートに怒りきれない弱気を含んだ花田先生の顔は、意固地で可愛げのない感じがした。

が、滋子がじっと見つめるうちに、彼女の瞳の奥で、はっとしたように、別の光が閃《ひらめ》いた。

「萩谷君――ですか」

滋子はわざと黙っていた。花田先生は面白いように食いついてきた。気色《けしき》ばんだ。

「そうなんですね？　等君が何か描いていたんですね？　絵が残っているんでしょう？　そうなんですね？」

ここはハッタリ勝ちである。滋子は彼女の問いかけをきっぱり無視した。

「そうですか、川崎先生のことはご存知ないですか。わかりました」

ふうと息を吐いて、踵《きびす》を返す。

「お手間をとらせて申し訳ありませんでした」

「――え？」

「先生がご存知ないなら仕方ありません」

一礼して、図画工作室の出口に向かって歩き出す。

「教頭先生や校長先生に伺ってみます」

一瞬立ちすくんでから、花田先生は追いすがってきた。もう、申し訳ないほどにこっちの言いなりである。

「待って。待ってください」

立ち止まり、肩越しに振り返る。花田先生はおろおろと瞳を泳がせていた。

「わたし――あの」

滋子は笑って宥めた。

「大丈夫ですよ、先生。教頭先生にも校長先生にも、余計なことは申しません。等君があなたの個人的問題に気づいていたとか、それを絵に描いて残していたとか、それによって等君からほかの子供たちにも洩れた可能性があるとか、そんなことは一切口に出しませんから」

やろうと思えば、人間、かなりヒドイことでもできるものなのだ。ごめんね、と思いつつ、手を緩めずに言い切った。

「わたしは別に、さくら小学校の暗部を暴こうなんて思ってるわけじゃありませんから」

やろうと思えばできますけどねと匂わせる。我ながら、黒いなぁ。

花田先生は陥落した。細い肩が、かくんと落ちた。

「わたしも、噂でしか知りません。教職員全員に向けて、正式に通達があったわけではないんです。だって聞こえのいい話じゃありませんから」

滋子はゆっくりとうなずき、促した。

「川崎先生は――数人の女子児童に――わいせつなことをしたという疑いをかけられて」

きたか。それか。漠然とではあるが、何かあるのだとしたら、体罰かそっち方面か、どっちかだろうと睨んでいたのだ。

花田先生は視線を足元に落とし、小刻みにかぶりを振り始める。

「すべて誤解だと、川崎先生は弁明したそうです。目撃者とか証人がいるわけではありませんし、被害に遭ったという女子児童の言うことも、終始一貫していないんです。作り話かもしれないんです。指導の難しい女子だったりして……。本当に事実そういうことがあったかどうかはわからないんです。ただ」

「ただ？」

思わず、滋子の問いが厳しくなった。花田先生はびくんと震えた。

「川崎先生が以前いた学校でも、似たような疑惑があって保護者と揉めたという事実がわかって……」

滋子は頭を抱えたくなった。それはもう、白に近い灰色ではなく、限りなく黒の濃度に寄った灰色である。

「で、今回もまた、同じように異動という処置で手を打ったと」

「……そのようです」

問題教師のたらいまわし、学校単位のババ抜きだ。滋子はむかついてきた。学校の体面を維持することが最優先。生徒は二の次じゃないか。

滋子の推測——というよりむしろ想像だが、それは最悪の的中をみた。等は川崎先生のそういう暗部を「見て」いたのだ。だから彼の授業中にぼうっとしてしまった。

等の年齢では、まだそこで「見えて」いる光景が何なのか、どんなことが行われているのか、ちゃんと理解することはできなかったかもしれない。だが、それが本来あるべきではないことはわかったろう。異常な状況だということもわかったろう。

好奇心をそそられたに違いない。同時に、怯《おび》えたことだろう。先生は何をやってるんだろう？どうして女の子のあんなところを触ってるんだろう？

等はこの種の光景を描いた絵を残していない。死体やその一部らしきものは描いても、これは描かなかった。

描けなかったのか。描きようがなかったのか。

あるいは、今時の子だから、滋子が想像する以上に等も大人びていて、性的な行為についての知識を持っていたかもしれない。だからこそ描かなかった？　いや、描きはしたが、母親の敏子には見せなかった、彼女の目に触れる場所には置かなかった、描いて捨てた。ちょうど、嫌らしい写真の載っている雑誌を、親の目から隠しておくように。

気がつくと、花田先生が大きな目を凍ったように瞠って、滋子を見つめていた。たぶん、滋子の顔が険しく歪んでいたのだろう。彼女は怯えていた。

「お話しいただいて、すっきりしました」

「あの、このことは」

「もちろん、先生から伺ったなどと、誰にも言いません」

花田先生はしおしおと頭を下げた。

「隠蔽《いんぺい》体質ですね」と、滋子は言った。「臭いものには蓋。あなたのお相手も転任、川崎先生も転任」

「でも、わたしたちは」

「ああ、そうですね。もちろんあなた方は犯罪行為をしたわけじゃないんですから、一緒くたにすることはできません。失礼しました」

ありがとうございましたと、短く言って、滋子は足早に図画工作教室を出た。廊下を歩き、階段を降りて通用門に向かう。授業中で、校内は静かだ。

その静けさをぶち破り、叫んでやりたかった。腹が立って腹が立ってどうしようもない。今はもう、学校は聖域ではないのだ。聖域なんて、どこにもないのだ。

見ぬもの浄《きよ》し――という言葉が、頭に浮かんだ。そうだ。昔の人は正しい。世の中には、知らない方が身のためだという事柄があるのだ。

だが、知ってしまったら放置しておいてはいけない事柄だってあるんじゃないのか。

怒りのままに、ほとんど考えることもなく、街路に出るとすぐ児童相談所に電話をかけた。宮田先生が出ると、語気も荒く、滋子は言った。「川崎先生のことを、さくら小学校に確認してみました」

察しがついたのか、宮田先生は沈黙している。

「実はたいへんな問題教師だったようです。先生はご存知だったんですね？」

ややあってから、疲れたような低い声が聞こえてきた。

「事実そういう事件があったのかどうかは、私は知りません。川崎先生も認めてはおられないはずですが」

「そりゃ、白状するわけないですよ。シラを切り通せば、学校がかばってくれるって承知してるんですから」

電話の向こうで、宮田先生が重々しく咳払いをした。

「前畑さん」

滋子を呼ぶ口調が一変した。悪い子を叱り、諭《さと》すときの教師の口ぶりだ。

「あなた、どういうおつもりです。何をやろうというんですか」

「何って、何をです？」

「告発とか——暴露です。あなたにはそんなことをする資格があるとは思えませんが」

「では伺います」滋子も切り口上になった。「児童に対する性的虐待という犯罪を告発するために必要な資格とは何でしょう？　何が必要になりますか」

宮田先生はため息をついた。「お話になりませんな」

それはこっちの台詞だ。

「萩谷等君は、自分がなぜ川崎先生の授業中にぼうっとしてしまうのか、なぜ先生と上手くいかないのか、彼なりの理由を先生に打ち明けたことがありましたか？」

電話は沈黙している。実に雄弁な沈黙だった。

「あったんですよね」と、滋子は言った。鼓動が高くなり、あばら骨まで震えるようだ。その震えが指先に伝わってくる。滋子は全身で怒っていた。

言葉を選ぶように慎重に、宮田先生は答えた。「そりが合わないと言っていました」

「へぇ。小学生の子供にしては、ずいぶん世間ずれした表現ですね」

「あの子は大人びていたんですよ」

滋子は携帯電話を握りしめた。

「宮田先生、等君は先生に相談したことがあるんじゃないですか？　僕が川崎先生を好きになれないのは、あの先生にヘンなところがあるからだ。川崎先生は、女の子たちにこっそりと嫌らしいことをしてるんだよ、と」

滋子の心の目には、その光景がくっきりと浮かんでいた。困惑する等の顔が見えた。怯《おび》えた口元が見えた。どういう言葉を使って表現していいかわからずに、ためらい迷って身を縮めている姿が見えた。

先ほどよりも深く長いため息を吐き出して、宮田先生は言った。

「確かに、そのような会話がありました」

一度だけですと、声を強くする。

「事実ならとんでもないことですから、私は真剣に話を聞きました。頭から叱ったり、否定したりしておりません。私は教育者で、子供たちを預かる教師の責任が重大であることは骨身に沁《し》みて知っておりますし、自覚もしております」

君はなぜそんなことを知っているのか。そういう光景をいつ見たのか。そういうことは何度あったのか。

「よく問い質《ただ》してみました。そのときも、できるだけ柔らかい表現を選ぶように心がけました。萩谷君が萎縮《いしゆく》してしまわないように、慎重にしたつもりです」

「彼はどんな説明をしました?」

宮田先生は、千切って投げるような笑い声をたてた。

「説明はありませんでした。具体的に、いつ、どんな状況で川崎先生がそのような行為をしているのを目撃したのか、話すことができなかったんですよ。被害に遭っている女子児童の顔もわからない。その子の服装を訊いてもとりとめない返事がかえってくるばかりです。ただ、自分よりも小さい学年の子だというだけで」

「でも、彼は見たと言ったんでしょう?」

「前畑さん、あなたはお子さんをお持ちですか」

何でそんなことを訊くんだ。

「おりません」

「じゃ、わからないかもしれないですね。よろしいですか。子供というものは、しばしば空想と現実をごっちゃにしてしまうものなのです。思い込みや想像と現実の出来事が、彼らのなかではごく自然に並列しているのです。彼らの世界はまだ小さく、視界に入るものは限られています。それを彼らは想像で補う。発達のためには大切なことですし、それが正しく行われなければ子供は成長できません」

「何をおっしゃりたいのか、わたしにはわからないのですが」

宮田先生は優勢を取り戻した。彼がそう感じているだけでなく、事実がそうだから、滋子は歯噛みした。ええそうです、わたしは子育てしていません。自分が子供だったのは遠い昔で、だから今の子供のことはわかりません。

「萩谷君は、確かに川崎先生が嫌いだった。だが、なぜ嫌いなのか、その理由が自分でもよくわからなかった。さっきあなたがおっしゃったとおり、そりが合わないなどという概念は、小学生の子供の頭のなかにはまだ存在していませんからね。萩谷君は、自分自身の心の葛藤《かっとう》と折り合いをつけるために、どうしても、川崎先生の側に〝嫌われる理由〟を見つけ出さなくてはならなかった。だから、そのようにしたんです。自分でその理由を想像して作り上げたんですよ」

「ちょっと待ってください」

宮田先生は待たなかった。声に張りが戻ってきた。

「もちろん、意図的にではないでしょう。無意識のうちにやったことです。また、サンプルもたくさんあった。昨今、学校教師の不祥事は、遺憾ながら何件も発生していて、そのたびに派手に報道されます。萩谷君はそれらの報道に接して、自分が嫌いで嫌いで仕方のない川崎先生も、こういう悪いことをする先生だったらいいのになと思った。それなら、川崎先生を嫌っている自分自身を正当化することができる。気が楽になります」

いい大人でも、そういうことをやるでしょう？　小さな出来事を針小棒大にふくらませて、他人を中傷することがあるでしょう？　畳み掛けられ、一方的に押されて、滋子は奥歯を食いしばるしかない。

「ですから私は」

ひと息ついて、宮田先生は口調を和らげた。

「萩谷君に彼の思うことをすべて吐き出させた上で、諄々《じゅんじゅん》と言い聞かせました。根拠のないことで他人を責めてはいけない。確かな証拠のないことで、疑いをかけてはいけない。君が川崎先生を嫌っていることはよくわかるし、それはけっして悪いことではない。誰だって好き嫌いがある。自然なことだ。無理に理由を見つけることはないのだとね」

等は素直に聞き入れ、二度とこんな話はしません、ごめんなさいと謝ったという。

滋子はいったん携帯電話を遠ざけ、大きく呼吸した。この震えを抑えこもう。落ち着かなくちゃ。

それから言った。「先生、そのとき等君は何か絵を描きませんでしたか?」

虚を突かれたように、宮田先生は「え?」と問い返した。

「その場で絵を描きませんでしたか? 僕が見たのはこんなことでした、川崎先生はこういうことをしていたんですって」

実際には二、三秒の沈黙だったのだろうが、滋子にはひどく永く感じられた。正直に答えてください、先生。

「——描きました」

そうでないはずがない。

「彼は絵が上手でしたよね?」

「ええ。でもその絵は、わけのわからないものでした。萩谷君も描きながら混乱しているようでした。冷や汗をかいていましたよ」

滋子は目を閉じた。痛ましさに鼻先がツンとなった。

「上手く描けなかったんですよ、先生。彼には充分理解し切れないことだったからです。良くないことだということはわかっても、いえ、だからこそ再現できなかったんです。怖かったんでしょうし、恥ずかしかったんでしょう」

「それはそうでしょう。恥ずかしかったに違いない。自分で想像したことであっても――」

「想像じゃありません！　違うんです、先生」

宮田先生の声が、初めて怒気をはらんだ。「なら、何だとおっしゃるんです？　彼はいつどこでそんなものを目撃したんです？　いくら尋ねても、ちゃんと答えることができなかったんですよ？」

それは、等が現場を見たのではないからだ。

言ってしまおう。言わねばならない。

「等君は事実を見たのではないんです」

「じゃ、何を見たというんです？」

記憶です。幻ですと、滋子は答えた。

「――前畑さん」

怒気は消えて、宮田先生の声が裏返った。

「あなた、萩谷君が幻覚を見たとおっしゃるんですか」

「幻覚ではありません。幻視です。等君は他人の記憶を見る能力を持っていたんです。川崎先生の件だけではなく、ほかにも実例があるんです。彼が描き残した絵もあるんです。わたしはそれを調べているんです」

言い切ってしまって、ようやく滋子の鼓動は落ち着いた。通り過ぎる車の音、街路樹の葉のささやきも耳に入るようになってきた。

「呆れたものだ」

宮田先生は冷たく言った。目の前に先生がいて、どんと突っ放されたのと同じように、滋子は感じた。

「あなたはもう少し真面目な方だと思っていた。まったく、時間を無駄にしてくれたものです」

もうお話しすることはありませんと、電話は切れた。

少しのあいだ、滋子はツーツーという音を聞きながら突っ立っていた。それからゆっくりと通話ボタンを切り、携帯電話をしまいこんだ。

顔を上げると、まるでそれを待っていたかのように、湿っぽく温《ぬる》んだ風が滋子の髪を乱して吹き過ぎた。

渡ってしまった。ルビコン河だ。

あたしは認めた。完全に河を渡って対岸に立った。

萩谷等は異能者であったと。

もう、道はそれしかないのだ。ほかに考えようがない。迷いようもない。等が確かに他人の記憶を「見て」いたのだと考えないことには、つじつまの合わないことがあまりにも多い。

等には見えたのだ。見えていたのだ。理解はできなくても、映像は見える。知識は足りなくても、目に飛び込んでくるものを見ないわけにはいかない。

あの〝山荘〟の絵でさえも、そうやって等の目に入ってきたものだったのだ。何処で遭遇したのだろう。いつのことだったのだろう。敏子と連れだって出かけた繁華街。駅前の雑踏のなか。あるいは、一人で歩く登校路。

あれが何か、等には、すぐ理解することができたろうか。あんな映像を脳裏に染みつけたまま日々を生きているその大人の顔を、等は思わず振り仰いだろうか。それはどんな人物だったろう。刑事？　取材記者？　テレビのレポーター？　被害者たちの遺族であった可能性だってある。花田先生と同じように、記録映画で〝山荘〟の存在を知っただけの、事件とは関わりのない若者だったかもしれない。そのとき等が目にした記憶の映像には、どんな感情がまとわりついていたろうか。

恐怖、好奇心、嫌悪。最悪の場合は——歪んだ憧憬。

人間の真っ黒な欲望。こっそりとしまい込まれている後ろ暗い秘密。この世の邪悪。表沙汰にされることのない憎悪や渇望。

道路を隔てて、さくら小学校の灰色の校舎を仰いだ。

前畑滋子は、あなたが見たものを信じる。あなたが見ていたことを信じる。

「ごめんね」と、小さく呟いた。「うんと手間がかかっちゃった。でも、もうわかった。よくわかったからね」

あなたがその短い人生で、折り合いをつけながら付き合わなければならなかった不思議な景色を、今こそすべて引き受けよう。そしてその航跡を追いかけよう。

土井崎茜を。彼女の屍蠟《しろう》化した亡骸を。彼女が自分の家の床下に埋められていたことを。

萩谷等は、どこの誰の記憶から見てとったのか。

そこまで詳しく茜の死を知っていた人物と、等はどこで接触していたのか。

その人物の存在を突き止めることは、誠子の望む、茜の死の真実を明らかにすることにも、確かにつながる。

断章④

肩から提げたビニールバッグのなかから、プールの匂いがする。濡れた水着とタオルのせいだ。この匂いは嫌いだ。プール教室も嫌いだ。補習より、もっと嫌いかもしれない。

日盛りの道、少女は一人でスキップを踏み、つまらなくなってすぐやめて、一人で口を尖らせてみる。真夏の濃く短い影。少女の不機嫌な表情は影のなか。

プールでは、少女一人をのけ者にして、みんなが楽しそうにしているのが嫌だ。補修では、せっかくの夏休みに勉強しなくちゃならない自分が嫌だ。勉強しろっていう先生が嫌だ。いっしょに行こうって迎えに来る、バカなクラスメイトが嫌だ。あたしはあんたみたくバカじゃない。あんたと同じじゃない。勉強が嫌いなだけだもん。いくら勉強したって、妹の方がいい点をもらうんだもん。お父さんもお母さんも妹ばっかりほめる。だから勉強なんかしたくないんだ。

今日はとうとう、プールでミキちゃんと口喧嘩してしまった。絶交だって言われた。あんな大きな声で言わなくたっていいじゃない。あたしがどんな悪いことをしたの？

ただ、ミキちゃんは可愛いから先生にえこひいきされてるって言っただけなのに。それってホントのことなんだし。

どうしてみんな、あたしのこと怒ってばっかりなんだろう。あたしのこと、ウソつきだって言うんだろう。

少女は今日も、通ってはいけないというあの道を通る。今ではすっかり習慣になってしまった。そして、近づいてはいけないという四角い家の前で立ち止まる。ドアも窓も閉じている。窓には格子が並んでいる。

あれからも何度か、四角い家からあのおばさんが出てくるのを見かけた。どこかから帰ってくるのも見た。いつも自転車で、カゴのなかにバッグを放り込んでいる。

向かいの「法山新聞販売店」は、アルミサッシの入り口が開いているときもあれば閉まっていることもある。開いているときには、なかで立ち働いている人がいるのが見える。でも、新聞店の太ったおばさんには、あれきり声をかけられたりしていない。少女も要領を覚えてきて、おばさんがお店のなかにいるときは、素早く通り過ぎてしまうようにしているのだ。また何か話しかけられたら面倒くさいもの。

ぶっさいくなメガネをかけていて、そろばんを習ってるあのうちの子には、何度も会った。少女を見つけると、逃げるように背中を見せて駆けていってしまう。そのくせ、ちょっと離れたところまで行くと、振り返ってじいっとこっちを見つめる。少女がそれに気づくと、跳び上がるみたいになって、また逃げ出す。ものすごくヘンな奴だ。

足を止め、いつものように少女は四角い家を仰ぎ見る。毎日毎日、同じ眺めだ。面白いことなんかひとつも起こらない。ここを通っちゃいけないなんて言いつけは、やっぱりバカみたいな嘘だったんだ。みんな、こんな家のどこがそんなに怖いんだろう?

どうして？　どうして？　どうして？　少女にはわからないことばかりだ。つまンなくて腹の立つことばかりだ。何もかもうまくいかない。

下を向いて、思いっきり口を尖らせた。

法山新聞店の引き戸は、今日は閉まっている。とっても蒸し暑いからだろう。歩道に面してどんと座っている古臭いクーラーの室外機がぶんぶんうなっている。

少女の頭上で、小さな音がした。

何だろう？　顔を上げてみる。

四角い家の二階の右側の窓が、少しだけ開いていた。ほんの十センチくらい。ちょうど、格子と格子の幅と同じくらいだ。

今、開いたんだろうか。それで音がたったのかな。

まばたきもせずに、少女は十センチの隙間を見つめた。今立っている場所は四角い家に近すぎて、かえってよく見えない。仰向けにそっくり返ったまま、そろそろと後ずさりをして、道路の真ん中近くまで移ってみる。

窓の内側でカーテンが揺れていた。うじゃじゃけた色合いの、何かよくわかんない柄の、厚いカーテン。すっごい趣味が悪いと思う。

カーテンは揺れ続けていた。風のせいじゃない。今日は風なんてそよりとも吹いていないもの。

誰か、窓際に人がいるんだ。少女は息を詰めた。

白い指先がカーテンの端に現れ、カーテンを横にのける仕草をした。すごくビックリして、ちょっぴり怖くて、少女は一瞬、あれは幽霊かと思った。カーテンにくっついてるジバクレイ。

ううん、ホントの人の指だ。

爪を長くして、色を塗っている。関節のところで曲がって、カーテンを押さえている。

白い指はいったんカーテンのそばから消えた。と、今度は面格子のあいだから、にゅうっと手首から先が出てきた。何かつかんで——つまんでいる？

白い手は宙でぱっと開き、そこから何かがすうっと落ちてきた。少女の目と鼻の先の路上に落ちて、ころころと少しだけ転がった。

ゴミだと、少女は思った。窓からゴミを捨てたんだ。

また窓を見上げた。十センチの隙間。どろんと垂れたカーテン。

面格子の間から、また手が出てきた。ゴミが落ちたあたりに向かって、つっつくような動きをしている。

少女はぽかんと口を開けて、それを見ていた。

拾いなさいってことかなぁ？

ヤな感じ。窓からゴミをポイ捨てして、そんで通った人に拾わせるの？　そういうこと、しちゃいけないんじゃないの？

手はしきりとゴミを指している。同じ仕草を繰り返す。それから急に引っ込んだ。カーテンがどろんと揺れる。ぴしゃりと、窓が閉まった。

四角い家は、いつもの四角い家に戻った。

今の、何？

四角い家の、初めての動きだ。これだけ毎日毎日じいっと見てて、やっと何か起こったと思ったら、ゴミ捨てだ。朝顔の観察よりもつまらない。

ブッブウと、クラクションが聞こえた。すぐそばに軽トラックが迫っていた。運転手がこっちを見ている。少女はあわてて道の端へ、四角い家の側へと寄った。

軽トラックが走りすぎると、車が起こした風にあおられて、さっきのゴミがまたころころと転がった。その動きを見て、何か紙くずみたいなものだとわかった。

拾ってなんかやるもんか。少女は無視して歩き出そうとした。すぐそばを通り過ぎようとすると、今度は少女の動きで起こった風で、ゴミはころりと動いた。向きが変わった。そこに、少女の見慣れた柄があった。

あれ、煙草の箱だ。

何だかわからないけど、煙草の箱をわざわざバラバラにして捨てたんだ。箱ひとつ、丸ごとじゃない。だってそれだと小さすぎるもの。

ゆっくりと、一歩二歩と近寄って、少女はそれを拾い上げた。

やっぱりそうだ。この厚紙の感じ。お父さんが吸っている煙草の箱とおんなじだ。お母さんにやめろやめろと言われてやめられなくて、いっつもベランダで吸ってる。お母さんがいないときは、うちのなかでも隠れて吸っている。ちゃんと知ってるんだ。あたしにはあれをするなこれをやめなさいと叱るくせに、自分は煙草をやめられないんだ。

これ、ラークだ。お父さんが吸ってるのは赤いけど、これは緑色のやつだ。

厚紙だから、そんなにくしゃくしゃになってはいなかった。ざっと折ってあるだけ。少女の手のなかでそれを開いてみた。

何か、字が書いてある。

少女はすべすべした額にしわを刻んだ。きったない字だ。鉛筆とかボールペンとかで書いたんじゃないみたい。クレヨンかな？　触ると指に黒いのがくっつくみたい。

ひらがなと漢字。

少女はまだ漢字がよく読めない。そのことでも、しょっちゅう叱られていた。四年生で教わる漢字も読めないけど、三年生や二年生で習ったはずの漢字もわからないものの方が多いからだ。お母さんはすぐガミガミ怒る。あんた、先生のおっしゃることをちゃんと聞いてないんでしょ。ドリルをやりなさい！　百回ずつ書くのよ。

だけど読めないものは読めないし、書けないものは書けないのだ。わかりませんというと、先生も教えてくれない。そうしてテストでバツをもらう。今まで教わったのも読めないのに、これからももっとたくさん教わるわけだから、読めなくて書けなくてぜんぜんわからない漢字が山のように積み重なり、少女は教科書を見るのも嫌になっていた。

でも、ひらがなだけなら読める。何とかなる。

「——けて」

少女は声に出して呟いた。字は横書きに、歪んではいるけれど二列に書かれていた。上の一行が、それだ。

何を「けて」なのかな。その上の漢字、何だ？　変な形をしてる。

下の一行は、

「——よんでください」

少女の頭に、パッと解答が閃いた。そうか、手紙なのか。だから「よんでください」なのだ。

思わずにっこりした。ちょっと後戻りして、あの窓の下に立った。窓は閉まったままだった。

うしろの法山新聞店で、引き戸の開く音がした。あの太ったおばさんが、よっこらしょと自転車を運びながら出てくる。

少女は拾った手紙をスカートのポケットに押し込むと、あわてて駆け出した。太ったおばさんから充分離れてしまうまで、後ろを見ずにずっと駆けた。

家に帰る道々、立ち止まっては手紙を取り出してながめてみた。やっぱり「けて」だ。「よんでください」だ。

あの家には、あたしと同じくらいの小学生がいるんだろうか。お手紙ごっこなら、三年生のときに、女の子たちのあいだですごく流行《はや》ったことがある。毎日学校で会ってる友達同士で、手紙を書いては渡しっこするのだ。四年生になると、メールとかする子が増えてきて、今はみんなやらないけど――。

少女は、三年生のときのお手紙ごっこにも、今の主流のメールごっこにも、仲間に入れてもらえなかった。お手紙は、ミキちゃんとはちょっとだけやったことがあるけど、ミキちゃんのお手紙は絵がついてたり字がいっぱいあったりするのに、少女のはそういうのじゃないので、面白くないって言われて、やめになった。メールは、どうすれば送れるのかさえ、少女は知らない。まだそんなことはしなくていいって、お母さんが言うから。

四角い家にもあたしみたいな子がいて、誰かとお手紙ごっこをしたがってるのかもしれない。その子は病気か何かで学校に行かれなくて、寂しいんだろう。

うん？　でもちょっと待った。さっき窓からのぞいた手は、ちっちゃい子の手じゃなかったような気がする。ちらりと見ただけだけど――だってそうじゃない！　爪を塗ってたもん。

なぁんだ、お手紙ごっこじゃないのか。少女の興味はたちまち蒸発した。

でも、いいや。みんなが怖がって、ミキちゃんなんか泣きべそかいちゃうあの四角い家から、これはあたしがゲットしたアイテムだ。よくテレビゲームをする友達が、そういう言い方をしてる。これこれをクリアしたからこのアイテムをゲットしたって。うちはお母さんがテレビゲーム大嫌いだから、やらせてくれないんだ。

家に帰ると、少女はそれを、考えに考えた末に、ランドセルの内側のポケットにしまいこんだ。お母さんは机の引き出しとか見るけど、ランドセルのなかはのぞかないもんね。
それにしても、この漢字は何て読むんだろう。特に、「よんでください」の前の、ふたつの漢字。この形、どっかで見たことがあるような気がする……。

（下巻へつづく）

■カバー写真：小山泰介
■装丁：鈴木正道(Suzuki Design)

著者紹介

1960年、東京都生まれ。87年に「我らが隣人の犯罪」で第26回オール讀物推理小説新人賞を受賞しデビュー。92年に『本所深川ふしぎ草子』で第13回吉川英治文学新人賞、『龍は眠る』で第45回日本推理作家協会賞を受賞し、93年には『火車』で第6回山本周五郎賞を受賞。97年に第18回日本SF大賞を『蒲生邸事件』で、99年には『理由』で第120回直木賞をそれぞれ受賞した。2001～02年にかけて『模倣犯』により第55回毎日出版文化賞特別賞、第5回司馬遼太郎賞と第52回芸術選奨文部科学大臣賞を受賞。07年には『名もなき毒』で第41回吉川英治文学賞を受賞した。最近の著作に『ICO——霧の城』『日暮らし』『孤宿の人』などがある。【宮部みゆき公式ホームページ（大沢オフィス「大極宮」）http://www.osawa-office.co.jp/】

楽園《らくえん》　上

2007年8月10日　第1刷発行

著　者　宮部《みやべ》みゆき

発行者　庄野音比古

発行所　株式会社　文藝春秋

〒102-8008　東京都千代田区紀尾井町3-23

電話　03-3265-1211

印刷所　本文・理想社　付物・大日本印刷

製本所　加藤製本

ISBN 978-4-16-326240-6